OTTO OBERHOLZER

Richard Beer-Hofmann

WERK UND WELTBILD DES DICHTERS

Mit einem Bildnis des Dichters

1947

A. FRANCKE AG. VERLAG BERN

Meinen Eltern

Inhaltsübersicht

Vorwort

Die vorliegende, im Sommer 1945 abgeschlossene Arbeit bildet den Versuch, im Werk des Dichters Richard Beer-Hofmann das Weltbild sichtbar zu machen. Die Bedeutung seiner Kunst liegt weniger im Kompositorischen oder im Sprachlichen als hauptsächlich im Symbolischen. Wir haben uns daher bemüht, vor allem die mythologischen Hintergründe so scharf wie möglich zu konturieren. Dieser Aufgabe unterzogen wir uns sowohl im Verlauf der kontextlichen Analyse als auch in einem besonderen Abschnitt über die Systematik der Symbole. Auf die Angabe entsprechender Stellen bei andern Dichtern wurde dabei nicht verzichtet, obgleich wir uns bewußt sind, daß nur ein verschwindender Bruchteil solcher geistesgeschichtlicher Motivparallelen angeführt werden konnte. Die Abhandlung ist in dieser Hinsicht nur Vorstudie zu einer größeren Arbeit, die die Gültigkeit und Verbreitung gewisser mythologischer Symbolreihen oder allgemein gebräuchlicher symbolischer Formen und Figuren in der neuern deutschen Literatur nachweisen und mit geistesgeschichtlichen Wandlungen in Zusammenhang bringen soll.

Über Beer-Hofmann zu schreiben, war in den letzten Jahren mit einigen Schwierigkeiten verbunden. Denn außer den Werken, die wir chronologisch vorführen, waren uns keine Dokumente über die Persönlichkeit des Dichters, sein Leben und seine spätern Werke (nach 1941) zugänglich. Auch viel wertvolles, in der Bibliographie verzeichnetes Material mußte uns aus naheliegenden Gründen verschlossen bleiben. Biographisch ist uns nur wenig bekannt. Das Wissenswerte sei in aller Kürze mitgeteilt: Ein Wiener Privatmann, 1866 geboren, zeitweise als Regisseur in Berlin wirkend, in Rodaun in unmittelbarer Nähe Hugo von Hofmannsthals wohnend, befreundet mit Schnitzler, Hermann Bahr und Hofmannsthal, 1938 aus Wien fliehend, kurze Zeit in der Schweiz weilend (wo der Dichter seine Frau verlor), schließlich nach Amerika auswandernd... Das sind die wesentlichen Tatsachen seines Lebens. Richard Beer-Hofmann ist im Herbst 1945 in New York gestorben. Sein Name wurde vor manchen Jahren in dem Lande, dem er der begnadetsten Sänger einer war, ausgelöscht, seine Bücher dem Feuer preisgegeben, jedes Zeugnis seiner Existenz nach Möglichkeit vernichtet. Aber wie sein Land wiedererstanden ist, so rückt auch für den Dichter die Zeit seines Wirkens näher. Er wird, wie so viele einst Verbannte, mit neuer Kraft auferstehen, ein grandioses Zeugnis ablegend für die strahlende Übermacht des Geistes über alles individuelle Schicksal.

Für die Förderung der Arbeit spreche ich meinem Lehrer, Herrn Professor Faesi, meinen herzlichsten Dank aus. Er hat in einer schwierigen, geistiger Arbeit hinderlichen Zeit mit Geduld und Hingabe die Entstehung dieses Buches betreut und mir mit Aufmunterung und fruchtbarer Kritik viel geholfen. Die Benützung der Bibliothek von Herrn Martin Bodmer war mir von größtem Wert. Auch ihm möchte ich an dieser Stelle danken.

Der erste Teil und die beiden ersten Kapitel des zweiten Teiles dieser Arbeit sind 1946 als Dissertationsteildruck herausgekommen. Die Verzögerungen in der Drucklegung haben mir da und dort kleinere Zusätze und Überarbeitungen ermöglicht. Dabei kam mir die freie Benützung der Universitätsbibliothek Lund sehr zustatten. Ihren Angestellten, besonders Herrn Oberbibliothekar Dr. Gunnar Carlquist, bleibe ich dauernd zu Dank verpflichtet.

St. Gallen, Mai 1947.

Otto Oberholzer.

Erster Teil

Geistesgeschichtliche Situation

*«Herz und Hirn müßten eins sein. Ihr aber habt in
die satanische Trennung gewilligt...»*

(Hofmannsthal)

I. DIE BEGRIFFE DES KULTURZERFALLS

Kultur ist ein Vorrecht des Menschen. Sie wird von ihm geschaffen aus jenen beiden Weltsphären, deren Zusammentreffen je
zur spezifisch menschlichen Existenz führt. Denn der Mensch ist
Bürger zweier Reiche, eines irdischen und eines geistigen. Er ist
körperliches, kreatürliches Wesen einerseits und seelisches, ver-
nünftiges Wesen anderseits. Er kann nach oben, in seiner Sehnsucht nach dem allwissenden Gottwesen, in seinem Streben nach
geistiger Erfassung des Universums, die dem Geschöpf der Erde
gesetzten Schranken nicht durchbrechen. Er grenzt sich nach unten
als geistig-seelisches Individuum ab gegen die bloße rohe Materie
und gegen die niederen Erscheinungen des Lebens, gegen Pflanze
und Tier. Kultur bildet sich heraus, wenn der menschliche Geist
die irdischen Gegebenheiten durchdringt und sie sich behufs eines
höheren Zweckes aneignet. Je weiter die materiellen Belange des
Daseins dem Geiste dienstbar gemacht werden können, desto höher
erhebt sich eine Kultur über den Zustand der Primitivität. Eine
harmonisch sich entfaltende Kultur nennen wir « aufsteigend »,
und ihre aufsteigende Periode bezeichnen wir mit dem Ausdruck
« Aszendenz ».

Oft erhält im Laufe der Entwicklung, beispielsweise auf Grund
umwälzender Erkenntnisse im Geistesleben oder auf Grund großer

geschichtlicher Krisen, die eine Komponente ein Übergewicht über die andere. Solche zeitweisen Einseitigkeiten bedeuten noch nicht unbedingt eine Gefährdung des Kulturfortschrittes. Sowohl die Renaissance, die Wiedererweckung antiker Sinnenfreudigkeit, als auch die Periode der Aufklärung, des Kultes der menschlichen Ratio, bewerten wir, von einzelnen Entartungserscheinungen abgesehen, als aufsteigend.

Wenn sich aber das eine Prinzip für lange Zeit und mit nachhaltender Wirkung vom andern löst, erleidet die Kultur einen Rückschritt. Jeder Kulturrückschritt entsteht somit aus einer Zerfallenheit des Lebens mit dem Geiste (Anm. 1).

Wenn sich der Geist von den irdischen Bindungen zu trennen versucht und selbstherrlich die materiellen Grundlagen des Daseins bagatellisiert, sprechen wir von einer Dekadenz. Wenn umgekehrt das Leben die Wirklichkeit des Geistes verachtet und sich wuchernd überallhin ausbreitet, sprechen wir von einer Depravation.

Den Begriff der *Dekadenz* behalten wir vor für gewisse Entartungen einer überzüchteten Spätkultur, wie sie etwa im europäischen Geistesleben zur Zeit der Wende des 19. zum 20. Jahrhundert in Erscheinung traten. Solche Perioden sind gekennzeichnet durch ein außerordentliches Überwiegen der geistigen Betätigung über die körperliche Arbeit. Unmittelbare Folgen sind ein spürbares Nachlassen der Willenskräfte und ein gesteigerter Hang, sich untätig geistigen und künstlerischen Belangen und gewissen Spielformen des Daseins zu überlassen, ferner ein auf die Spitze getriebener Individualismus. Auffällige Symptome im sozialen Leben sind Landflucht, Auflösung der Bindungen unter den Menschen, z. B. Lockerung von Familien- und Blutsbeziehungen, Mangel an Hingabefähigkeit, Zurückgehen der Geburtenziffer und ein Überwiegen der alten Generation über die junge. Der dekadente Geist ist beheimatet im Reiche der Phantasie und der Illusion. Er wendet sich mit Vorliebe in die Vergangenheit, seltener auch in eine utopische Zukunft. Er scheut in der Regel die nüchterne und sachliche Stellungnahme der realen Gegenwart gegenüber. Die Erfordernisse des öffentlichen Lebens spielen eine untergeordnete Rolle, die Angelegenheiten des Staates berühren ihn kaum (Anm. 2). In seinem Charakter ist ihm das Unstete, Fahrige, Schweifende angemessener als das Ruhende eines im Diesseitigen verwurzelten Menschen. In der Literatur wirkt sich die Dekadenz aus in ästhetisierenden, formalistischen Kunstwerken, in denen vorwiegend lebensmüde, zur Passivität und zum Pessimismus hinneigende schwächliche Menschen gezeichnet werden. Eine Periode der Dekadenz kann gewöhnlich noch weitgehend von den Errungenschaften einer glücklicheren Vorzeit zehren und erhält sich zuweilen auf einer bedeutenden Höhe. Sie ist aber, so sehr sie sich auch als Eigenkultur gebärdet, auf das Nichts hin ausgerichtet, und ihre radikalste Form ist deshalb der Nihilismus.

Eine unbotmäßige Herrschaft des Lebens über den Geist führt umgekehrt zu einer ausschließlich materialistischen Einstellung der Welt gegenüber und weiterhin zur Zuchtlosigkeit und zur Korruption. Wir verwenden für diese Form des Kulturzerfalls den Begriff der *Depravation*. Als Periode der Depravation bezeichnen wir die neueste Entwicklung der europäischen Geschichte. Sie reicht mit ihren Wurzeln tief ins 19. Jahrhundert hinunter, begann eigentlich im ersten Weltkrieg und führte schließlich zu der denkbar grauenhaftesten Entstellung dessen, was wir « Kultur » zu nennen gewohnt sind. Sie hat mit sich gebracht die Verherrlichung des Lasters, den Sieg der Barbarei über die Humanität, den Triumph des soldatischen über das zivile Dasein, die Unterwerfung des Menschen unter das Joch der Technik. Die Menschen der Depravation unterscheiden sich von denjenigen der Dekadenz durch übertriebene Aktivität, Äußerlichkeit, Oberflächlichkeit und Mangel an Resignationskraft. Vom Kult bloßer körperlicher Kraft ist der Weg nicht weit zur Verherrlichung der Brutalität und der rohen Gewalt. Schließlich entfesselte der zweite Weltkrieg einen apokalyptischen Zerstörungswillen, der zur sinnlosen Vernichtung von Zeugnissen des Geistes, zur Verfolgung und Entwürdigung des Menschen und zur rücksichtslosen Zerstampfung und Ausbeutung der Nationen geführt hat.

Es liegt im Wesen der Kultur, daß sie das Dasein von materiellen Belangen immer unabhängiger zu gestalten sucht und daß der Geist eine immer unumschränktere Herrschaft ausübt, bis schließlich jene Grenze überschritten wird, die eine gesunde Kultur von der Dekadenz trennt. Dabei fällt die Entscheidung, wo diese Grenze wirklich verläuft, sehr schwer, da die Dekadenz gewissermaßen organisch aus der Kultur herauswächst und die eigentlich negativen Folgen erst viel später zum Ausbruch kommen, ja in der Regel überhaupt nicht mehr sichtbar werden. Denn es ist dafür gesorgt, daß die Entwicklung gar nicht bis zu diesem Punkte gelangt. Es ist eine Tatsache, daß in dieser Welt der Geist viel weniger ohne die materiellen Grundlagen existieren kann als umgekehrt die Materie ohne Geist. Deshalb setzt in der Regel schon bei der Äußerung einer Dekadenz in der Kunst eine rückläufige Bewegung ein. So etwa die gegen den seichten Optimismus des Wilhelminischen Zeitalters und das verfallende Bürgertum gerichtete Bewegung des deutschen Naturalismus. Die Revolution gegen den Geist verfügt im Gegensatz zur Dekadenz über gefährliche Eigenkräfte, die ihr Abgleiten in die Barbarei und, wie wir dieses Stadium der Kulturentartung jetzt nennen wollen, in die Depravation erleichtert. Es verhält sich nicht so, daß gewissermaßen zufällig die eine oder die andere Form des Kulturzerfalles eintritt, sondern die Depravation folgt als Opposition auf die Dekadenz. Das Fleisch wehrt sich gegen den Stachel des Geistes. In Wirklichkeit laufen aber oft lange Zeit Schlußstadium der einen Form und Anfangsstadium der andern nebeneinander her. So lehrt es auch die neueste Kulturgeschichte, und ganz ähnlich verhält es sich beim Untergang der Antike.

Dekadenz und Depravation werden oft verwechselt mit *Degeneration*. Tatsächlich ist die Degeneration nur eines der auffälligsten Symptome des Kulturzerfalls. Unter ihr wird z. B. Schwächung eines Volkes infolge häufiger Vermischung mit Angehörigen fremder Rassen verstanden. Für unsere Untersuchung wichtiger ist das Phänomen der Entartung des Geschlechtes. Sie besteht in einer Verwischung der Geschlechtsmerkmale. Darunter fallen Erscheinungen wie Verweichlichung, Feminismus des Mannes oder Emanzipation der Frau. Alfred Schuler äußerte sich über das Problem der Degeneration in seinem Vortrag über den «Cäsarismus zwischen zwei Welten» wie folgt : « Die Entartung, die einsetzt, wenn eine alte Art sich auflöst und zerstört wird, zeigt in ihrem Wesen zu Beginn die eigentümlichen Züge, daß im andern Geschlecht das Gegengeschlecht auftritt, aber in einem Maße und in einer Form,

12

welche dem natürlich gegebenen Maße widerspricht. Hier findet ein Rückschlag statt gegen das schroffe Prinzip, welches Mann und Weib trennt... Für die Entartung ist ein andrer Punkt noch wichtig, nämlich daß die gesamte Vitalität, angezogen von der stofflichen Sinnlichkeit, gleichsam gewaltsam ausbricht und dadurch dem Leben als solchem große Gefahren bereitet. Trotzdem sind große Entartungserscheinungen, große die Gesamtbevölkerung ergreifende Laster doch nichts andres als ein Zeichen, daß eine alte Welt zu Ende geht und daß *in nuce* bereits der Anbruch eines neuen Tages der Menschheit heraufkommt. » (Nachlaß, S. 244.)

Für das Phänomen der Kulturaufartung, des Erneuerungsprozesses, wird dementsprechend mit Vorliebe der Begriff *Regeneration* verwendet. Wir ziehen ihm aber, weil er zu eng ist, einen andern, in diesem Sinne freilich bisher nur selten verwendeten Ausdruck vor. Wie man von einer fallenden oder dekadenten Kultur spricht, so kann auf der andern Seite mit ebensolchem Rechte von einer aufsteigenden oder aszendenten Kultur, von einer Periode der *Aszendenz* die Rede sein.

II. DAS WESEN DER WIENER DEKADENZ

Richard Beer-Hofmann hat den Kulturzerfall in seinen beiden Ausgestaltungen miterlebt. Er ersah seine dichterische Sendung darin, in seinen Werken der herrschenden Entartung eine entsprechende Aufartung entgegenzustellen. Aus diesem Grunde können wir zeitlich und anschauungsmäßig seine Werke in zwei Gruppen einteilen :

1. Werke aus dem Erlebnis der Dekadenz :
   Novellen 1893, « Der Tod Georgs », « Der Graf von Charolais », eine Anzahl Gedichte.

2. Werke aus dem Erlebnis der Depravation :
   « Die Historie von König David », die späten Gedichte.

Der Dichter verbrachte den größten Teil seines Lebens in Wien oder in dessen näherer Umgebung. Jugend und erste Reife fielen in die Zeit der Jahrhundertwende. Demgemäß bildet auch die Wiener Dekadenz Basis und Ausgangspunkt seines Werdens und Schaffens. Was sich hinter dem Begriff « Wien der Vorkriegszeit » oder « Wiener Dekadenz » verbirgt, ist nur sehr schwer auf gedrängtem Raume darzustellen (Anm. 3). Dennoch müssen in einer Übersicht die wichtigsten Merkzeichen der in Frage stehenden Zeit und des darin herrschenden Menschenschlages Erwähnung finden, um die Stellung des Dichters zur Umwelt während seiner ersten Schaffensperiode zu verstehen.

Was Paris dem französischen Volk bedeutete, war in gleich exklusivem Sinne Wien für Oesterreich : Zentrum einer nationalen und weiterhin Zentrum einer repräsentativ europäischen Kultur. Wie in Paris verschiedene Formen des romanischen Geistes zu einer kontinentalen Kultur ersten Ranges sich vereinigten, so flossen in Wien süddeutsches Wesen und Slawentum zu einer ebenfalls höchst qualifizierten europäischen Kultur eher östlicher Prägung zusammen. Wie in Paris ein gehobenes Niveau der Lebensführung gewisse entsprechende Strömungen in Kunst und Literatur auslöste, so entwickelte sich in Wien, unter starker Beeinflussung durch den französischen Geist, aus einem verfeinerten Lebensstil gegen Ende des 19. Jahrhunderts eine besonders geartete Spätkultur. Ein Jahrzehnte dauernder Zustand maximaler Sicherheit des äußern Lebens, eine aus dem Gefühl des Wohlstands und der Behaglichkeit genährte Kunst, organisch und reich sich entfaltend, ein die Kunsterzeugnisse willig und dankbar aufnehmendes Volk, all dies ermöglichte hier eine unerhörte Entwicklung des geistigen Lebens. Je mehr aber das darin Errungene ins Allgemeinbewußtsein drang, desto mehr mußte es auch mit der Zeit an Entwicklungsmöglichkeiten mangeln. Das großartige, aber endlich stagnierende Gefühl des Besitzes einer gemeinsamen, hochwertigen Kunst, in diesem Sinne seit damals nie mehr erlebt, führte zu einem allmählichen Versagen der künstlerischen und vornehmlich der literarischen Fähigkeiten. Ähnlich wie die Pflanzen des Treibhauses wohl einen herrlichen Flor, aber saft- und kraftlose Früchte hervorbringen, zeigte auch die Treibhauskultur Wiens bei einer Fülle faszinierender Blüten der Dichtkunst eine allgemeine Erschlaffung und Übersättigung. Dies verdichtete sich um die Jahrhundertwende zum beherrschenden Lebensgefühl. Der « démon ennui » begann sich der Gemüter zu bemächtigen. Das Phänomen der Dekadenz trat allmählich in Erscheinung und dehnte sich nach und nach auf alle Gebiete des Lebens aus.

Die Seelenlage des Wieners, des gebildeten und besonders repräsentativen Wieners um die Zeit von 1890 bis 1914, hat wohl kein Dichter eindringlicher darzustellen gewußt als Arthur Schnitzler. Begabt mit einem überaus fein organisierten Beobachtungsvermögen, als Arzt stets bis zu einem hohen Grade sachlich, nüchtern und dadurch irgendwie verbindlich, mit einem für feinste Schwankungen und Nuancen empfindlichen Gemüt, schließlich noch besonders psychologisch geschult durch frühen Kontakt mit dem führenden Geist der Wiener Psychanalytischen Schule, Sigmund Freud — all dies erlaubt uns, seine Werke als gültigen Niederschlag eines wirklich einst vorhandenen Lebensgefühls aufzufassen. In seinem Erstling hat Schnitzler, gleichsam den Grundton seines dichterischen Lebenswerkes anschlagend, eine Gestalt geschaffen, die alle charakteristischen Eigenschaften des Menschen der Zeit in sich vereinigt: Anatol. (Th. st. I. Band.) Den Wortschatz zur Bestimmung seines Wesens beziehen wir ausschließlich aus diesem kleinen, unscheinbar anmutenden Werk. Wir nennen einzelne Züge Anatols: Er ist ein « leichtsinniger Melancholiker », ironisch, romantisch, spöttisch, überlegend, rastend, mitschleppend. Er ist im Grunde eine enorm ehrliche Natur, trotzdem aber gegen sich mit dem bösen Blick behaftet. Er macht « gewöhnlich nichts » und hat eine « Vorliebe für das planlose Spazieren ». Das Rätsel der Frau löst sich für ihn « in der Stimmung », denn er ist ein « Hypochonder der Liebe ».

Das Motiv des Narziß klingt an in dem Satz: « Du hast ... in ihr ... Herz hineinempfunden, und was dir entgegenglänzte, war Licht von deinem Lichte. » Oder in der gleichzeitig entstandenen Novelle « Sterben » steht: « Wenn er nur nicht von Jugend auf gelernt hätte, sich selbst zu beobachten! » Die Schilderung gipfelt schließlich in der folgenden Stelle, die für die Psychologie der Wiener Dekadenz von höchster Bedeutung ist: « Deine Gegenwart schleppt immer eine ganze schwere Last von unverarbeiteter Vergangenheit mit sich ... Was ist nun die natürliche Folge —?— Daß auch um die gesundesten und blühendsten Stunden deines Jetzt ein Duft dieses Moders fließt — und die Atmosphäre deiner Gegenwart unrettbar vergiftet ist. ... Und darum ist ja ewig dieser Wirrwarr von Einst und Jetzt und Später in dir; es sind stete, unklare Übergänge! Das Gewesene wird für dich keine einfache starre Tatsache, indem es sich von den Stimmungen loslöst, in denen du es erfahren — nein, die Stimmungen bleiben schwer darüber liegen, sie werden nur blässer und welker — und sterben ab. »

Durch seine Unfähigkeit, die Zeiten zu trennen, gelangt er überhaupt nie zu einer völligen Klarheit über die Weltverhältnisse. Das Dasein Anatols ist ein ewiges Flanieren in einem Zustande von Dämmerung und Traum.

Man braucht nur die zahlreichen, leicht hingestreuten Bemerkungen willig zu vernehmen, um den Stoff, aus dem diese Menschen gebildet waren, beisammen zu haben. Nimmt man schließlich noch

entsprechende Zitate aus Werken des jungen Hofmannsthal, Beer-
Hofmanns oder verwandter Dichter hinzu, so kann über die Be-
schaffenheit dieser inzwischen überwundenen Form des Mensch-
seins kein Zweifel mehr bestehen. Die Äußerungen etwa über das
Problem « Leben, Spiel, Traum » klingen überraschend ähnlich
(Anm. 4) :

Arthur Schnitzler :

> « Was ist nicht Spiel, das wir auf Erden treiben,
> Und schien es noch so groß und tief zu sein ! ...
> Mit Menschenseelen spiele ich. Ein Sinn
> Wird nur von dem gefunden, der ihn sucht.
> Es fließen ineinander Traum und Wachen,
> Wahrheit und Lüge. Sicherheit ist nirgends.
> Wir wissen nichts von andern, nichts von uns;
> Wir spielen immer, wer es weiß, ist klug. »   (Th. st. II, 57.)

> « Sein ... spielen ... kennen Sie den Unterschied so genau ? ...
> Wirklichkeit geht in Spiel über — Spiel in Wirklichkeit. »
> (Th. st. II, 114.)

Hofmannsthal :

> « Wir haben aus dem Leben, das wir leben,
> Ein Spiel gemacht, und unsre Wahrheit gleitet
> Mit unserer Komödie durcheinander ... »   (I a, 46.)
> « Dies Leben ist nichts als ein Schattenspiel. »   (I a, 155.)
> « ... Und weiß nicht, wo sich Traum und Leben spalten. »
> (I a, 79.)
> « Wir wissen von keinem Ding, wie es ist, und nichts ist, von dem
> wir sagen könnten, daß es anderer Natur sei als unsere Träume ...»
> (III a, 145)

Beer-Hofmann :

> « Zwei zwang noch nicht in Fesseln Zeit und Raum:
> „Spiel" heißt das eine, und das andre : „Traum". »
> « ... Spiel — Spiel ist euer Leben — »   (« Verse », 21.)

Oder Stellen über die Unmöglichkeit, die Vergangenheit fallen
zu lassen im Sinne des Ausspruches des von diesem Verhängnis
geretteten Hofmannsthal : « Vergessend leben wir » :

Schnitzler

> « Was war, ist ! — Das ist der tiefe Sinn des Geschehenen. »
> (Th. st. I, 201.)

17

Hofmannsthal :

> « Es *ist*, so lang wir wissen, daß es *war* ...
> Was einmal war, das lebt auch ewig fort. »   (I a, 131.)

Selbst noch sehr spät, wo diese Welt bereits Gegenstand der Komödie geworden ist, taucht das Motiv der Verschwommenheit im Zeitbegriff auf (im « Schwierigen » von Hofmannsthal) :

> « Für mich ist ja der Moment gar nicht da, ich stehe da und sehe die Lampen dort brennen, und in mir sehe ich sie schon ausgelöscht. Und ich spreche mit Ihnen, wir sind ganz allein in einem Zimmer, aber in mir ist das jetzt schon vorbei. »   (I b, 390.)

Eines der Hauptprobleme für die Dichter der Wiener Dekadenz war das Verhältnis zum Tod. Der Tod als Grunderlebnis entstammte dem tief innen wurzelnden Gefühl von der bevorstehenden Auflösung der herrschenden Gesellschaftsordnung. Das Erlebnis der Zeit, sich erschöpfend im « démon ennui », beruhte zuletzt in der unaufhörlichen Beschäftigung mit den letzten Dingen. Und zwar in der doppelten Art der Liebe zum Tod und der Furcht vor dem Tod. In irgendeiner Form zieht sich dieses Motiv bestimmend durch die ganze Literatur der Zeit. Dies soll mit wenigen bezeichnenden Zitaten angedeutet werden :

Schnitzler :

> « Es gehen eigentlich lauter zum Tode Verurteilte auf der Erde herum. »   (Erz. Schr. I, 29.)

Hofmannsthal :

> « Ich weiß, daß der Tod immer da ist. Immer geht er um uns herum, wenn man ihn auch nicht sieht. »   (I a, 162.)
> « Der Tod ist überall: Mit unsern Blicken und unsern Worten decken wir ihn zu. »   (II b, 48.)

Richard Schaukal :

> « Ist nicht der Tod im Leben, ist er nicht mitten drin, sitzt in uns, um uns, haucht uns an und ist unser Freund und Gefährte ? ... Alle Menschen leben im großen Schatten des Todes, der von Gott ist und ihnen vertraut sein soll wie der Duft ihrer Blumen vor dem Fenster, wie der Hauch ihres Mundes. »   (Zitiert bei Cysarz, 42.)

Beer-Hofmann :

> « Nackt und allen gemein, ging aller Handel der Menschen um Leben und Tod. »   (« Der Tod Georgs », 122.)

Entfernt sich Hofmannsthal in wesentlich andere Bereiche des Daseins und löst sich letzten Endes von dem Verhängnis der Zeit, so bleibt Schnitzler mit eigenartiger Zähigkeit in diese Welt verstrickt. Sein Geist kreist zeitlebens mit einem dem jüdischen Blute eigenen fanatischen Beharrungswillen um dieses Thema. Das Gesamtwerk Schnitzlers ist ein wahrhaftes Musizieren in die Länge, ohne erlösendes Finale, ein Musizieren, in dem, wie Franz Werfel sich ausdrückt, der « unendliche Vorhalt nicht aufgelöst ist und die Melodie ihre Kadenz nicht fand ». Im « Anatol » aber sind tatsächlich alle Symptome dieser sterbenden Kultur erstmals vereinigt. Alle Eigenschaften finden Erwähnung in diesem traumhaft weitsichtigen Proömium. In allen Figuren Schnitzlers, aber dann auch denen des jungen Hofmannsthal, denen J. J. Davids, Zweigs, Saltens, Andrians, Schaukals, in all diesen Künstlern, Literaten, Offizieren, Aristokraten weht etwas von dieser genießerischen Nichtstuerei. Eine Hinfälligkeit des Lebenskerns ist offenbar. Etwas Planloses, Zerfahrenes haftet ihnen an. Eine verräterische Bereitschaft für Krankheit und Tod eignet dieser widerstandslosen Menschenklasse. Sie ist, wie Loris (der junge Hofmannsthal) in einem « Prolog zum Anatol » dichtete, « frühgereift und zart und traurig ». So sagt Anatol : « Es gibt so viele Krankheiten und nur eine Gesundheit —! ... Man muß immer genau so gesund wie die andern — man kann aber ganz anders krank sein wie jeder andere ! » Es ist bezeichnend, daß Anatol gar nicht gesund werden will : « Es ist ja möglich, daß ich die Fähigkeit dazu hätte ! — Mir fehlt aber das weit Wichtigere — das Bedürfnis ! — Ich fühle, wie viel mir verloren ginge, wenn ich mich eines schönen Tages ,stark' fände ! ... » (Th. st. I, 81.) — « Windstille ist das Medium solcher Kunst und Geistigkeit, Sosiego, manchmal fast die abgesperrte Luft des Krankenzimmers », sagt Cysarz (S. 36).

In allen den angeführten Eigenschaften verrät sich ein der Zeit abgeneigter Mensch, den ein überschweres Kulturerbe belastet, der zu müde ist, seinen Blick nach vorwärts zu richten, dem es an geistiger Substanz gebricht und an erdenhafter Schwere zugleich. Hang zur Nuance, Sinn für Differenzierung und Überfeinerung, Skepsis gegen jeden objektiven Wert, ausgeprägtes Gefühl für die Relativität und Fragwürdigkeit des Daseins, das sind seine hervorstechendsten Züge. Wir haben es zu tun mit jungen, lebensschlaffen, mit einem frühreifen Todesgefühl behafteten Menschen, mit vornehmlich knabenhaften, und dabei trotz ihrer Jugend früh gealterten Gestalten, die noch gar nicht in der Außenwelt gefestigt sind und die zumeist an alles mögliche denken, an den Tod, an die Vergänglichkeit der Liebe, an die Hinfälligkeit alles Äußeren, an die Einsamkeit und Beziehungslosigkeit des Menschen — nur nicht an starkes, gesundes Leben, an Arbeit und an klare, eindeutige soziale Verhältnisse.

Von Anatol und Felix aus dem Geiste Schnitzlers laufen die Verbindungslinien zu Andrea und Claudio, ja selbst noch zum « Schwierigen » Hans Karl Bühl aus dem Geiste Hofmannsthals. Von dort wiederum laufen sie zu dichterischen Gestalten Beer-Hofmanns. Alle die Formen dekadenten Wesens wie Einsamkeit, Degeneration, aber auch Todessehnsucht, Verhangenheit in Spiel und Traum, Lebensüberdruß, Pessimismus und Nihilismus erscheinen wieder in seinen Paul, Freddy, Graf von Charolais, Julie, Frau im « Tod Georgs », Désirée.

Was wir aber hier vor uns haben, ist nur die spezifisch wienerische Sonderentwicklung einer *gesamteuropäischen Kulturkrisis*. Es sollen wenigstens in der Nennung einiger repräsentativer Namen Ausmaß und Bedeutung dieser Entwicklung umrissen werden.

So berühren sich in vielem, ja im Entscheidenden die Gestalten der Wiener Dichter mit denjenigen des jungen Rilke, des frühen Thomas Mann, Jens Peter Jacobsens, Herman Bangs, aber auch denjenigen der großen französischen Dichter der « décadence » und des ‹ symbolisme ». In diesen Zusammenhang gehören aber auch Namen wie Nietzsche, Stefan George und Henri-Frédéric Amiel (Anm. 5).

Am auffälligsten sind vielleicht die gedanklichen und weltanschaulichen Übereinstimmungen zwischen den jungen Wienern und dem etwas älteren Italiener Gabriele d'Annunzio (Anm. 6). Man kann sich für manches wichtige Problem, manche bedeutsame Eigenschaft keine leidenschaftlichere Schilderung, keine scharfsinnigere Diagnose denken als die Selbstbetrachtungen des Georg Aurispa im « Triumph des Todes ».

III. DER DICHTER IN SEINER ZEIT

Man kann bei den Dichtern Wiens zur Zeit der Jahrhundertwende wohl von einem *Kreis* sprechen. Wie eng die Beziehungen zwischen den führenden Geistern gewesen sein müssen, verrät der herzliche Ton der Briefe Hofmannsthals, vorab an Hermann Bahr, Arthur Schnitzler, Leopold Andrian-Werburg, Felix Salten, Richard Beer-Hofmann usw. Die Gruppe der Dichter wurde dann meistens zusammengefaßt unter der Bezeichnung « Jung-Wien ». Sofern damit eine bestimmte kulturelle Entwicklungsstufe gemeint ist, welche die frühe Jugend und die Zeit der ersten Reife dieser Dichter entscheidend beeinflußte und für ihre weitere Persönlichkeitsentfaltung als gemeinsame Ausgangsposition zu gelten hat, ist diese Bezeichnung richtig. Verfehlt wäre es, wie dies in oberflächlichen Literaturbetrachtungen immer wieder statthat, von einer *Schule* oder einer bestimmten Stilrichtung zu sprechen. Jedes jener literarhistorischen Stilklischees, wie Impressionismus, Neuromantik, Symbolismus, Ästhetizismus würde höchstens auf einen oder wenige Dichter Jung-Wiens oder gar nur auf einzelne ihrer Werke zutreffen. So kann kaum je von einem einheitlichen Stil oder von einem einheitlichen Kunstideal gesprochen werden. Es herrscht hier, im Gegensatz zur « Schule George », nicht so sehr eine dichterische Tradition des *Stils* als vielmehr eine dichterische Tradition der *Motive* (Anm. 7). Und zwar gerade auch im ursprünglichen Sinne des Wortes Motiv: Eine Tradition solcher Probleme und Erlebnisse, die den Dichter zur Dichtung *bewegen*. Der Stil aber war, auf Grund des hohen Bildungsniveaus, das ein bisher kaum je gewohntes gleichzeitiges Überschauen einer unabsehbaren Menge bereits erfüllter dichterischer Möglichkeiten erlaubte, weitgehend individuell. Von einer Schule kann daher keine Rede sein. Und erst recht nicht von einer « Schule Hofmannsthal » (Anm. 8). Vielmehr haben wir eine Reihe von Zeugnissen, die beweisen, daß im Kreise

Jung-Wiens nicht Hofmannsthal, sondern Richard Beer-Hofmann eine führende Rolle spielte und daß er einen nicht zu unterschätzenden, wenn auch beim heutigen Stand der Forschung noch nicht klar begrenzbaren Einfluß ausübte. Daran ändert die Tatsache nichts, daß die Zahl der Dichtungen Beer-Hofmanns gegenüber derjenigen Schnitzlers oder Hofmannsthals so gering ist und daß die beiden wichtigeren, der Wiener Zeit entstammenden Werke, « Der Tod Georgs » und « Der Graf von Charolais », ein Jahrzehnt und mehr nach den frühen Werken jener beiden großen Rivalen erschienen sind. Alfred Gold läßt sich darüber in einem Aufsatz aus dem Jahre 1900 folgendermaßen vernehmen: « Obwohl Beer-Hofmann selber bisher nur mit einem feinen Novellenbändchen hervortrat, ward er doch eigentlich in gewissem Sinn der Mittelpunkt jener Gruppe, die man jetzt schon allenthalben nennt, aber ohne ihn gar nicht richtig beurteilen kann; Schnitzler gehört ihr als Erzähler, Hofmannsthal als Dramatiker an. Selber so wenig fruchtbar, ward er doch ihr beratendes Gewissen, der verkörperte Maßstab ihrer Kunstabsichten. Seine Freunde greifen doch immer wieder mit leicht verleiteten Händen nach fremden Formen und Vorbildern: er bleibt mit unverrückbarem Gleichmut einem Kunstideal treu, das man nach ungefähr aufgespürter Richtung als modern wienerisch bezeichnen, aber nicht leicht charakterisieren wird. » (« Zeit », 1900, Nr. 282). Wir neigen zur Ansicht, der Besprecher ahne in seiner letzten Bemerkung bereits, daß dieses Kunstideal gar nicht besteht, sondern eine Fiktion ist. Schließlich schuf Hofmannsthal bald nach 1900 Werke, die weit über das, was von diesem erspürten Kunstideal zu erwarten gewesen wäre, hinausgingen.

Hofmannsthal äußert sich Beer-Hofmann gegenüber in seinen Briefen:

5.9.1897 : « Ich werde nie imstand sein und werde mir's auch nie verlangen, aus dem Gewebe meines Wesens die Fäden herauszuziehen, die Ihr Geschenk sind : es fiele dann alles auseinander. Ich weiß genau, daß es keinen Menschen gibt, dem ich so viel schuldig bin wie Ihnen, ganz unscheinbar ist das so gekommen, in den Hunderten von Gesprächen, die wir in diesen fünf Jahren miteinander gehabt haben. »

2.4.1900 : « Es fällt mir öfters ein, aber ohne besondere Wichtigkeit, daß Ihnen meine Gegenwart und Existenz wohl unvergleichlich weniger bedeutet als mir die Ihre. Es mag zum Teil daran liegen, daß Sie um einen wichtigen Abschnitt älter sind: immer habe ich die Empfindung, Sie auf dem Weg des Lebens vor mir hergehen zu fühlen, hie und da sprechen Sie zu mir zurück, ich sehe Ihren Weg durchs Gebüsch, und wenn ich dann hinkomme, macht es mir eine ganz undefinierbare Freude, zu erraten, daß Sie hier schon gewesen sind. »

Wie sehr Hofmannsthal den Kunstverstand Beer-Hofmanns schätzte, geht aus einer Stelle hervor, die wir einem Brief an Hermann Bahr entnehmen:

> 1902, Nr. 77: « Beer-Hofmann fand die ersten drei Akte spannend und aufregend und hatte eigentlich nichts daran auszusetzen, was mich unendlich ermutigte, da er weitaus der strengste und unbestechlichste Kritiker ist, den ich habe. » (Diese Bemerkung betrifft das « Gerettete Venedig ».)

Und endlich an Hans Schlesinger am 22. Juli 1900:

> « Der Beer-Hofmann ist mir zulieb hingekommen, und wir haben zusammen drei sehr schöne Tage verbracht. Es ist das der Mensch, an dessen Gesellschaft ich immer die stärkste und sicherste Freude finde: die höchsten, wichtigsten Begriffe sind sein wahres Eigentum und alle so erfüllt mit Erfahrung, in einem solchen Reichtum der Gefühlsfarben, so voller Gesichte, daß ich mir nur immer wieder, und nicht aus Eigensinn, sondern aus Überzeugung, von seiner Produktion das Höchste versprechen muß, — in dem Kreise, den ich überblicken kann, in der Gegenwart, die uns gegeben ist. »

Wahrscheinlich beruht die beinahe kindliche Verehrung Hofmannsthals für Beer-Hofmann auf einer typischen und weitgehenden Übereinstimmung im Erlebnis der Zeit. Sie beide erkannten instinktiv die Gefahr, die dem Leben erwachsen war aus der Übermacht des Geistes. Für beide wurde es das eigentliche Problem zur Zeit der Reife, wie sie sich von der Last eines ungeheuren, die Entfaltung der eigenen Persönlichkeit hemmenden Bildungserbes lösen konnten. Für beide hing von der Überwindung dieser Krisis der Fortbestand ihrer Existenz ab. Wie für Hofmannsthal steht deshalb auch für Beer-Hofmann das Problem der *Präexistenz* im Mittelpunkt der geistigen und dichterischen Bemühung.

Der philosophische Begriff der Präexistenz bedeutet, daß das Individuum seelenhaft vor seiner Einkörperung oder in irgendeiner stofflichen Form vor seiner Menschwerdung schon existiert hat (Anm. 9). In unserm Zusammenhang ist der Begriff vorderhand rein immanent zu verstehen, als Fähigkeit, die eigene Zukunft im Geiste in traumhaft erhöhten Augenblicken vorauszuerleben — die innerste Wahrheit eines langen Daseins, die sich erst ganz zuletzt dem rückschauenden Blicke des Greises öffnet, mittels einer hochentwickelten Einbildungskraft vorauszunehmen. Wir zitieren eine aufschlußreiche Stelle aus dem Hofmannsthal-Buch von K. J. Naef: « Dem jugendlichen Dichter war ungefähr von seinem 16. bis zum 22. Altersjahr andauernd ein ungeheures Weltbewußtsein eigen, das ihn die Dinge des Lebens und Geistes alle schon vorahnend erlauschen, erleben, ja im Werk lyrisch-dramatisch gestalten ließ, *bevor* nur eine rationale Berührung und Auseinandersetzung mit den Dingen der Welt zustande gekommen war. Ein Erspüren des inneren Wesens aller Dinge, eine Weisheit, die in der Regel nur ein reifes hohes Alter zu verklären pflegt, eine Art Gnadenzustand immerwährender Erleuchtung gewährte ihm den Blick in die Tiefen der Welt und in deren Mittelpunkt, so daß er von vornherein über dem Leben stand und es von dieser hohen Warte durchschauen konnte... » (24). Diese Fähigkeit wird geweckt und begünstigt durch ein frühes, entschiedenes und inniges In-Beziehung-Treten zu den seit Jahrtausenden angesammelten Gütern der Bildung und der Kunst. Sie besteht in einer ungewöhnlichen Einfühlung, in einer mystisch anmutenden Versenkung in fremde und vergangene Welten, die wie eigenes und höchstpersönliches Leben empfunden und erlebt werden — die den davon Betroffenen bis an die Grenze der Aufhebung des Ichbewußtseins erfüllen und beherrschen. Die Fähigkeit zur Präexistenz ist ein Vorrecht des jugendlichen Menschen. Der Jugendliche überhaupt fühlt sich zeitweise als Zentrum der Welt, als das « Herz der Erde ». Seiner schweifenden Phantasie stehen alle Möglichkeiten offen, seiner Empfindung sind keine Schranken gesetzt. Auf die Dauer aber kann niemand ohne Gefahr in diesem Zustand verharren. Denn zu einem gewissen Zeitpunkt — in der Regel zur Zeit der Reife — erhebt sich die Forderung, aus der Präexistenz in die Existenz überzutreten. Dauernd präexistieren hieße am realen Leben vorbeileben, dem realen Leben ausweichen. « Reales Leben » bedeutet vor allem Einordnung und Unterordnung. Aus selbstherrlicher Einsamkeit, aus dem Reich des Traumes und des schönen Scheines muß der

Mensch sich lösen, um in der Gemeinschaft zu bestehen. Wenn wir nun noch anfügen, daß Zeiten, denen der Bereich des Ästhetischen alles gilt und denen die Bildung einen der höchsten Werte darstellt, für solche bezaubernde, aber in hohem Grade subjektive Art des Erlebens insbesondere disponiert sind, so begreifen wir die hervorragende Bedeutung des Präexistenzbegriffes in jeder Diskussion über Wiener Dichter der Jahrhundertwende. Das Verhältnis zu dieser Frage ist nun bei Beer-Hofmann eher noch komplizierter als bei seinem acht Jahre jüngeren, frühreiferen und begnadeteren Freund Hofmannsthal. Denn bei ersterem läßt sich nirgends jener entscheidende Umwandlungsprozeß, jener Akt des Übertrittes feststellen, der sich für Hofmannsthal in der Form einer gewaltsamen, aber auch heilsamen Erschütterung deutlich sichtbar vollzog und im « Brief des Lord Chandos » dichterisch objektivierte.

Die Entstehungszeiten der einzelnen Werke Beer-Hofmanns liegen auffällig weit auseinander. Auffällig, weil hier der seltene Fall vorliegt, daß sich ein Dichter frei von Existenzsorgen nur seiner inneren Berufung hingeben konnte. Die äußere Freiheit wird in einem ungewöhnlichen Ausmaß durchkreuzt von einem zeitweiligen totalen Unvermögen, von einer tief in das Wesen dieses Dichters und Menschen hineingreifenden Impassibilität (Anm. 10). Wahrscheinlich litt Beer-Hofmann an einer ausgesprochenen Anfälligkeit für nachhaltende chronische Störungen solcher Art. Wie häufig diese Zeiten der Stagnation, der völligen Indisponiertheit gewesen sein müssen, können wir schon aus den Briefen Hofmannsthals schließen:

> 20.7.1894 : « Lieber Richard, zwingen Sie sich, bitte, zur Arbeit, zur wirklichen Arbeit, Denken und Begreifen des Daseins ist etwas anderes, Werke aber haben einen tiefen Sinn und sind es wert, daß man sie in Schmerzen sich abringt. »
> 10.5.1896 : « Und, bitte, arbeiten Sie : das ist vielleicht das einzig Wirkliche, was es auf der Welt gibt. »
> 2.4.1900 : « Daß Sie wiederum nicht gearbeitet haben und daß der niedrige und so gefährliche Begriff der Verdrießlichkeit, der inneren Unfreiheit aus kleinen Ursachen einen solchen Raum immerfort in Ihrem Leben einnimmt, beschäftigt mich sehr... »

Für die Zeit der Jugend dürfen wir wohl wie angedeutet Störungen nach der Art der Lord-Chandos-Krise vermuten (Anm. 11). Der analoge Vorgang gipfelt bei Hofmannsthal in folgenden Worten des Lord Chandos: « Mein Fall ist, in Kürze, dieser: Es ist mir völlig die Fähigkeit abhanden gekommen, über irgend etwas zusammenhängend zu denken oder zu sprechen » (III b, 193). Diesem Satz entspricht eine Stelle im « Tod Georgs », die als das Geständnis einer verhängnisvollen Unzulänglichkeit ähnlicher Art aufgefaßt werden muss: « Wäre er ein Dichter gewesen, er hätte, was schwer und verworren auf seinem Nacken lastete, mit leichten Fingern formend über sein Haupt gehoben; und was zahllos und ohne Ende um ihn wallte, hätte er in Lieder gepreßt und gedichtet, die man zu singen anhob, wenn es dämmerte, und die zu Ende waren, ehe die Nacht kam. Aber er vermochte es nicht... » (69).

Beer-Hofmann erlebte also an sich selbst die fatalen Auswirkungen der Dekadenz: Verführt durch die Präexistenz, drohte er der Stagnation immer wieder zu erliegen. Er erfuhr aber auch die *Depravation* in ihrer unerbittlichsten und grausamsten Form — erfuhr sie am eigenen Leibe besonders, als er 1938 auf Grund der Rassegesetze aus Wien vertrieben wurde und verfolgt und gehetzt nur noch sein nacktes Leben in Sicherheit bringen konnte. Beiden Formen des Zerfalls stellte er sich mit der ganzen Kraft seiner dichterischen Persönlichkeit entgegen. Jedesmal wird die Zeit durch den Dichter in Frage gestellt. Dekadenz und Depravation begegnen in seinem Werk als angefochtene Formen des Daseins. Der Dichter begnügt sich aber nicht mit pessimistischer Feststellung oder ironischer Bagatellisierung, mit der Flucht in den ästhetischen Schein oder mit nihilistischer Verzweiflung. Vielmehr ringt er stets um neue Wertsetzungen, um neue Formen, um neue Möglichkeiten des Menschseins (Anm. 12).

Die klare Absicht, die er mit seinem Werke verfolgt, spricht aus den Worten des jungen David:

« Noch muß ich tun, wies ringsum tut — der HERR weiß :
Ich will es anders! Und nicht viel erbitt ich :
Ein wenig Frieden — eine Spanne Zeit — —
Die Saat zu werfen nur, daß ein Geschlecht
Aufgehe — nicht uns gleichend — besser, reiner ! »
                                         (« Der junge David », 141.)

Mit dem *tätigen*, die Passivität und den Fatalismus durchbrechenden, der Gemeinschaft neu verpflichteten Menschen wird die Dekadenz überwunden. Wo er aber steht in der entarteten, depravierten Gesellschaft, wo er tun muß, « wie's ringsum tut », verkündet er die absolute Herrschaft des *Geistes* und den Sieg der göttlichen Idee über das finstere Chaos. Die Aufartung wird nicht in der realen Auswirkung geschildert, sondern in der Vision vorausgenommen. Darum spielt, keimhaft schon im « Tod Georgs », die Figur des Sehers, des Dichters und Magiers eine große Rolle:

> « Vermag kein Held zuchtloser Zeit zu wehren —
> So setzt der HERR den *Seher* in die Zeit ! »   (« Verse », 35.)

Zweiter Teil

Die Dichtungen der Wiener Dekadenz

«Eine Ahnung von dem Ende ihrer Welt wird sie
anwehen... denn das Ende ihrer Welt ist nahe.»
(Schnitzler.)

I. NOVELLEN 1893

A. « Das Kind » (1893)

Inhalt

Paul unterhält Bekanntschaft mit einem einfachen Mädchen
aus ärmlichen Verhältnissen. Aus ihrer Beziehung erwächst ein
Kind. Da aus sozialen Gründen eine Heirat nicht in Frage kommt,
übergeben die Eltern das Kind einer Anstalt, die gegen Zahlung
einer Abfindungssumme jede weitere Sorge für das junge Geschöpf
auf sich nimmt. Indessen ist Paul seiner Geliebten überdrüssig geworden. Er versucht, sich von ihr zu trennen, wird aber immer
wieder rückfällig. Eines Tages erfährt er, daß das Kind, das von
der Anstalt an Leute auf dem Land gegen Entgelt weitergegeben
worden war, gestorben ist. Jetzt ist für ihn der Moment zum Bruch
mit Julie gekommen. Allmählich aber beginnt ihn eine Unruhe über
das Schicksal seines toten Kindes zu quälen. Unter dem Drucke
der Empfindungen kehrt er nochmals zu Julie zurück, um alles,
was ihr über Aussehen und Wesen des Kindes in Erinnerung geblieben ist, in Erfahrung zu bringen. Darauf besucht er, ohne sie
zu verständigen, den Ort, wo es begraben liegt. Die Pflegeeltern
sind aber zufolge Verarmung ausgewandert. Nicht einmal das
Grab kann er ausfindig machen. Er kehrt unverrichteter Dinge

nach Wien zurück. Doch hat er seit dem Besuch auf dem Kirchhof sein seelisches Gleichgewicht zurückgewonnen.

Paul und Julie

Die Hauptgestalt der Novelle ist Paul. Er wird mit « Doktor » angesprochen, zählt also wohl zu den Gebildeten oder wenigstens zu den vornehmeren Schichten. Als ein im Bildungsgut vergangener Zeiten Aufgewachsener tritt er ins Leben. Der Hinweis auf Claudio in Hofmannsthals « Tor und Tod » muß hier erfolgen. Denn dort ist für alle spätern Stellen in Beer-Hofmanns, Schnitzlers oder Hofmannsthals Werken zum erstenmal das Stichwort gefallen, das hier wie dort die Lord-Chandos-Situation verstehen hilft.

> « Stets schleppte ich den rätselhaften Fluch,
> Nie ganz bewußt, nie völlig unbewußt,
> Mit kleinem Leid und schaler Lust
> *Mein Leben zu erleben wie ein Buch...* »   (I a, 137.)

Ganz in dem Sinne des präexistentialen Lebens ist die Stelle in « Das Kind » zu werten: « Waren ihre Sinne so stumpf, liefen ihre Gefühle nur in ausgetretenen Bahnen, daß sie nur das im Leben sahen, was sie vorher durch *Bücher* empfunden? » Das Leben wird noch nicht ernst genommen. Der so sich entwickelnde Mensch kann gar nicht eine volle Realität sich gegenüber erkennen. Sein Dasein ist nur ästhetisch. Das wird auch dort klar, wo er sich entschieden zur impressionistischen Lebenshaltung bekennt: « Er wollte sein Schauen durchtränken mit Form und Farbe. » — Ja noch mehr, sein Lebensgefühl geht eigentlich auf in der Empfindung von Farbe und Form. Das heißt, es erschöpft sich in der *Stimmung.* Oder: Trotz des Willens, darüber hinauszudringen, erschöpft es sich darin: « Und der kühle Nachtwind war über sein Gesicht geglitten, und wie er tief und lange Atem holte, fühlte er einen seltsamen Duft: würzig, beizend und süß zugleich, und wie er den Kopf spürend hob, sah er Julie sitzen; in den Händen hielt sie den Strauß Blumen...: Waldmeister, Erdbeerenblüten und junges Eichenlaub... Auf die Stimmung war er hereingefallen: Stimmung, — nichts als Stimmung! Auf das bißchen Blumenduft und Halbdunkel und die blaue Wagenlaterne und das bißchen Musik war er hineingefallen. »

Hierzu gibt es eine entsprechende, bereits zitierte Stelle im « Anatol »:

> « Worin löst sich für dich das Rätsel der Frau ? » — « In der Stimmung. » (Th. st. I, 46.)

Die Frage könnte aber ebensogut lauten:

> « Worin löst sich für dich das Rätsel des *Lebens* ? »

Und wiederum würde die Antwort heißen: « In der Stimmung. » Es gibt eine bekannte Stelle im « Zarathustra » von Nietzsche, die wie nichts geeignet ist, den Unterschied zwischen dem Österreicher, dem Impressionisten und Künstler einerseits und einem herberen, zu philosophischer Unumwundenheit gedrängten Menschen anderseits, zwischen dem Vertreter der Dekadenz und dem Propheten des starken Lebens blitzartig sichtbar zu machen: « Alles am Weibe ist ein Rätsel, und alles am Weibe hat Eine Lösung: sie heißt Schwangerschaft. » Die Antwort auf die zweite Frage dürfte (im Sinne Nietzsches) demgemäß etwa so formuliert werden: « Das Rätsel des Lebens löst sich in Tat, Arbeit und Bewegung. » Wie wichtig insbesondere dem Menschen Wiens zu jener Zeit der Begriff der Stimmung war, kann auch aus den Briefen Hofmannsthals entnommen werden. Eine entsprechende Stelle finden wir z. B. schon im ersten der veröffentlichten Briefe vom 20. August 1890: « Göttliche Gedankendämmerung, ein Durcheinanderwogen halbverklungener Töne, Mitklingen halbverrosteter Saiten, Stimmung! Stimmung!! Stimmung!!! »

Zudem: Paul ist der « Mann der überfeinen Nuance, den die Farbe, der Schnitt eines Kleides an seiner Geliebten verstimmen konnte ». Paul ist in der Tat « ein Spiel von jedem Druck der Luft » (Anm. 13).

Eine unangenehm berührende Passivität und Willenlosigkeit eignet ihm. So kann er keinen seiner einmal gefaßten Entschlüsse zur Ausführung bringen. Er besitzt ein « indolentes, träges Temperament ». Um sein passives Wesen nicht überwinden zu müssen, erniedrigt er sich gar vor seinem besseren Selbst zum Komödianten. Er ist, wie dies aus seiner ganzen Geistesverfassung heraus verständlich erscheint, überhaupt nie ganz *bei sich*. Sein Wesen ist

Spiel. Die Bemerkungen in dieser Hinsicht sind unzweideutig: « Mit gut *gespielter* Verzweiflung drückte er stöhnend sein Gesicht an ihre Schulter. » — « Mit matter, ersterbender Stimme hatte er die letzten Worte gesprochen; das mußte sie doch rühren, dachte er. » — Um Julie nicht ins Hotel einladen zu müssen, schützt er vor, sein Geld vergessen zu haben. Er zieht die Brieftasche: « „Na, das ist aber zu dumm", stieß er mit gut *gespielter* Bestürzung hervor, „jetzt hab ich all mein Geld zu Hause vergessen!" » (Anm. 14.)

Daneben aber behauptet Paul, persönlich der « abgesagte Feind jeder großen Pose » zu sein. Darin erkennen wir eine Spur jener Unlogik, jener Inkonsequenz, die diesen Menschen, die sich ständig auf einer geistigen Ebene agierend beobachten, bei allen möglichen Gelegenheiten unterläuft. Einen ähnlichen Widerspruch finden wir ja auch in den Anatol zukommenden Attributen, der einmal als « enorm ehrlich » und gegen sich sogar mit dem bösen Blick behaftet gilt und der anderseits « doch tausendmal mehr die Illusion als die Wahrheit liebt ». —

Paul hat für Julie nur herabsetzende Bemerkungen übrig. Sie ist für ihn die « kleine, unscheinbare Person » mit der « kleinen Gestalt ». — « Das überquellende, wirre Stirnhaar, die kleine, gestülpte, wie zu kurz geratene Nase ... » — Seine Gesinnung der Frau gegenüber erregt unser Mißfallen. Das wird besonders aus dem Satze ersichtlich : « Seit mehr als einem Jahr rang er, um sie von sich abzuschütteln. » Man « schüttelt » vielleicht eine Geliebte « von sich ab », aber nicht die Mutter des eigenen Kindes. Überall in den ersten Kapiteln wird die Geringschätzung der Frau seitens des Helden spürbar. So vergleicht Paul das Mädchen mit einem « Köter » und mit einem « Affenpintscher », und einmal reibt sie die Schulter an ihm « wie eine Katze ».

Die Frau ist ihm nur ein Spielball seiner Empfindungen und Instinkte. Er findet keinen tieferen Bezug zu ihr, keinen Bezug von Mensch zu Mensch. Deshalb kann er sie zum Tierischen herabwürdigen. Sie ist nur Marionette des willkürlich auf der Ebene des Intellektes handelnden und mit logischer Berechnung arbeitenden Mannes. Der Mann ist nur Geist, er ist Diener des Logos. Die Frau aber ist das Leben, und sie gewährleistet den Bezug zur Erde. In der Mißachtung der Frau äußert sich der Geist der Dekadenz, der das Leben und die Belange der Erde nicht ernst nimmt, der das männlich-geistige Element im Dasein des Menschen maßlos überschätzt und die Bedeutung des ästhetischen Genusses und der Schönheit außerordentlich wichtig nimmt. In Julie aber begegnet er dem Leben. Wie sehr er sich in seiner egoistischen, beschränkten Weise beengt fühlt durch die Gegenwart der Frau, beweist folgender Satz : « Noch in der Erinnerung fühlte er einen dumpfen, beklemmenden Druck über seiner Brust: „Oder war es nur die gesperrte Zimmerluft, die ihm so ängstigend den Atem versetzte ?" »

Der männliche Typus der Wiener Dekadenz ist gekennzeichnet durch einen Mangel an Hingabefähigkeit, er sieht alle Beziehungen der Menschen in der Auflösung begriffen.

Beim Eingang des Hauses begegnet ihm das Töchterchen des Hausmeisters, das « dünn und rachitisch » ist. Frau Wagner, bei der er sich ein Zimmer gemietet hat, ist vom Leben enttäuscht : ihr Sohn ist verwachsen und zum Leben untauglich, ihre Tochter starb als Braut. Nirgends reicht es zur Lösung, zur Gesundheit oder zum Kind. Und für das eigene empfindet Paul überhaupt nichts. Bei seiner Ichbefangenheit und seinem nackten Egoismus schmerzt ihn nicht einmal dessen Tod. Vielmehr atmet er erleichtert und befreit auf, denn nun braucht er keine Rücksicht mehr zu nehmen. « Er war ein wenig verwundert, daß er nichts von Trauer oder auch nur Erschütterung empfand; ... Er tastete in seinem Innern nach einer schmerzenden Stelle, — er fand keine. — „Dein Kind ist tot !" sagte er sich immer von neuem. „*Dein* Kind", und horchte, — als müsse etwas in ihm klagend aufschreien; aber nichts als ein frohes Gefühl des Erlöstseins überströmte ihn. »

Der Tod des Kindes läßt ihn aber doch nicht zur Ruhe kommen. Langsam bahnt sich eine Verwandlung in seinem seelischen Empfinden an, die ihn von seiner bisherigen selbstischen Denkweise wegführt. Die Stimme seines bessern Ichs meldet sich. Bis zu Selbstvorwürfen kommt es, und an Stelle des « Glücksgefühls », das er zuerst empfunden, treten Gewissensbisse. Das « Verstecken-Spielen » vor sich selbst hat aufgehört. « Und jetzt, da es tot war, wachte in ihm Schmerz und Mitleid auf, als hätte er es lange heiß und innig geliebt. » Von egoistischer Selbstverliebtheit gelangt er damit zu einer Art sittlichen Empfindens. Dieses sittliche Gefühl eines begangenen Unrechts oder einer Nachlässigkeit ist aber nur die obere Schicht eines psychologischen Vorganges, der viel tiefer in die Seele hineingreift. Schon als Paul Julie kennen lernte, empfand er « Sehnsucht nach etwas Jungem, Frischem, *Knospendem* ». Die Knospe, der die neue Blüte sorgsam einschließende Pflanzenteil, ist das Symbol der erwartenden Mutter. Paul aber war es gar nicht um das ungeborene Kind, sondern nur um die Befriedigung seiner Begierden oder bestenfalls um ein ästhetisches Stimmungserlebnis zu tun gewesen. Erst jetzt, am Tod seines Kindes, reift er zur Erkenntnis, daß er nur an sich gedacht hatte. Und wieder empfindet er Sehnsucht nach dem Knospenden. Aber diesmal geht es um Tieferes. « Er öffnet das Fenster und sieht ins Freie: „Seine Herrlichkeit — der Frühling !" » Er sprengt den Raum der Ich-befangenheit und wendet den Blick überall den vereinigenden Dingen zu; in allem, was sein sehnsüchtiges Auge streift, ist ein vorwiegend verbindendes Element erkennbar : Fiaker, blankkupferne Drähte; Annoncensäule, Dienstmänner; Regenbogen im Wasserstrahl; knospendes Grün junger Bäume...

Die Erkenntnis der Arche geneseos

Zu Beginn des letzten Kapitels erfahren wir, daß Paul aus Wien abgereist ist, um das Grab seines Kindes aufzusuchen. Daß der ganzen folgenden Entwicklung in all ihren äußern Geschehnissen nur symbolischer Charakter zukommt, geht schon daraus hervor, daß der ursprüngliche Zweck der Fahrt überhaupt nicht erreicht wird : Weder kann Paul mit den Pflegeeltern seines Kindes sprechen, um mehr von dessen Schicksal zu erfahren, noch kann er das Grab sehen. Die Abreise aus Wien ist symbolisch für den Bruch, den er mit der eigenen Vergangenheit zu vollziehen im Begriffe steht.

Die Entwicklung besteht darin, daß er über sein männlich-geistiges Ich hinaus zur Einsicht gelangt, daß Erde und Leben sind — daß sie sogar als Ursprüngliches sind, daß auf ihnen erst der Geist aufbauen kann. Symbolisch dafür ist schon, daß er sich aus der Stadt, wo der menschliche Geist die Natur zurückgedrängt hat, in den Bereich des ursprünglichen Lebens begibt. Von der vernünftigen, väterlich orientierten Welt werden wir in eine freie, mütterlich gerichtete Welt versetzt. Die erste Empfindung Pauls ist deshalb die des Entwichenseins aus der Kerkerhaftigkeit: « Er schauerte leicht zusammen; ein kalter Windstoß hatte ihn getroffen; die graue Wolkendecke war zerrissen . . . » In die vorher starre Welt kommt Bewegung. Es beginnt zu regnen: « Große Regentropfen fielen langsam nieder und bohrten sich schwarz und tief in die lockere, braune, frischaufgeworfene Erde der Gräber, und zwischen den kleinen Erdkrumen, die herabrollten, wand sich ein Regenwurm. » — « Zwischen wenigen weißgeballten Wolken, die noch am Himmel standen, schob sich jetzt langsam die Sonne vor. »

Der psychologische Prozeß, durch den sich der Held zur klaren Einsicht durchringt, beginnt damit, daß er seine Aufmerksamkeit auf das Geheimnis des Werdens in der Natur richtet.

Auf seinem Wege von der Bahnstation zum Dorf und zum *Friedhof* durchschreitet Paul *Kornähren*felder. Hier werden in der Anschauung sinnbildlich die extremsten Kontraste zusammengerückt. « Kornfeld » ist Symbol der Fruchtbarkeit und der Reife, « Friedhof » Symbol des Todes und des Verwesens. Aber weiter: Schon im Friedhof treffen Vergängnis und neues Leben unmittelbar zusammen. Die Pflanzen und Gräser ziehen ihr Leben aus den Säften der Verwesung. Die Kräfte der Zerstörung und die des Wachstums greifen ineinander über, verschlingen sich ununterbrochen zum Werdeprozeß in der Natur. So vollzieht sich vor unsern Augen tagtäglich das Mysterium des Todes und der neuen Auferstehung, die *Arche geneseos* (Anm. 15). Das Rückfinden zur mythischen Vorstellung von der Arche geneseos ist die konsequente Folge jenes Dualismus «Eros—Thanatos», der nach Herbert Cysarz die Dichtung Alt-Wiens von derjenigen des Reiches grundlegend und für alle Zeiten scheidet: « Was für breite Teile der norddeutschen Literatur die Antithese Idee und Erfahrung, Geist und Natur, Denken und Wirklichkeit bedeutet, das nämliche ist für dieses Stück süddeutscher die Antithese von Leben und Totsein (es ist die elementare Barock-Antithese, wie jenes die fundamentalen Renaissance-Antithesen bleiben) » (Anm. 16).

Mit der Einsicht in die Arche geneseos, in das Geheimnis der steten Erneuerung durch den Tod, des «Stirb und werde», sind ihm die Augen geöffnet für die Gegebenheiten der Erde. Dem jungen

34

Menschen, der aus dem beschränkten Kreise seiner vorwiegend männlich-egoistischen Geistigkeit in die Welt hinaustritt, fallen zuerst alle die Szenen der Vereinigung auf, die um ihn her in der Natur sich vollziehen. Der vom Friedhof Zurückkehrende begegnet beim Eintritt in die Dorfherberge einem halbjungen Paar. In der Küche der Schenke beobachtet er den großen Schatten eines Bauernburschen, der die Bauernmagd an die Wand drückt. Er sieht im Hühnerhof den Hahn die Henne « betreten » und auf der Wiese ein Kohlweißlingspaar auffliegen und in « müdem Taumelflug in der gelben Flut der Blüten versinken ». Er sieht auch Kürbisranken, die das Haus emporkriechen, und « reifende gelbe Kornfelder ». — « Und von der Sonne, die eine rotglühende, *dottergelbe* Scheibe zwischen weißen, rundlichen Wolken hing, floß grelles, blendendes Licht herab. » — In dem an dieser Stelle auffälligen Epitheton « dottergelb » liegt ein doppeltes symbolisches Element. In der auch sonst in der letzten Partie der Novelle häufigen Erwähnung von «*gelb*» sollen die in den Symbolgehalt dieses Farbwertes gebannten erdhaften Kräfte beschworen werden. Denn Gelb ist die Farbe der Erde, der tellurischen Gottheit, und ihr entgegengesetzt Blau die Farbe des Geistes und des Himmels, der uranischen Gottheit (Anm. 17). In « *dotter*gelb » könnte man sich der Ausdeutung des Eisymbols in der « Gräbersymbolik der Alten » von J. J. Bachofen erinnern: « In der Religion ist das Ei Symbol des stofflichen Urgrunds der Dinge, der „Schöpfungs-Urgrund und Beginn“, die Arche geneseos » (vgl. Anm. 15).

Der Sinn des Vergehens offenbart sich Paul noch deutlicher in einem andern Bild. Während er die nächste Zugsverbindung abwartet, beobachtet er im Hof der Dorfschenke die Arbeit eines emsigen Ameisenvölkleins, das dem Kadaver einer toten Ratte ein Grab ins Erdreich gräbt. Es war « in ihnen ein dunkler Drang, der sie all ihre Kräfte vereinen und anspannen hieß, um der noch ungeborenen, noch nicht einmal gezeugten Brut ein warmes Nest zu sichern, das ihr Nahrung bieten sollte! » — In einem nicht sehr sympathischen, aber vom spätern Werk aus unmißverständlichen Bild erscheint hier ein Symbol aszendenten Lebens, des Lebens der Vereinigung, der Gemeinschaft, des Daseins « über sich selbst hinaus ». Die Vision des Tempels von Hierapolis (« Der Tod Georgs ») ist hier vorausgenommen. In dieser Richtung könnte auch die Bemerkung ausgelegt werden, die Paul über die am Sonntag spazierenden Liebespaare fallen läßt: « Wie von einer *Wallfahrt* kehrten sie heim. » — Das Anziehen aszendenter Zeichen in der Natur richtet sich gegen den dekadenten Menschen Paul, der, wie überhaupt häufig in der psychologisierenden Dichtung in Zeiten des Niedergangs, viel vom Wesen des Dichters an sich trägt; richtet sich gegen Paul, der es fertiggebracht hatte, sein von ihm gezeugtes Kind hilflos einem unbestimmten Schicksal zu überlassen, der sich's nicht anfechten ließ, daß sein eigenes Kind im Elend lebte und an « Auszehrung und Wasserkopf » zugrunde ging, dem die Krankheit « Auszehrung und Wasserkopf » nur ein « häßlich klingender Name » war, aber dem er nichts über die dahinter stehenden Leiden und Schmerzen und über die darin zugrunde gehenden Möglichkeiten des Menschseins aussagte.

Mit einem zufällig im Dorfe stationierten Fiaker tritt Paul die Heimfahrt nach Wien an, während der sein Denken zerwühlt ist von dem Erlebten und Empfundenen, und wo nun endlich die Flut der Assoziation sich zu einer klar formulierbaren Erkenntnis zusammenschließt. Noch einmal ziehen vor seinem inneren Auge die Bilder der Vereinigung vorüber. Dies ist die eindrückliche Stelle: « Da war der Hof: hell, heiß, von der Sonne durchleuchtet; Hennen, die der Hahn betrat, drinnen die Magd, die sich hingab, Falter, die sich gatteten, und die Wiese übersät mit gelben Blumen, die sich sehnend zueinander neigten im Wind, der sie befruchtete, — den Bienen, die den Blütenstaub trugen, demütig ihre Kelche öffneten, um ihn in ihren Narben zu empfangen, — und überall Gelb, warmes sonniges Gelb, Goldgelb, Kürbisblüten, die gelbwogende Wiese, und über all dem flammend die fruchtbare Sonne des Frühsommers, dottergelb in weißen Wolken! » Die Schilderung wird gekrönt durch folgende Partie, die Oskar Walzel veranlaßte, Beer-Hofmann in Verbindung zu bringen mit den Psychoanalytikern (Anm. 18). Paul spricht, bevor er in die Stadt einfährt: « Wie weich, wie weiblich die Formen dieser Landschaft waren; nichts Hartes, Eckiges, Schroffes! Gegen die träge sich dehnenden rundlichen Conturen drängten sich nur langhingelagerte Fabriksgebäude; dazwischen die prall gespannte Kuppel irgendeines Reservoirs, dessen Rohziegelbau einen fleischfarbnen Fleck zwischen weißen Mauern bildete, und dort, hart am Saum des Waldes, dessen niedere Büsche ihn wie dunkles krauses Vließ umgaben, steif emporgereckt gegen Himmel, ein riesiger Rauchfang.» — In dieser erotisierten Landschaft kann m. E. nichts anderes gesehen werden als ein Symbol für den hermaphroditischen Menschen. Dabei ist bemerkenswert, daß die weibliche Hälfte des Bildes natürlich, die männliche Hälfte dagegen von Menschenhand geschaffen ist. Selbst in diesem Symbol ist der Gegensatz von mütterlich-erdhaft und väterlich-bewußt, der Gegensatz von Natur und Geist, von Eros und Logos, mit einbegriffen. Der hermaphroditische oder androgyne Mensch, das zugleich zeugende und empfangende Wesen, ist ein mythisches Vorbild des vollkommenen Menschen, der fest auf dem Grund der Erde steht und zugleich Bürger ist im Reiche des Geistes, der beheimatet ist im weiblichen Seinsbereich, in Natur und Leben, und zugleich im männlichen Seinsbereich, in Erfahrung und Geist. Dieser Urvorstellung des androgynen Menschen begegnen wir häufig im Werke Beer-Hofmanns (vgl. 5. Teil, 5. Kap.).

Am Schluß der Novelle ringt sich Paul zur klaren Einsicht durch: «Die Natur! Wußte er es denn erst jetzt, daß sie immer von neuem brünstig und zeugend und trächtig und gebärend war, und vernichtend, was sie geboren, — und stumm blieb auf alle unsere Fragen?» — Und folgerichtig fügt sich dieser Frage eine Verneinung jener zuerst geäußerten impressionistischen Konfession an: «Nicht bloß Form und Farbe hatten die Dinge, — *hinter* ihnen war ein geheimer Sinn, der sie durchleuchtete, sie standen nicht mehr fremd *neben*einander, — *ein* Gedanke schlang ein Band um sie!»

Diese für unser Empfinden vielleicht triviale Erkenntnis aber, als zum Grundbestand menschlichen Wissens zählend, ist für den Wiener dekadenten Menschen neu und unerhört und mußte erst mühsam gewonnen werden. «Wußte er es denn *erst jetzt*...» In diesem Sinn einer neuen Erkenntnis erhebt sich schon «Das Kind» in seinem Bedeutungsgehalt, seinen geistesgeschichtlichen Perspektiven weit über die meisten Erzeugnisse der gleichaltrigen Dichter, mit Ausnahme derjenigen Hugo von Hofmannsthals.

Der Dichter steht mit dieser Novelle (wie auch mit « Camelias ») in stofflicher und stilistischer Hinsicht noch ganz im Banne der Zeit. Nur vereinzelte verräterische Motive und Eigenheiten des Stiles lassen den der Zeit vorausschreitenden Dichter vermuten. Im allgemeinen blaß wirkend, weder pikant noch verfeinert durch Schnitzlersche Ironie, in ihrer leicht lasziven Gleichgültigkeit eher abstossend, wird sie nur in wenigen Stellen von Schwung der Schilderung und Wucht des Gefühls durchpulst. Das ist der Fall, wo Paul das Grab des Kindes sucht und auf der Heimfahrt nach Wien.

Eine ausschließlich ästhetische Wertung der Novelle wüßte sonst nicht viel Positives zu nennen. « Das Kind » bleibt noch vorwiegend psychologisierende Charakternovelle. In einzelnen Teilen ist, unfertig und ohne organische Entfaltung, die Technik der Erzählung « Der Tod Georgs » vorausgenommen. Diese Technik beruht darauf, daß eine seelische Entwicklung mit einem gewaltigen Aufgebot an Symbolen der Natur oder der Mythologie gezeichnet wird. Wenn man nach der Lektüre noch einmal Seite für Seite überschlägt und die Stellen sucht, an die man sich etwa halten kann, Taten, Geschehnisse, reale Begebenheiten, die einem vom Objektiven her eine Stütze bieten könnten zum Verständnis dieser Menschen und ihrer Welt, entdeckt man mit Befremden, daß hier eigentlich gar nichts geschehen ist und und daß das, was man als Handlung bezeichnen könnte, nichtssagend ist im Geflecht der Erzählung. Diese Beobachtung ist bezeichnend, liegt doch hier nur eine Schilderung einer Abfolge von Zuständen vor, an deren Ende gar kein eigentlich greifbares Resultat vorhanden ist (Anm. 19). Dies beweist, daß das menschliche Material, das hier schildert und geschildert wird, vorerst nur innen lebt und daß es alles auf das Innen bezieht. Es ist daher absolut bezeichnend, sowohl für die zu echter dichterischer Gestaltungskraft noch irgendwie zu schwache Persönlichkeit des Dichters, als auch für das sensible, große Erregungen vermeidende Wesen seines Helden, daß er einer Ausgestaltung der Szenen, die uns am meisten interessieren würden, ausweicht. So kann Paul weder die Pflegeeltern treffen, die uns Näheres über das Schicksal des Kindes berichten könnten, noch sehen wir ihn vor dem Grabe stehen. Auch vom äußern Erfolg seiner wesentlichen Erkenntnisse erfahren wir nichts mehr.

Die etwas lässige Art, mit der das doch sehr ernste Problem der unehelichen Beziehung und des unehelichen Kindes behandelt wird, und die zu dem Inhalt der Erzählung in keinem einigermaßen angemessenen Verhältnis steht, zeigt, wie leichtfertig diese Menschen zu jener Zeit dem Leben gegenüberstanden und wie wenig Ernst und sittliche Kraft sie besaßen. Mutet uns so die Behandlungsweise des Sujets banal an, sind wir eher peinlich und unangenehm berührt, und ist auch die künstlerische Form gewiß nicht untadelig, so erhält doch die Erzählung eine unleugbare Bedeutung als ein bedingungsloses, wenn auch vorerst noch verborgenes Bekenntnis zu einer der Dekadenz absagenden Lebensweise.

Der skizzierte Entwicklungsgang ist ohne besondere Aufmerksamkeit durchaus nicht so deutlich abzulesen, wie er hier dargestellt worden ist. Hier herrscht noch nicht jener faszinierende Rhythmus, jene Symbolträchtigkeit, jene Meisterschaft der Komposition, die wir am « Tod Georgs » bewundern. Echte Partien wechseln mit trivialen Stellen, der Stil ist konventionell, die Ereignisse sind ungeschickt gruppiert, die Linien überschneiden sich.

B. « Camelias » (1891)

Diese Novellette, an Umfang einen Drittel der zuerst behandelten Novelle beanspruchend, bringt keine neuen Probleme. Dem der Erzählung « Das Kind » vorangestellten Motto aus « Faust »: « Sind wir ein Spiel von jedem Druck der Luft ? » entspricht der Satz in « Camelias »: « Reagierte am Ende gar seine Stimmung auf jeden Temperaturwechsel? » Aus der verschiedenartigen sprachlichen Fassung dieses Gedankens kann schon der künstlerische Wert des Werkchens abgelesen werden. Ist das zitierte Motto aus « Faust » sprachrhythmisch eine Einheit, und ist darin auf ein allgemein menschliches Problem bildlich angespielt, so mutet uns das Zitat aus « Camelias » sprachlich recht schwerfällig und undichterisch, kalt und sachlich an. Und genau so ist die ganze Novelle. Bezauberte uns an « Das Kind » ein gelegentlicher Schwung der Diktion, rafft sich die Schilderung hie und da zu bedeutender Ausdruckskraft auf, so bleibt der Eindruck der zweiten Novelle unplastisch, schwach. Sie besteht aus einem Geflecht von Eindrücken und Reflexionen, aus denen wir den Sachzusammenhang erraten. Daneben bleiben nur ganz wenige, uns bereits bekannte Motive oder Situationssymbole, die eine über die durchaus unerfreuliche Handlung hinausweisende Perspektive verraten.

Aus diesem Grunde kann sie jedoch unser Interesse erwecken. Obwohl sie aus der Feder eines 25jährigen, gebildeten Menschen stammt, ist nicht anzunehmen, daß in dieser literarisch wertlosen Produktion der Kunstverstand schon tätig war, den wir an den spätern Werken so bewundern. Gerade das unvermittelte Auftauchen einzelner jener symbolischen Motive in offenbar beiläufiger Verwendung in dieser unsorgfältigen Arbeit legt den Schluß nahe, daß die mythologischen Bestände, die dem dichterischen Gesamtwerk Beer-Hofmanns das eigenartige Gepräge verleihen, nicht bloßer Gelehrsamkeit, sondern einem Urerlebnis entstammen.

Wie später « Das Kind » und « Der Tod Georgs » beginnt die Novelle damit, daß ein Mann aus einem Haus auf die offene Straße tritt. «Das Haustor schloß sich, und Freddy stand auf der Straße.» Es scheint, als sei in diesem dreimal sich wiederholenden Vorgang ein seelisches Geschehen symbolisiert: Das Ich tritt aus der Begrenztheit seines Selbst vorübergehend hinaus. Es unternimmt eine Ausfahrt aus sich, um zur Partnerschaft durchzudringen. Wenn aber in den beiden spätern Werken eine Entwicklung angedeutet und sogar eingeleitet wird, endigt hier der Versuch des Ausbruchs mit dem Fiasko: Freddy kehrt in seine vier Wände zurück; die Gelegenheit, den Anschluß an das Außen, an das Leben zu gewinnen, wurde verpaßt. Nur ein halb unbewußtes Erinnern verleitet den in das Zimmer Zurückgekehrten zu dem Ausruf: « Wie wohl ihm vorhin die laue, milde Luft draußen getan ! » — Im übrigen bleibt die Szene überdeckt, oder symbolisch gesprochen, sein Ich im Kerker der Selbstheit gefangen: « Draußen lag *blei*grauer Nebel. »

Freddy, von einem Ball heimgekehrt, stellt fest, daß ihn Thea liebt. Er wäre bereit, sie zu heiraten. Doch stehen diesem Entschluß so große Hindernisse entgegen, daß er darauf verzichtet. Er ist ein Mann von 37 Jahren und an einen bestimmten Lebensgang gewöhnt, den er nun aufgeben müßte. Thea ist erst 17 Jahre alt und will, auch wenn sie verheiratet ist, das Leben genießen. Er wird ihren Ansprüchen kaum genügen können.

Freddys dekadentes Wesen ist offensichtlich. Thea erscheint demgegenüber als Vertreterin aufsteigenden Lebens. Eigenartig ist das folgende Detail der Charakteristik. Der Mann braucht, um seine äußere Schönheit zu bewahren und um das « Altern » zu verzögern, kosmetische Mittel. Er reibt sich das Gesicht mit Creme ein, trägt ein Haarnetz und schnürt sich in ein *Mieder*. Thea dagegen trägt *kein Mieder*, und in die Taille ihres Kleides « ist kein Fischbein eingenäht ». « Das sei „wider die Natur", erklärte sie feierlich im jugendlich-reformatorischen Eifer. » Hier herrscht also kein Gefühl des Eingesperrtseins und der Einengung. Jedoch ist sie noch weitgehend im Zustande präexistentialen Seins befangen. « Der weiße Atlas modellierte die Formen ihres Körpers; die Taille kaum angedeutet, die Hüften noch unentwickelt und wenig vorspringend — und so lag in ihrer Erscheinung noch etwas Pagenhaftes, Jungfräulich-*Hermaphroditisches,* eine liebliche Hilflosigkeit der Form, die erst nach Ausdruck ringt. »

Es müssen aber auch die dem Helden direkt sich aufdrängenden Symbole der Aszendenz angeführt werden. Als er, die Haustür hinter sich schließend, auf die Straße trat und ein paar Schritte gegangen war, «sah er erstaunt auf». Auf sein Haupt fiel ein Tropfen «zerronnenen Schnees». « Es taut. » Am Himmel sah er den « lichten Schimmer des Mondes ». Und ein lauer Wind trieb weiße Wolkenfetzen über den Himmel. Diesen Zeichen des Frühlings gegenüber durchflutet den Helden eine « warme weitende Empfindung ».

«Zerronnener Schnee »: Schnee ist, wie wir später sehen werden, Symbol des dekadenten, gefangenen Lebens. Wenn der Schnee aber zerrinnt, ist der Übergang von erstarrtem zu fließendem Leben symbolisiert.

« Mond »: Das Symbol erhält seine Erklärung im Zusammenhang mit dem Mythus des Tempels von Hierapolis. Der Mond ist als Spender des nächtlichen Taus ein uraltes Zeichen der Fruchtbarkeit.

« Lauer Wind »: Wind ist ein Symbol der Bewegung. Er löst

die Stagnation auf. Aus « Das Kind » ist er uns als « befruchtender Wind » bekannt.

Auch in dieser Novelle verbirgt sich hinter einigen beiläufig eingeflochtenen Motiven der Hinweis auf eine neue Lebenshaltung. Was hier nur angedeutet ist, was hier nur als scheinbar vereinzeltes Zeichen auftaucht, wird später zu einem symbolischen System ausgeweitet, hinter dem eine mythologische Urerfahrung steht. Auf dieser Stufe der Entwicklung zählt Beer-Hofmann zu den « Übergänglingen », über die sich Schnitzler in einer interessanten Bemerkung wie folgt äußert : « Die Männer, die schon das Wahre ahnen, aber selbst eigentlich den Mut ihrer Überzeugung nicht haben — Männer, die sich in ihren tieferen Anschauungen schon als neue Menschen fühlen, die aber mit ihrem äußeren Wesen noch unter den alten stehen — ... Männer, die sehr gut wissen, daß die Kunst uns das Wahre schildern sollte, — und ... kleine, zarte Novellen für Familienblätter schreiben. » (Th. st. I, 130.)

II. « DER TOD GEORGS »

Einleitung

Wenn wir nun im folgenden Kapitel eine geschlossene Analyse der Erzählung « Der Tod Georgs » (Anm. 20) zu geben versuchen, sehen wir uns vor eine recht schwierige Aufgabe gestellt. Sind doch in der während zehn oder mehr Jahren entstandenen Erzählung die Kräfte der Dekadenz und diejenigen der Aszendenz in der entscheidenden Auseinandersetzung begriffen. Im « Tod Georgs » zieht der Dichter die Summe aus den geistigen Entwicklungen der Jahrhundertwende. Nicht daß wir mit diesem Anspruch überrascht würden. Vielmehr entdeckt nur der aufmerksame Leser hinter der gefälligen, hochkultivierten, kunstvoll rhythmisierten Sprache den verbissenen, weltanschaulichen Kampf. Ihre subtile, vornehme Kühlheit ist das Resultat einer unerhörten künstlerischen Zucht, eines unausgesetzten Feilens und Hämmerns, eines mühsamen Prozesses der Sublimierung ins Symbolisch-Metaphorische.

Im « Tod Georgs » wird auf eindeutig psychanalytischer Basis der Erneuerungsprozeß eines Menschen durchgeführt (Anm. 21). Diese Entwicklung wird nicht an der Wirkung gegen außen, an Taten und Ereignissen demonstriert, sondern spielt sich auf einer rein geistig-seelischen Ebene ab. Eine einseitig entwickelte Persönlichkeit wird durch ein Trauma aus ihrem bisherigen Leben aufgestört und gelangt über die Gegenfunktion zur Selbstverwirklichung. Wir erleben jenes Stadium dieser psychischen Verwandlung, in welchem sich die bisher unaktivierte Gegenseite in der Form objektiv genau bestimmbarer Symbole gleichsam erst ins Bewußtsein einschiebt. Wir erleben nur die Krisis der Wiedergeburt. Erst zuletzt bricht die objektive Erkenntnis durch, die einen Übertritt der geheilten Persönlichkeit ins tätige und reale Leben verspricht. Der Umschwung kann deshalb bloß an einzelnen, oft nur ganz leise angedeuteten Motiven oder Symbolen, an scheinbar nur ästhetischen Zwecken dienenden Metaphern und Ornamenten abgelesen werden. Bei einem so beschaffenen Kunstwerk erlaubt die Betrachtung der Personen und der Ereignisse vorderhand keine näheren Aufschlüsse. Nur ein von Satz zu Satz fortschreitender, die Motiv- und Symbolreihen sorgfältig zerlegender exegetischer Kontekt bringt uns weiter. Dieser Weg führt uns, trotzdem er mühsam ist, am schnellsten ans Ziel.

Die Fabel der mehr als 200 Seiten starken Erzählung kann in wenigen Sätzen wiedergegeben werden: Pauls Freund Georg macht als junger Arzt erfolgreiche Karriere. Er ist nach kurzer Assistentenzeit Professor an der Universität Heidelberg geworden. Bevor er sein Amt antritt, verbringt er einige Wochen Ferien im Tirol. Auf der Reise nach Heidelberg besucht er seinen Freund Paul in Ischl und bleibt eine Nacht bei ihm. In dieser Nacht stirbt er überraschend, seinen Freund damit in Verlegenheit und jähes Entsetzen stürzend. In der gleichen Nacht, in der Georg stirbt, wird Paul durch beunruhigende, seltsame Träume erregt, die eine durchgreifende Wandlung seiner Gedanken- und Empfindungswelt hervorrufen. Nach Georgs Begräbnis in Wien kehrt er nach einem Aufenthalt in Ischl wieder nach Wien zurück.

Die Erzählung dieser an sich nichtssagenden Fabel ist durchsetzt von einer Unmenge von Eindrücken, Empfindungen, Überlegungen, Erinnerungen, die jedoch nicht beziehungslos impressionistisch aneinandergereiht sind, sondern die alle einen vorbestimmten Platz in einem überlegen komponierten Ganzen einnehmen. Jedes Detail, jede noch so belanglos scheinende, an dieser Kernbedeutung korallengleich aufschießende Metapher oder Assoziation hat einen Symbolwert.

Die Bewußtseinsstruktur Pauls (I. Kap.)

Unsere Analyse beginnen wir mit einer Ausdeutung des ersten Kapitels. Auf knappstem Raum wird die Exposition gegeben und die äußere Situation, die bis zur Mitte des Buches gleich bleibt, skizziert. Paul will sich eben zur Ruhe legen. Georg, der auf der Durchreise nach Heidelberg sein Gast ist, schläft im Zimmer nebenan. Ein kurzes, konventionelles Gespräch aus dem Fenster mit einem Außenstehenden rüttelt Paul wieder wach. Er verläßt seine Wohnung, um sich in einem Spaziergang der Traun entlang müde zu gehen.

Im ganzen ersten Bild herrscht überall das Fließende, Strömende — aber auch das Unsichere, Unbestimmte — als stimmungsbildendes Element vor.

Die Nachtluft streicht «feucht und regenschwer» durch das offene Fenster. Die Bänke sind «feucht vom Regen». Kühle Tropfen ringen sich von «regenfeuchten Blättern» los. «Zwischen Wolken schwamm der Mond» usw.

Es symbolisiert uns den vor einer Wandlung seiner selbst befindlichen Helden. Um den Eindruck des Unbestimmten zu verstärken, bleibt alles um Paul noch unklar, während wir über Georgs äußere Verhältnisse und über sein körperliches Aussehen sofort unterrichtet werden. So ist kein Eindruck, den wir von Paul erhalten, fest : «Einer bleibt stehen — es klingt neidisch-traurig — es klang wie ein Seufzer — der traurig-neidvolle Klang.»

Dies erste Bild schlägt bereits eines der Hauptthemen an, die die Dichtung durchziehen. Gleich auf der zweiten Seite sagt der Doktor, daß Georg mit seiner erfolgreichen Karriere «*Glück*» gehabt habe. Um diesen Begriff kreist die gedankliche Dialektik der Partie. Verschiedene Möglichkeiten von Glück werden ausgekreist, und für eine entscheidet sich Paul schließlich. In ihm «klingt der traurig-neidvolle Ton des Wortes Glück nach». Er aber « freilich » meint nicht das materielle Glück Georgs. Er meint auch nicht das « des Frühlingsmorgens », wo das Leben noch vor einem liegt; auch nicht das des Sommers, wo « alle Sehnsucht eingeschlafen ist »; und nicht das des « prunkenden Sterbens » (Anm. 22). Wir nennen, ohne daß wir auf die Namen viel Wert legten, die hier sich aufdrängenden bekannten Begriffe. Paul versteht unter Glück nicht das tatenfrohe Glück des Jünglings, das Ideal des «Stürmers und Drängers », nicht das des reifen Menschen, des klassischklaren Menschen, nicht das todestrunkene des reißenden Stromes, des Romantikers. Er will zwar « so stark und gesund im Empfinden sein » wie Georg. Aber was ihm vorschwebt, ist ein Glück, « so still und voll Frieden, daß es sich nur wenig von Wehmut und Entsagen schied ». Er wünscht ein Glück, in dem er die « ruhevolle Schönheit der Dinge fühlen konnte, über die das *Leben* noch nicht gekommen war, und sein heißer Atem. » In dem unverbindlichen Nachsinnen, dem sich der Held hier überläßt, verrät er die psychische Stimmungslage seines Wesens in der Äußerung, daß er Glück empfindet gegenüber den Dingen, « über die das Leben noch nicht gekommen war ». Ihn bezaubert « der Schmelz der ungelebten Dinge » (Hofmannsthal, I a, 60). Diese Äußerung halten wir als entscheidend fest. Darin liegt das offene Geständnis des Verhangenseins in präexistentialem, d. h. noch nicht im äußeren Leben ausgewiesenem Dasein.

Während Paul der Traun entlang spaziert, kreuzen drei Personen seinen Weg. Eine der Frauen ist ihm flüchtig bekannt. Ihre Beschreibung paßt zu dem Unbestimmten, Haltlosen, Ruhelosen, das über der ganzen Szene liegt. Wir erinnern uns auch einer Ähnlichkeit mit Julie. In das Bild der Frau sind typisch männliche Züge gemischt. Sie wird dadurch noch auffälliger ins Zwiegeschlechtliche, Unbestimmbare hinübergespielt als Thea in « Camelias ». Der « pagenhaft-hermaphroditische » Eindruck ist hier Kennzeichen der Degeneration : « Hart und ungefügig bewegten sich ihre hagern Kinderarme, als hätten sie noch nicht gelernt, umarmend sich um den Hals des Geliebten zu schlingen. » Sie besitzt eine « schlanke, *knaben*hafte Gestalt ». In diesem Sinne schimmert durch die ganze Gestalt eine geschlechtliche Unreife: Kinderstimme, schmächtiger Leib, schmales Gesicht, verschlossene Formen. Wenn er sie auf « dem zu hohen Griff des Schirmes ruhend » dastehen sah, erinnerte sie ihn an Erzengel in stählernem *Panzer*, die « ihr Schwert vor sich hin in den Boden stemmten ». Wer aber in einem Panzer steckt (= das Mieder Freddys), ist nicht fähig zur Hingabe oder zur Vermischung mit einem Du.

Die *Exposition* ist somit eindeutig : in *Paul* erkennen wir den dekadenten Menschen, der ein Dasein liebt, über das « das Leben noch nicht gekommen war und sein heißer Atem ». In seiner Seele wohnt die Sehnsucht nach einer rein geistigen Schönheit. Er ist verschlossen gegenüber den Forderungen des Lebens und des Tages. Die *Frau* aber ist ein für Liebe und für die Mutterschaft offenbar untaugliches, irgendwie degeneriertes Wesen. Mußte sich so schon nach den ersten Seiten des Buches das Gefühl aufdrängen, daß wir es mit ausgesprochen dekadenten Menschen zu tun haben, so wird dieser Eindruck wesentlich vertieft durch eine Reihe symbolischer Formen und stimmungsbildender Motive.

Am auffälligsten ist die Polarität von *Hell* und *Dunkel,* die sich in unzähligen Abwandlungen durch die Dichtung hinzieht. Besonders zahlreich tritt sie auf im ersten Teil :

Lichtes Fenster, dunkle Masse der Berge — Licht hebt sich vom Schwarz der Berge — schwarzgraue, hellgerandete Wolken — tiefe Schatten und Sonnenstrahlen — leuchtende Flut zwischen schwarzen Schatten usw.

Der Dualismus des Hell—Dunkel ist ein Sinnbild für die durchgreifende Zerfallenheit des Lebens mit dem Geiste. *Weiß* ist das Symbol der Geistigkeit und des Todes. Man denke etwa an die symptomatische Bleichheit und Blutarmut dekadenter, dem Leben nicht gewachsener Menschen. Bezeichnend für diese Bedeutungsqualität ist die ganz auf Weiß gestimmte Szene : Weißleuchtende Rauchsäule, weiße Masse der Häuser, weiße Mauern, weißer französischer Pudel, weißes Band usw. (Anm. 23). Als « weiße Blüte » oder « weißschäumendes Wasser » eignet dieser Farbe allerdings auch aufsteigende Qualität. *Schwarz* oder Dunkel dagegen bedeutet das tellurische, erdhafte Leben. Für den Dekadenten hat es als chthonisches Symbol regenerierende Qualität. In der Autonomie wird es zum Symbol der Nacht und der Depravation (siehe 5. Teil, 3. Kap.).

Als dekadentes Symbol betrachteten wir schon in den « Novellen » den *versperrten Raum.* Der dekadente Protagonist hält sich mit Vorliebe in einem verschlossenen Raum auf. Das bedeutet, daß ihm Wille und Kraft mangeln, vom Ich zum Du und zum All durchzudringen, über sich selbst hinaus schöpferisch zu sein. Im Augenblick aber, in dem ihm seine Situation zum Bewußtsein kommt, wird es ihm im Raum unbehaglich, und er strebt ins Freie. Wie die « Novellen », beginnt auch diese Erzählung damit, daß ein Mann aus einem Haus auf die offene Straße tritt. Und wie in « Camelias » kehrt er in sein Zimmer zurück, ohne daß er schon die zahlreichen aszendenten Zeichen des Außen vernommen hätte. Die Symbolik des Raumes ist, wie wir bald sehen werden, sorgfältig und bedeutungsvoll durchgeführt.

Zu den bereits genannten Symbolen treten noch das Sinnbild der von ihrem Nährboden abgeschnittenen und verdorrten Pflanze:

« Von den dunkeln Massen der Berge brachte der Wind den Duft frischen *Heus* »; das des *Bernsteins*, der oft Getier und Pflanzen der Vorzeit einschließt, gefangenem Leben also gleichsam zum Kerker dient und der selbst aus dem Urgrund des Lebens, dem Meere, an das Licht des Tages geworfen worden ist; das der *Berge*, die mit ihren zerklüfteten Felsen von der nährenden Erde weg in die unfruchtbare Höhe, vom Muttergrund weg in das Reich des Geistes streben. Sie sind Versteinerung eines einst glühenden Stromes, « nicht toter Stein », sondern « jäh erstarrtes Leben ».

Auf seinem Spaziergang der Traun entlang erlebt Paul eine *Vision*. Aus einem schmalen Hochtal schwebt ihm die Gestalt einer Frau entgegen. Die ersten Eindrücke, die er empfängt, sind immer positiv, dem Leben zugewandt (aszendente Symbole kursiv):

Lichte Wiesen.

Große *Falter* schweben über Blumen, die licht und *duftend* werden, wenn man « lange voll *Liebe* sich über sie neigt ».

Vom Ende des Tales leuchten weiße Gewänder. Über allem, was er sonst sieht, liegen « die warmen dunkelnden Schatten des *Lebens* ». Ein Kleid legt sich weich und *taudurchfeuchtet* um den Leib der Erscheinung.

Die Erscheinung besitzt eine « schwere Flut *dunkler Haare* » und hat «*heiße* Wangen». In ihr dunkles Haar sinken weiße *Blüten*.

Die Gestalt *gleitet* über Wiesen und kommt ihm näher. Der Blick ihrer Augen geht über alles Nahe hinweg zu ihm, als suchte sie zwischen ihm und sich einen Bezug.

Jedoch zerstört er jedesmal den ersten Eindruck durch die Reflexion (das den aszendenten Gehalt aufhebende dekadente Zeichen kursiv):

Lichte Wiesen zwischen weißgeballte Berge *geengt*.

Die Falter schweben über « hoch- und schlankgestielte Blumen, die *farblos* wachsen » und dunkeln, wenn man « ihrer vergißt » (wenn man egoistisch auf sich bezogen bleibt).

« Vom Ende des Tals leuchteten weiße Gewänder — weißer als die weißen Berge und lichten Wiesen ringsum ... Was sich um den *dürftigen* Leib dort legte, war ein *Sterbe*kleid, und trug das blendende Weiß, zu dem der *Tod* die Knochen bleicht und in dem *vereiste* Welten sterben. » Das Kleid ist « totes, seidenes Gespinst von

ungeborenen Faltern », und um seinen Saum gleiten dunkle Falter
« *ruhlos suchend* ». (Hier liegt unverkennbar ein Symbol der ungeborenen Kinder vor.)

In ihr Haar sinkt *Schnee,* und ihre Augen leuchten wie honig-
farbener *Bernstein.*

Die Gestalt scheint ihm *regungslos,* oder doch nur *getrieben*
von einem leichten Wind. Und es ist ihm, «als söge *er sie* mit jedem
Atemzug an sich heran ».

In dem Verhalten Pauls gegenüber der Erscheinung ist der
Zustand eines Menschen eingefangen, der mit seiner zersetzenden
Geistigkeit und dem fressenden Gift der Skepsis fortwährend jede
freie Regung des Lebens erstickt. Doch die Zone des unbewußten
und untäuschbaren Gefühls schlägt dem spielerisch seinen Reflexionen nachhängenden dekadenten Protagonisten ein Schnippchen,
indem es der einen bewußten Hälfte seines Wesens unaufhörlich
die unaktivierte Gegenseite vorspiegelt. Durch seine dekadente
Empfindungs- und Gedankenwelt ziehen sich ungerufen geheime
Anspielungen, die auf ein Dasein zielen, in welchem Liebe, Hingabe, Sinn für die Gemeinschaft herrschen. Diese Welt soll eine
andere ablösen, in der nur die Schönheit, der Wunsch, sich tatenlos
einem ästhetischen Gefühl zu überlassen, als Ideal gegolten hatten.

Vorerst jedoch bleiben die Gegenkräfte gleich stark. Nach dem
kurzen Spaziergang legt sich Paul zur Ruhe nieder. Das heißt:
Paul und Georg, die beiden Gegenspieler, haben sich in das Gehäuse
ihres Ichs zurückgezogen und sind zu gleichen Bedingungen dem
Urteil des Dichters preisgegeben. Während Georg, den wir als
Repräsentanten der Aszendenz anzusehen haben, den ruhigen, tiefen Schlaf des in sich selbst gefestigten Menschen schläft, kommt
Paul nur schwer zur Ruhe. Sein unaufhörlich mit sich selbst be-
schäftigtes Wesen wird von Assoziation zu Assoziation gehetzt.
Und auch sein Schlaf ist durchwühlt von wirren Träumen und
leidenschaftlichen Gesichten, die den Inhalt des zweiten Kapitels
bilden.

Der Traum des Dekadenten (II. Kap.)
Die Traumexposition

Den Inhalt des zweiten Teils bildet ein Traum, in dem die verdrängte Gegenseite von Pauls Persönlichkeit in Erscheinung tritt.

Die Traumphantasie fügt aus einer Reihe von Tageserinnerungen, aus verdrängtem und infantilem Erlebnismaterial, selbsttätig ein Geschehen, ja ein abgeschlossenes Schicksal zusammen. Die Traumfabel kreist um die Schicksale einer Frau, die die Züge des Mädchens trägt, das am Vorabend Pauls Weg kreuzte. Er hatte sie vor acht Jahren geheiratet, und nach einer kinderlosen Ehe stirbt sie ihm jetzt. Sie ist ebenso untauglich für das Leben, wie uns die Frau aus dem Tagerlebnis dafür untauglich vorgekommen war.

Die Fabel des manifesten Trauminhalts erfüllt die Funktion einer *Warnung,* die von ihm ausstrahlenden Symbolketten diejenige einer *Wunscherfüllung* (Anm. 24).

Die Ausgangssituation erweist sich uns wieder raumsymbolisch: « Die hohen Linden aus dem fremden Garten drängten ihre Zweige hart ans Fenster. » Darin ist der drohende Einbruch der Welt Georgs in die Pauls angedeutet. Denn Georg ist « stark und gesund im Empfinden ». Dagegen wehrt sich Paul mit dem Urinstinkt des Dekadenten, der sich vor Verwandlung und Veränderung fürchtet. Wie tief dieses Gefühl selbst im Dichter wurzelte, beweist eine Briefstelle Hofmannsthals: «Sie fürchten zu sehr den Begriff einschneidender Veränderungen ... » (I, 305). Deshalb schließt Paul das offene Fenster und « eine Türe fällt ins Schloß » (derselbe Vorgang schon in « Camelias »). Häufig sind die Zeichen, die das Verharren im Raum, die Kerkerhaftigkeit, versinnbildlichen : Eine Fliege schlägt an die Scheiben des Nebenzimmers; Paul steht vor dem Zimmer der Kranken, « das Gesicht an die Scheiben gedrückt »; er blickt ins Freie, aber eine niedere Hügelwelle sperrt ihm den Ausblick; ein alter Mann deckt frühe Veilchen mit Matten usw. Auch sonst drängen sich überall die Symbole fallenden Lebens auf : Verstaubte, trockene Gräser; trockene Blüten; lichtwolkige Bernsteinperlen; ungeschmolzener Schnee; gefrorene Felder.

Doch zurück zu den Symbolen, die die Überwindung der Dekadenz durch die regenerierenden Kräfte des Lebens andeuten. Schon im ersten Kapitel begegnet uns : Durch die Spalten der Wolkenballen drängt sich das Licht des Vollmonds (ähnliche Stellen in den « Novellen »). Die folgenden äußerst prägnanten Bilder finden wir zu Beginn des 2. Kapitels : Die Lorbeerbüsche werden über die

Brüstung von Wellenschaum bespritzt. Während Paul sich über die Krankheit seiner Frau orientieren läßt, dringen die Worte des Arztes, der « die Wahrheit » spricht, wie von fernen Inseln « durch Scheiben » zu ihm. Jedesmal ist etwas Trennendes, Abgrenzendes (Wolken, Brüstung, Scheiben) und etwas Vereinigendes, Positives (Mond, Wellenschaum, Worte der Wahrheit aus fernen Inseln) genannt.

Hier wenden wir uns für einen Augenblick der *Traumfabel* zu. Paul befindet sich in einem Zimmer seines Hauses. Die Frau liegt auf den Tod krank in einem kellerartig in den Abhang versenkten Gemach. Das Haus ist nichts anderes als ein Symbol für das menschliche Wesen. Das Zimmer versinnbildlicht den Geist, das « kellerartig in den Abhang versenkte Gemach » den Bezug des Menschen zur Erde. Indem Paul sich erhebt und in das Gemach hinuntersteigen will, gerät er in den Bereich des Lebens. Auf dem Wege dorthin fällt plötzlich aus einem Seitenfenster «heißes Licht». Er sieht vor sich den See. Der Anblick ist für Paul derart über-raschend, daß er sich auf das « glühende Geländer » stützen muß und « *verloren* » hinausschaut. (Auch David blickt, wie die Regie-anmerkung sagt, « verloren » in die Höhle der Maacha, in den Be-reich des ursprünglichen Lebens. « Der junge David », S. 180.) In der Erwähnung von Wasser, See, Fluß, Tau usw. müssen wir in der Regel ein Symbol für die tellurischen Kräfte, für die irdischen Gegebenheiten erkennen. Daß Paul « verloren » auf den See schaut, ist symbolisch dafür, daß er sich dem Leben nicht gewachsen fühlt. Wie er im See nur das Spiegelbild der obern Welt sehen kann, erkennt er auch in der Frau nur immer sich selber. Darum nennt er sie « unfrei und gebunden, doch nach Erlösung sich sehnend ». Und weil er sie nur mit seinem eigenen Wesen erfüllt, erscheint sie ihm « leer und haltlos ».

Der Tempel der Astarte

Ohne weitere Überleitung schließt sich hier die Vision des Tempels von Hierapolis an, die für das Gesamtwerk des Dichters eine der aufschlußreichsten Partien ist. Beer-Hofmann macht erst-mals auf seine Quelle zu den auf den Seiten 42 bis 66 geschilderten Ge-schehnissen aufmerksam in einer Anmerkung zum «Jungen David»:

« *Astharoth* in Basan, Kultstätte der alt-asiatischen Naturgöttin Astarte, in Kanaan als aštar, aštoret (woraus aramäisch Aphtoret, griechisch Aphrodite wurde) verehrt. Eine berühmte Kultstätte war Hierapolis in Syrien (Lukian, „De dea Syriaka"). Sie ist Göttermutter, Göttin der Zeugung und Fruchtbarkeit. Da der Mond als Spender des nächtlichen Taues und so als Förderer alles Wachstums gilt, wird sie zur Mondgöttin, die Mondsichel ihr Emblem. Spuren des Mondkultes bei den Hebräern (Hiob 31, 26). An den Himmel versetzt, wird die Götter-Mutter zur „Himmelskönigin". Babylonische Theologen setzen die Ištar planetarisch als die Sterngöttin Venus. » (Anm. 25.)

Die Sprachkraft und rhythmische Intensität lassen ahnen, daß es hier um mehr als um bloße Nachgestaltung eines zufälligen Motivs geht. In der Erzählung jener geheimnisvollen syrischen Tempelriten beschwört der Dichter einen Mythos, der sein Lebenswerk bestimmend beeinflußte.

Die ganze Schilderung steht unter den beherrschenden Zeichen der Aszendenz. Schon der Tempel selbst ist das Werk einer Gemeinschaft, die sich über ihre Existenz hinaus den kommenden Geschlechtern verbunden fühlte. Ihr persönliches Leben zurückdrängend, dienten die Menschen nur der gemeinsamen Aufgabe. Der Wille, der sie leitete, ist auf höherer Stufe vergleichbar dem dunkeln Drang, der in « Das Kind » die Ameisen heißt, « der noch ungezeugten Brut ein warmes Nest zu sichern ».

Die Landschaft ist nach der erotischen Seite noch schärfer kontrastiert als in «Das Kind» : Unmittelbar neben dem Tempel öffnet sich eine tiefe Kluft, der glühende Dämpfe entquellen. Die Kluft erschließt, als Symbol des Mutterschoßes, den Zugang zur Erde. Als die Symbole des Männlichen erheben sich im Tempelhof riesige Phallen. Es sind von Menschenhand geschaffene Monumente, womit wieder das bewußte, den Mächten des Logos unterworfene Wesen des Mannes versinnbildlicht ist.

Zahlreich sind die chthonischen Symbole :

Um den Sockel der innern Tempelmauer läuft ein Fries : « Männer und Frauen und Tiere *gatteten* sich in unerhörten Verschlingungen; Giganten, in Schlangenleiber endend, ringelten sich um Zentaurinnen... Reich *gewässert* breitete sich die Wiese bis an die dampfende Kluft... Kupferne Schalen waren mit *Getreide* gefüllt und grüne, weidengeflochtene Körbe, in denen man *Früchte* von weither gebracht, *gossen* stürzend ihren Inhalt aus. Ziegen mit überreich geschwellten *Eutern*... Am farblosen Himmel hing die *Mond*sichel. » — Durch das Wasser des Sees im Vorhof gleiten *Fische*. Der Fisch ist ein Symbol der Fruchtbarkeit. Er war der Semiramis, Tochter der Derketo (= Astarte) heilig (Anm. 26).

Dem Dienste der Frühlingsgöttin sind Priester geweiht, die in sich die Kraft ausbilden mußten, zugleich Lust zu empfangen und Lust zu geben. « Wenn sie stillstanden, schienen ihre großen Gestalten voll ruhender männlicher Kraft; aber wenn sie lässig sich wiegend schritten, ahnte man unter den Falten ihrer Gewänder einen Körper, biegsam und gefügig wie der eines Weibes. Fremd war ihnen der starke Drang geworden, der Männer und Frauen zueinander trieb, paarte, und der, sich erfüllend, in ihnen starb. Unerfüllbar und unersättlich rann heiß in ihnen ein träges Schmachten... » Sie verkörpern den die Gegensätze der Geschlechter überbrückenden ganzen Menschen, der alle Möglichkeiten des menschlichen Seins in sich ausgebildet hat. Es ist dies der fern erträumte, die göttliche Ungeschlechtigkeit apperzipierende *androgyne* Mensch.

Jedes Jahr wird der Göttin in einem großen Feste gehuldigt. Die kultischen Feiern finden im Frühling, der Zeit der Schneeschmelze, der kreißenden Erde und der Fruchtbarkeit statt (Anm. 27).

Interessant sind die Schilderungen der Initiationsriten und der Weihe des Astarte-Bildes. Der Altar der Göttin ruht mitten im See, der im Vorhof des Tempels liegt. Knaben und Mädchen umschwimmen ihn, überschütten ihn mit Räucherwerk und umzieren ihn mit Kränzen. Durch das Eintauchen in das *Wasser* erhalten sie die Weihe der Fruchtbarkeit, wie dem Kind im christlichen Glauben durch das Eintauchen in Wasser die Erbsünde, die Urschuld der Individuation, abgenommen wird.

Die zum Frühlingsfest aus weitem Umkreis herbeigeströmte Menge trägt zuerst in einer Wallfahrt das Wunderbild der Astarte ans *Meer*. Im Element des Lebens, dem Wasser, erhält es neue Kraft. Dem zum Tempel zurückkehrenden Zug schreiten Knaben mit *blühenden* Zweigen und entzündeten Fackeln voran. Über dem

Bild der Göttin selbst schwebt eine goldene *Taube :* die Taube war, ähnlich wie der Fisch, der Göttin Astarte heilig (Anm. 28).

Den rituellen Handlungen folgt das Volksfest, das mit orgiastischen Tänzen abgeschlossen wird, in denen alle Hüllen zwischen den Menschen fallen und in denen die seit langem gestaute Triebwelt völlig entfesselt wird.

Die *Wirkung* dieses Traumstückes auf die Psyche des Träumenden ist kathartischer Natur. Kompositionsmäßig entspricht es der zitierten Partie « Bilder der Vereinigung » in « Das Kind ». Es ist zu bewerten als eine in den tiefsten Seelenlagen sich vollziehende Kompensation, als eine in mythische Bilder sich verhüllende Stillung der Sehnsucht nach dem Eros. Der in seinem äußern Leben von den Mitmenschen ichbefangen sich abschließende junge Mann schafft sich aus der uneingestandenen Sehnsucht nach Liebe und erotischer Partnerschaft diesen Wunschtraum, wobei sich ihm die Erfüllung im Archetyp der *Mutter-Göttin* gibt.

Was als Erklärung für die Gebarung der in orgiastischen Verschlingungen *ihrer selbst vergessenen Menschen* formuliert wird, gilt *mutatis mutandis* für Paul und weiterhin für den Dichter und die Menschen seiner Zeit: « Fühlen wollten sie — endlich ihr Leben fühlen; den Kreis gleichverrinnender Tage, in den es gebannt, sprengen, und — wie sie die eingeborenen, tiefen Schauer vor dem Tode kannten — die schlummernde Lust des Lebendigseins jubelnd wecken. » — Und diese Lust gab ihnen die Wollust, « wenn ihr eigenes Leben in fremdes drang und sie, eins miteinander, vom gleichen Becher trinkend gleichzeitig trunken, *über ihr Leben hinaus* in kommende Zeiten vereint den Samen neuen Lebens warfen. » Und nicht dem Einzelnen war es gegeben, solche tiefe Einsicht zu erlangen. « Wissender und ahnender als die einzelnen war die Menge ... was kein einzelner ahnte, war unbewußt im Fühlen aller ... »

Der Tod der Frau

Von der Vision des Tempels der Mutter-Göttin gleitet der Traum wieder ab zu Vorstellungen allgemeinerer Art, um dann in die Schilderung des Todes der Frau überzugehen.

In einprägsamen Bildern wird uns nochmals das verderbliche und

54

doch verführerische Wesen der Präexistenz vor Augen geführt. « Wenn in anderen das Wissen wie Korn in trockenen Speichern lag — in ihn war es wie in tiefgepflügtes feuchtes Erdreich gefallen; aufwuchernd *sog es alle Kraft* aus ihm. Lauschend hielt er den Atem an, und hemmte so den Gang des eignen Lebens...» Paul war voll von uranfänglichem Wissen. Darum tauchten in seinen Träumen archetypische Gesichte auf. Aber dieses Wissen nahm ihm die Kraft zum eigenen Leben. Zwei Gleichnisse verwendet der Dichter zur Illustration : Wenn Paul ein Glas süßen Weines gereicht wurde, dachte er nur an die Entstehung des Kristalles und ließ den Wein stehen. — Oder unter dem Baume durchschreitend, weckte ihm der Anblick reifer Früchte eine Menge Vorstellungen über ihre Entstehung. Hinter ihm aber fielen die Früchte ungenossen zu Boden. « Eigensinnig folgte er den Spuren aller Dinge nach rückwärts... Nichts sah er ahnenlos, und das Ebengeborene schien ihm greisenhaft verzerrt und beladen mit der Last von Erinnerungen und sich schleppend mit Ketten, die es an Gewesenes schmiedeten. » — Ein engmaschiges *Netz,* das ihm alle Freiheit nahm, umschlang ihn. « Alles war mit allem unlösbar verknotet, Gewesenes stand neben ihm aufrecht wie Lebendiges, und er lebte wie in dumpfen, menschenüberfüllten *Räumen.* » — Eine Erklärung für seine Sucht, stets der Gegenwart zu enteilen, gibt uns schon seine Jugend : « Abseits von andern Kindern war er aufgewachsen, zwischen hohen und vornehmen Büchern... Später dann las er oft in alten Schriften, in denen von Menschen und Dingen stand, die lang vor ihm gewesen...» Aus diesem Grunde erlebte auch er, wie Paul in « Das Kind », das Leben wie ein *Buch.*

Auf die Ernüchterung nach den kultischen Mysterien und die erneute Rückführung zum Ausgangspunkt folgt die Sterbensgeschichte der Frau. Die Frau weist vor allem in ihrem Wesen dekadente Bezüge auf. Sie genügt als Frau nicht, sie ist das Spiegelbild von Pauls eigener Seele. Nur aus verdeckten Anspielungen läßt sich ihr ureigener Auftrag ermessen. « Wenn sie ihm eine Frucht bot, stieg ihr schlanker Arm aus einem Kelch zurückfallender breiter Spitzen; ihre schmalen, weißen Finger, die aus ihrer Hand, wie zu einer Dolde sich verästelnd, wuchsen, spreizten sich um die Frucht, die sie nicht umspannten. Ein nicht mehr ganz bewußtes Erinnern an vieles war dann in dieser Gebärde. » In dieser Gebärde ahmt die Frau die Blüte nach. In der Blüte wird sie unbewußt zur Trägerin des Astarte-Symbols. Sie selbst sollte Priesterin sein, Priesterin der Frühlings- und Fruchtbarkeitsgöttin, aber nur symbolisch erfüllt sie das ihr aufgetragene Amt. Sie erinnert sich der Kinder, die sie nicht geboren hat (Anm. 29).

Eine weitere Assoziation zu Astarte ist gegeben in den *Edelsteinen* ihres Schmuckes, die erstrahlen, « wenn nachts der Glanz anderer Juwelen schlummernd erlischt ». Das Bildnis der großen Göttin aber trägt eine Krone mit einem Stein : « Wenn nachts der Glanz der wasserblauen und feuerfarbenen Juwelen ihres Schmucks schlummernd erlosch, gab ein nichtgekannter Stein ihrer Krone dem Tempel Helle. » (Anm. 30.)

Trotzdem sie als Frau Priesterin der Astarte sein sollte, kann sie als traumgeborenes Wesen Pauls zum Leben nicht taugen. Dem Leben, symbolisiert im Element des Wassers, ist sie nicht gewachsen : « Das schmalgewordene Gesicht der Kranken schien in der dunklen Flut der Haare zu *ertrinken,* die in losen Wellen über die Polster rannen.» Sie stirbt als ein in den Wogen des Lebens ertrunkener Mensch. Auch sie ist dem Wasser, bzw. dem Leben gegenüber « verloren ». Der Schluß des Traumes ist für ihr und Pauls Vergehen am Leben bezeichnend.

Im Garten neben dem Haus hört Paul Kinderstimmen. Die Frau bewegt sich unruhig auf ihrem Lager : Sie hat keine Kinder. Sie ist nicht Mutter. Als Frau versäumte sie ihr Amt, weil der Mann in ihr nicht die Frau erkannt hat : « Geschlechtlos schien sie ihm. » Aber die Kinder drängen herein ins Leben. Im Traumsymbol : Die im Garten spielenden Kinder drängen sich an das Fenster des Raumes, in welchem Paul und die Frau sich aufhalten. Sie pressen ihre Gesichter an die Scheiben, es sind « flachgedrückte Züge, verzerrt und unfertig wie die von *Ungeborenen* ». Aber Paul schlägt mit der Faust gegen sie; die Scheibe springt klirrend in Stücke. Über dem Schrecken stirbt die Frau, und Paul wacht auf.

Das erregende Erlebnis löst eine Erkenntnis aus, deren Reifen wir am Traumsymbol des *Sees* verfolgen können. Paul sieht zuerst nur die unbewegte Fläche des ruhenden Gewässers. Nur hie und da steigen silberglänzende *Luftblasen* durchs dunkle Wasser nach oben. « Ahnungen » umspielen ihn und beunruhigen ihn für einen Augenblick: « Dann glättete sich wieder der Spiegel und nichts verriet unter der beruhigten Fläche die Tiefe.» — Dann aber ist es eine Erkenntnis, die ihn seiner Selbstsicherheit endgültig beraubt. « Ein silbernes Blitzen zerriß das Bild; ein *Fisch* war emporge-schnellt.» (Zum Fischsymbol vgl. 5. Teil, 4. Kap.) Und plötzlich sieht Paul nicht mehr nur die Oberfläche des Wassers, sondern auch dessen Grund. Er erblickt auf dem Grunde des Sees flutendes Leben : *Feuchtes,* vollgesogenes Moos — *Gletscherwasser* — Züge *laichender Fische.* Die Wasser des Sees « tränkten die Wurzeln der Silberweiden, die im Frühjahr ihre Blüten über ihn schüttelten... Den heißen Winden, die über ihn strichen, gab sein Wasser erfri-schende Feuchte, und aus Wolken, die sich über ihm ballten, lockte er die Blitze zu sich herab... » Die Erklärung folgt selbst : « Das frühere Bild war verloren; seine Augen verstanden es nicht mehr, nur die dunkle Fläche des Wassers zu sehen, die spiegelnd die Berge und Himmel und Sonne in sich fing. Fast wider Willen mußte er durch das sonnenhelle Wasser dorthin starren, wo zwischen wuchernden Wasserpflanzen der Boden des Sees in die Tiefe fiel. »

Wie er zuerst in den See schauend nur sein eigenes Spiegelbild darin erblickte, vergleichbar dem in seine Gestalt verliebten Narziß, so hatte Paul in allem nur sich selber gesehen : « Hinter allem fand er nur sich wieder, und seine eigenen, unruhig flackernden Gedan-ken starrten verzerrt ihn an. » (Anm. 31.)

Doch alle Vergehen und alle Einsichten sind ja nur auf der Ebene eines Traumdaseins vorhanden. Der wieder zum Tagbewußt-sein erwachte Paul muß sich der Ereignisse seines erregenden Traumes mühsam erinnern. Mit Befremden und einem leisen Grauen sucht er die Fetzen, die ihm aus seinem glühend lebendigen Traum-erlebnis übriggeblieben sind, zusammen. Und er fühlt sich zur Frage gedrängt: «Kannte er sich im Traum besser als im Wachen?» (Anm. 32.)

Zum Schluß des Kapitels geht die Szene wieder wie zu Beginn der Erzählung in ein Fließendes, Strömendes über. Durchflutet vom Gefühl einer neu errungenen, wenn auch noch nicht bewußten Erkenntnis, trinkt Paul die feuchte Frische der Luft und fühlt sich « wie aus fensterlosen, *versperrten Räumen entwichen* ».

Der analytische Prozeß (III. Kap.)

Kaum hat man sich von dem Staunen erholt, daß die reichen Erlebnisse nur der Inhalt eines kurzen Traumes waren, wird man zu Beginn des dritten Kapitels mit der Mitteilung überrascht, daß Georg in der gleichen Nacht einem Herzschlag erlegen ist (Anm. 33). So erzählt der Dichter zuerst von den Wirkungen, die dieses Ereignis in Pauls Seele hervorruft. Eine Reihe von Gedanken und Empfindungen knüpfen sich an Georgs Tod, die stets aufs engste auf die Grundentwicklung bezogen sind, auch wenn sie zuerst nur spielerisch und beziehungslos aneinandergereiht erscheinen.

Wir finden Paul wieder im Zug, der ihn nach Wien führt. Dort soll Georg begraben werden. Mit dem Motiv der *Abreise* haben wir das bekannte Sinnbild des zu immerwährenden Ortswechseln bereiten dekadenten Menschen vor uns (Anm. 34). Es ist die typische Geste des Menschen der Zeit, der aus der fatalen Beziehungslosigkeit und Vereinsamung heraustreten will ins unmittelbare Leben. Es ist nach dem Symbolwert der gleiche Vorgang, wie wenn Paul zu Beginn der Erzählung das Haus zu einem Spaziergang verläßt. Das Motiv der Abreise begegnete uns schon in « Das Kind » und in « Camelias ».

Freilich ist hier die « Ausfahrt aus sich », das « Sich-in-Bewegung-Setzen » nicht als kompromißloser Bruch mit der überwundenen Vergangenheit anzusehen. Vielmehr ist Paul immer noch Gefangener seiner selbst. Schon der Umstand, daß er mit der Eisenbahn fährt, beweist, daß er durchaus nicht gesonnen ist, einfach in der Vielfalt des Lebens unterzutauchen : « Nach der Unruhe der letzten Stunden gab es ihm Beruhigung, auf eisernen, festgebetteten Schienen seinem Ziele zuzugleiten. Alles Zufällige und Launenhafte der Landstraße schien von seinem Wege entfernt. »

Fühlte er sich in einer bestimmten Schicht seiner Seele durch die befreiende Kraft jenes Traumes erlöst, fühlte er sich « wie aus fensterlosen Räumen entwichen », so sitzt er in seinem Tagbewußtsein doch noch immer im Kerker seiner tiefwurzelnden Selbstliebe gefangen. So befindet er sich in einem *Coupé* der Eisenbahn. Er schließt dessen Türe. Und « jetzt erst empfand er das Versperrte des Raumes », was ihm offenbar angenehm ist. Die Eisenbahnfahrt auf festgebetteten Schienen und im verschlossenen Coupé ist ein

Kompromiß auf seinem Wege zu sich selbst. Die Kerkerhaftigkeit wird, ähnlich wie im Zimmer durch die an die Fensterscheibe rasselnde Fliege, noch besonders betont durch einen « herabgezogenen Vorhang », durch das in der Glasglocke der Lampe schaukelnde Lampenöl und durch die im Gepäcknetz hin und her kollernde Weinflasche. Besonders deutlich wird der Sinn der Raumsymbolik an jener Stelle, wo es heißt, daß der Tod im Menschen kauernd sitzt und den Leichnam von innen her sich formt, um dann eines Tages hervorzutreten. Wie der Tod im Menschen kauert, muß auch der ins Burgverlies seines Ego eingeschlossene dekadente menschliche Geist im Grunde « tot » sein. Denn, wer sich abschließt, wirkt nicht, lebt nicht, setzt sich in der Gemeinschaft nicht um. Georg ist « aus der Gemeinschaft der Lebenden entlassen », der andere dagegen noch gar nicht in sie eingetreten.

In zahlreichen Gleichnissen, deren symbolische Elemente fast ausnahmslos dem Mythus der Großen Mutter entstammen, wird die Diskussion über die Problematik des Lebens weitergeführt.

Verfolgen wir zuerst die in einzelnen Bildern angedeutete Entwicklung Pauls. Er war früh der Gemeinschaft entzogen worden. Er wuchs « abseits » auf, beschäftigt mit den « Büchern und dem Schicksal Gewesener». Er konnte das Leben nicht wirklich erleben. Schon als Kind verrät er den hemmenden Einfluß der Dekadenz. Wenn er aus der Umzäunung in die Wiese hinaustrat, war er ein wenig « verwirrt », weil « zwischen den hoch aufgeschossenen Gräsern kein sandbestreuter Weg lief ». Wenn er dann an den Waldbach gelangte, vermochte er im strömenden Wasser nur den Tod zu sehen. Die Reaktion ist gleich wie die des erwachsenen Mannes auf die Vision der ihm entgegenschwebenden Frau. Er sah nur, daß man da hineinfallen konnte und dann tot war, « so tot wie ein Erwachsener ». Dieser Gedanke erfüllte ihn mit Stolz und Würde, und « hochmütig » entfernt er sich von diesem sprechenden Symbol des offenen Lebens. Er ist schon als Kind « angekränkelt von des Gedankens Blässe ». Er ist angesteckt von den Erzählungen der Erwachsenen und von den Büchern. Nicht zu verwundern, daß sich das Wasser « zornig gegen Felsen, die den Weg ihm sperrten », wirft.

Als er schon älter war, stand er einmal mit einer Frau auf einer alten Festung. Sie schauten beide über die Brüstung hinaus in die Landschaft. *Er* sah nur die « graue steinerne Masse der Brustwehr » und in großer Ferne die Berge. Die *Frau* aber, die der Vielfalt des Lebens Näherstehende, wendet ihren Blick auch auf die dazwischen liegende Landschaft. Während sein Auge auf den Bergen ruht, wartet er geduldig, bis auch sie, « wenn sie über alles andere gewandert », dort rasten wird. Das ist ein Symbol für den Versuch des dekadenten Charakters, das Leben zu überspringen, das Näherliegende zu verachten und sich dem Fernen zuzuwenden, aus der Gegenwart in die Zukunft oder in die Vergangenheit zu fliehen.

Eines Tages aber wurde es ihm bewußt, daß er Gefahr lief, ganz am Leben vorbeizugehen. Er übernachtete in einem Dorf, das in der Nähe eines Sees lag. Am Morgen wanderte er hinaus an den Strand. Dort schöpfte er nacheinander eine Handvoll Sand und eine Handvoll Wasser und ließ es sich durch die Finger sickern. Darauf neigte er sich einer Blüte zu. Und da erkannte er, daß ihm das Leben bisher gleichsam durch die Hände geronnen war wie vorhin Wasser und Sand. Und plötzlich wurde es ihm klar, daß er allein in der Welt stand. Von ihm zu den Dingen gingen keine Brücken. Alles lief « nebeneinander ». « Hilflos und niemandem helfend, einsam nebeneinander, lebte sich ein jedes, unverstanden, stumm, zu Tode. » Diese Erkenntnis, seit langem vergessen und bis zu diesem Tag in seinem Innern schlummernd, weist ihn jetzt in eine neue Richtung seiner Entwicklung.

« Aller Stolz war von seinen frierenden Schultern genommen, und er fühlte, daß lautlos hinter ihm einer schritt, der nicht duldete, daß man abseits, ein Besonderer, seinen Weg sich suche. *Mit* den andern, gedrängt wie sie sich drängten, stöhnend wie sie stöhnten, gezeichnet mit ihrem Zeichen, unkenntlich in der grauen Herde, trieb es ihn die Straße hinab, von der kein Weg mehr abzweigte. »

Bei der Stelle, daß « hinter ihm einer schritt », muß man an den « starken Gebieter », das Leben, aber auch an den *Tod* denken, der alles Leben vernichtet, um immer wieder neuem Leben Platz zu schaffen, an den Gott « aus des Dionysos, der Venus Sippe » (Hofmannsthal, « Tor und Tod »). Die Grundvorstellung von der Arche geneseos spielt hier hinein, die ja im Astarte-Mythus (wie auch in andern Religionen, bis hinauf ins Christentum!) eine hervorragende Stellung einnimmt.

Sehnsucht nach Gemeinschaft ist ein typischer Zug des Menschen, der der Dekadenz entweichen will. Darum wandte schon Paul in «Das Kind» instinktiv seine Aufmerksamkeit dem Ameisenhaufen zu. Im « Tod Georgs » gibt sich dem Helden die Erfüllung im Traumgesicht des kultischen Frühlingsfestes. « Vereinigung », « Dasein über sich selbst hinaus », so heißen die Leitbilder Beer-Hofmanns zu jener Zeit. «Große Mutter», «Magna Mater Materiae», so lautet das Zauberwort, mit dem der Bannkreis der individualistischen Vereinsamung gesprengt werden soll. In zahlreichen Symbolen kündet sich nun auch im Bewußtsein des dekadenten Protagonisten Paul der Weltgeist der Astarte an, von dem der Dichter die Überwindung der Entartung erhofft.

Oft taucht das Motiv nur ganz leise, gleichsam nur beiläufig auf. Zum Beispiel in folgendem Gleichnis : Als Kind saß er auf heißem Sand. Plötzlich fand er sich wie auf einer dunkeln, bläulichen Insel (Inselsymbol !): Der Schatten der Mutter fiel kühl über den Knaben. Sie aber trug ein weißes Kleid. Weiß ist als Farbe der Blüte ein Symbol der Astarte. Die Mutter hielt die Hände gefaltet und die Finger verschlungen. Jederzeit konnte sie sie lösen, damit jedem der Finger wieder sein eigenes Gesicht verleihend. Die Große Mutter umfängt alles Individuelle zur großen Gemeinschaft der Menschen.

An einer für die Bedeutung des ganzen Werkes wichtigen Stelle ist wieder vom Mysterium der Arche geneseos, von der regenerierenden Kraft des Todes die Rede. Wie in « Das Kind » neues Leben aus den Säften des Verwesenden sich nährt, Blumen und Früchte auf dem Boden des Friedhofes sprießen, so erwächst bei Paul das belebende Gefühl neuen Daseins erst nach dem Tode Georgs — und auf der Reise zum Begräbnis : «Und er fühlte, daß unter aller Trauer, tief in ihm, geweckt durch Georgs Tod, die Freude am eigenen Lebendigsein schamlos aufjubelte. » Wie Paul über den Tod seines Freundes, empfindet auch Paul in « Das Kind » über den Tod seines Kindes : « Er horchte, — als müßte etwas in ihm klagend aufschreien; aber nichts als ein frohes Gefühl des Erlöstseins überströmte ihn.» Während Paul nach Wien fährt, blickt er zum Fenster des Zuges hinaus: Allenthalben herrschen aszendente Symbole vor: « Eine neue, junge Schönheit, die er noch nicht gekannt, schien den Dingen geschenkt, die er sonst kaum sah. » Paul sieht den « Rasen, und darüber ein Stück des dunkelnden Gewitterhimmels, durchbohrt von grellen Sonnenstrahlen... » Ähren des Steinklees biegen sich hingebend unter der Last der Bienen. Ein Luftstrom streicht der Böschung entlang. Die Blumen schwanken wie in « leichter Trunkenheit ». Der Zug eilt an einem Bauernburschen, der mit seinem Mädchen im Gras liegt, vorüber. Über ihnen schwingen im Wind « wirr verschlungene » Zweige.

Durch die zahlreichen Assoziationsreihen kann ein weiterer Umschwungsprozeß in der Seele Pauls verfolgt werden. In der Entwicklung seines Lebens hatte er die Gefahr der einseitigen Geistigkeit erkannt. Als Mittel zur Überwindung erhebt sich das Postulat der Gemeinschaftsverbundenheit. Das mythische Leitbild ist die Große Mutter, die Herrscherin über Tod und Leben. Es ist klar, daß die Kulturentartung nicht darin besteht, daß eine Generation einfach dem Leben abschwört und sich dem Geiste verschreibt. Vielmehr führt die Dekadenz nur zu einer sozial ungesunden Spaltung zwischen einer geistig überzüchteten, in Kunst und Wissenschaft spezialisierten individualistischen Oberschicht und einer ganz sich selbst überlassenen, die Errungenschaften des kulturellen Lebens nur wenig beachtenden Unterschicht. Beer-Hofmann verwendet für die sich selbst überlassene, dem Geiste entfremdete Volkslage das Symbol « Sand ». Während er nach Wien fährt, kreuzen seinen Zug « mit *Sand* » beladene Lastzüge. — Das Kind sitzt, bevor es vom Schatten der Mutter überdeckt wird, auf *Sand*. — Am Ufer des Sees läßt Paul durch seine Hände *Sand* und Wasser rieseln. Und der Stein, aus dem der Tempel der Astarte gebaut ist, stammt aus dem tiefsten Innern der Erde und ist « fremd dem flüchtig rieselnden *Sand* ». Sand ist das Symbol belanglosen, verdeckten, der ursprünglichen Natur, aber auch der Befruchtung durch den Geist entzogenen Lebens, Symbol flacher Alltäglichkeit und beziehungsloser Banalität (vgl. 5. Teil, 3. Kap.).

Während der Fahrt beobachtet Paul die Menschen. « Wie ein einziges Netz schien dasselbe Los über sie alle geworfen... Und gleiche Gedanken und ein gleiches Los überprägten alle Verschiedenheit ihrer Züge.» Alle diese Menschen verdämmern ihre Tage und ihr Leben. Nichts kann sie bewegen, höchstens ihre zu wichtig genommene tägliche Arbeit, der Biertisch, Mahlzeiten und die «triumphierende Zuversicht, im eigenen Bett eine eigene Frau zu finden». Arbeit und Ruhe, «täglich wiederholt», folgen sich in gleichgemessenen Abständen. Hier triumphieren bürgerliche Ordentlichkeit, seichte Behaglichkeit und satte Zufriedenheit. Diese Menschen teilen ihr Leben sorgsam in Abschnitte und errichten an jedem ein Zelt, «in dem erfüllte Wünsche behaglich rasten durften». Gegen diese Gleichgültigkeit und Leerheit lehnt sich Paul auf. Und auch seine Gedanken über die Menschen, die ihm zu Georgs Tod das Leid aussprechen, sind bitter: «Und wie sehr sie ihn auch liebten — nicht der Hunger, nicht der Durst, nicht die Notdurft eines einzigen Tages, würde um seines Todes willen in ihnen schweigen; und wer wußte es, ob sie nicht alle ihre Tränen, gemahnt durch seinen Tod, nur sich und ihrer eigenen Sterblichkeit weinten?» (Anm. 35.)

Wenn «Sand» das Leben des satten, selbstzufriedenen Menschen des bürgerlichen Zeitalters und «Heu» oder «verdorrte Pflanze» dekadentes Wesen bedeutet, so liegt es nahe, daß der Dichter auf der andern Seite seinen Blick jenem Stand zuwendet, der sich vor allem mit der «Erde» beschäftigt: Eine wichtige Konsequenz des Buches ist es daher, wenn das Dasein des *Bauern* verherrlicht wird. Dekadentes Dasein ist wurzelloses, der Natur und den Urmächten entrücktes Dasein. Der Mensch mit dem aufsteigenden Lebensgefühl aber findet zurück zur Erde. Und deshalb heißt es in der Dichtung: «Vom Boden, den man als Kind im Fallen geküßt, sagte keiner sich los, und wenn Kinder im Spiel Bäume und Hütten und schwereutrige Kühe und hochbeladene Erntewagen, rings um sich stellten, ahnten sie den segensvollen Frieden eines Lebens, das der Erde sich vermählen durfte... Sie aber ahnten in dunkler Ehrfurcht, daß in der Erde alle Schicksale sich vorbereiteten... Nichts gab es, dessen Wege nach rückwärts nicht zur Erde führten... Aus der Tiefe stiegen die Dinge nach oben.»

Der Umschwung (IV. Kap.)

Das letzte Kapitel spielt in Wien. Dorthin ist Paul nach einem kurzen Aufenthalt in Ischl zurückgekehrt, da er die quälenden Erinnerungen nicht mehr ertrug. Jetzt wandelt er abends durch einen Park. Der Durchbruch des unterbewußt-aszendenten Komplexes ist noch nicht erfolgt. «Etwas lagerte wie eine schwere, dunkle Masse in ihm.» Aber die entscheidende Wendung in seinem Leben steht unmittelbar bevor. Er ist im Begriffe, die Zusammenhänge zu erkennen. «Das Einzelne bestach nicht mehr.» Wieder ist die Natur sinnbildlich aufzufassen : Paul ergeht sich in einem *eingeschlossenen* Park, der Himmel ruht *blei*grau, der Wind streicht nahe am Boden hin. «Kurze Windstöße standen vom Boden auf und scheuchten das Laub aus braunen, vermodernden Lagern. In steilen Wirbeln stiegen die Blätter hoch über die dürren Wipfel der Bäume, als wollten sie im Sturm durch die niedere Decke bleigrauer Wolken ins *Freie;* aber wie ohnmächtig, betäubt vom Anprall, kamen sie zurück und sanken, in mattem Taumel langsam sich drehend, wieder zur Erde.» Der das Laub aufscheuchende Windstoß hat ähnliche Gleichniskraft wie der die spiegelnde Oberfläche des Sees zerreißende Fisch. Dieselbe Situation der bevorstehenden heilenden Erschütterung verrät das die Stimmung immer wieder stark belastende Epitheton « *schwül* ».

Auf seinem Gang durch den Park begegnen ihm zwei Frauen. Mit diesem Motiv leitet der Dichter zur Situation zu Beginn der Erzählung zurück. Die eine der Frauen weckt die Erinnerung an das Mädchen, das ihn am Abend vor Georgs Tod auf dem Spaziergang flüchtig gestreift hatte und damit auch an die Frau des Traumes. Paul entsinnt sich einer in den tiefsten Schichten seines Wesens ruhenden Vorstellungskette, deren letzte Glieder ihm die Einsicht gebracht hatten, daß die von ihm geträumte Frau seinetwegen ihre Verpflichtungen dem Leben gegenüber nicht erfüllte.

Die beiden Frauen schreiten... « hinter dem starren, schwarzen *Gitter*werk gleich gestutzter Sträucher wie *Gefangene* ... Sie schienen zu irren wie gefangen hinter dem schwarzen, starren Netz dürrer Hecken.» Der Eindruck verschärft sich noch durch die Schilderung des Äußern der Frau : «Die überschlanken Glieder des jungen Mädchens, deren *Dürftigkeit*... Blasser Streifen der Wangen...

Blutloses, dünnes Ohr und dessen *wächserne* Fahlheit... In der sonnenlosen, nebeligen Luft schienen ihre Gestalten körperlos, nur *Schatten.* »

Hier fügt sich nun an unbedeutender Stelle ein höchst bedeutsames Motiv an. Im Park ruht ein Teich. Darin erhebt sich ein Steinbild, das eine fischgeschwänzte Frau darstellt. Die Figur ist als Gegensatz zu der überschlanken und blutlosen Gestalt des jungen Mädchens gedacht. Sie hat einen « reifen, überquellenden Leib » und eine « lebenerfüllte, reichentfaltete Nacktheit ». Diese fischgeschwänzte Frau ist nichts anderes als ein Standbild der Astarte, denn die Derketo-Astarte von Askalon ist in der Sage als Gottheit bekannt, die aus weiblichem Oberkörper und Fischleib besteht (Anm. 36).

Schließlich klingt die Dichtung aus in die rückhaltlose Selbstanklage, in die Erkenntnis des Verhängnisses der Dekadenz. Damit scheint der tote Punkt im Dasein Pauls überwunden. Deutliche Anspielungen weisen darauf hin, daß nun ein neues Leben beginnt. « Niemals war er begierig gewesen, das wahre Antlitz der Dinge zu sehen. » Alles Fragen um Georgs Tod und seine möglichen Schicksale war nur ein « *Fragen um sein eigenes* » gewesen. Und wenn er ans Wasser trat und hineinsah, erkannte er darin nur sein eigenes Gesicht. « Sich selbst nur hatte er in allen gesucht. » Stets war er « sehnsüchtig, sein eigenes Bild zu sehen... In allem hatte er nur *sich* gesucht und *sich* nur in allem gefunden. » Während sich sein Schicksal wirklich erfüllte, erschien ihm das der andern Menschen nur wie auf der *Bühne.* Jetzt aber taucht aus « Dunklem und Verworrenen ein *neues Leben* » vor ihm auf. Ein Ungerechter, hatte er allem das Recht auf eigenes Schicksal abgesprochen, und rings um sich hatte er Einsamkeiten gelegt. Es ist aber alles ineinander verflochten. Nichts geschieht beziehungslos. Wer einsah, daß jeder vieles lebte, « sah sein Leben nicht mehr *nutzlos,* rasch wie Gras auf den Dächern dahinwelken ». Sein Leben gleicht nicht einem einsamen Ton, hingegen « verschlungen in ein großes, von Urbeginn gemessenes, feierliches Kreisen treibt sein Leben, mit durchtönt von ewigen Gesetzen, die durch alles klingen ». Paul schreitet nun dem Ausgang des Parkes zu. « Nicht *sich* betrachtend, sein Blick ins Weite gerichtet. » Die vollzogene Erkenntnis, die alle Einsichten unter sich begreift, *daß des Menschen Dasein seinen Zweck nur in der Gemeinschaft erfüllt,* wird begleitet von einer eigenartigen Zukunftsvision : Er sieht vor sich eine Gruppe von *Arbeitern,* die bis zu den Hüften in der *Erde* stehen. Eine andere Gruppe von Arbeitern, eben abgelöst, verläßt den Arbeitsplatz. Ihnen folgt Paul, aus dem Park in die offene Welt hinaustretend. Und so bleibt als abschlußgebendes Bild dies : « Er war zu müde, um rascher zu gehen und sie zu überholen. Langsam ging er hinter ihnen, *unbewußt in den schweren Takt ihrer Schritte verfallend.* » — Darin liegt ein unverhohlenes Bekenntnis zu einem modernen, der Arbeit und der Erde neu verpflichteten Menschentypus. Es steht außer Zweifel, daß in diesem Motiv, das durch dreimaliges Auftauchen vorbereitet wird, Beziehungen mitschwingen, die in weitere Zusammenhänge geistes- und kulturgeschichtlicher Art hinüberspielen. Es wird im Zusammenhang mit der Typologie des « Jungen David » Gelegenheit geben, darauf noch einmal zurückzukommen.

Die Umrisse eines Weltbildes

Im Gegensatz zu den « Novellen » kommt dem « Tod Georgs » neben seinen Besonderheiten in künstlerischer und formaler Hinsicht eine überragende weltanschauliche Bedeutung zu. Erstmals bricht hier die Persönlichkeit des Dichters durch und gewinnt, in klarem Abrücken von den Götzen der Zeit, im Widerstand gegen eine in ihren Grundpfeilern morsche Kultur ein festes, jedoch im nähern noch umrißhaftes Bild von der Welt.

Den Grundriß dieser Welt entfaltet Beer-Hofmann in seiner Dichtung an Hand einer doppelten Ereigniskette, die sich in ihrem äußern Ablauf nicht grundlegend unterscheidet. Im Traum war Paul verheiratet mit einer Frau, die ihm starb; im äußern Leben war er befreundet mit einem jungen Mann, der ihm ebenfalls starb. In beide Ereignisse spielt als regenerierender Begriff die Gemeinschaft hinein. Seine Erscheinungsform gestaltete sich verschiedenartig aus : Kam er im Erlebnis mit der Frau zur Einsicht in die drohende Vereinsamung, so in demjenigen mit Georg zur Einsicht in die betrüblichen Zeichen des Alterns. In dem einen schuf er sich unbewußt die Erfüllung seiner Sehnsucht nach dem Ungeborenen,

66

in dem andern rang er sich verstandesmäßig durch zur Erkenntnis von der Notwendigkeit des Todes. Beide Ereignisketten bedürfen je noch einer kurzen zusammenfassenden Erörterung.

Paul und die Frau

Wir sehen die menschliche Totalität unmißverständlich symbolisiert in dem Haus, das Paul und seine Frau im Traum bewohnen. Oben befindet sich der Bereich des Logos, des Geistes, unten derjenige des Lebens und der Erde. Oben wohnt Paul, im kellerartig in den Abhang versenkten Raum die Frau. Auch sie hatte zuerst oben verweilt, im Reiche des Logos, in dem verzehrenden Lichte der Erkenntnis. Aber sie hielt es dort nicht aus. Paul hatte ihre Schultern beladen mit der Last geistiger Erkenntnis, mit Zweifeln und Fragen. Er hatte in sie das fressende Gift der Skepsis gestreut. Sie wurde krank, in ähnlicher Weise krank wie Ludmilla Hajduk in der Novelle « Das Ungeborene » von J. J. David, die sich aus dem Hause ihres Gatten Gregor Grazda hinübersehnt in dasjenige des Zlamal, der eine Schar fröhlicher Kinder sein eigen nennen darf. Wie Ludmilla will die Frau ein Kind haben. Und auch Ludmilla und Gregor leben nun getrennt: sie in der Umgebung der Natur auf dem Lande, er in der naturfremden Stadt. Paul lebt oben, sie, ihres Besten beraubt, unten. Und wenn er zu ihr in die Tiefe steigt, geschieht es nicht, um in ihrer Welt zu verweilen, um bei ihr den Frieden seiner unbefriedigten Männlichkeit und seiner ungestillten Sehnsucht zu suchen. Auch hier bedrängt er sie noch mit seiner « Bettelware » und seinem «Geschwätz». Er hat sie nicht als Frau erkannt. Die Kinder, die sich ins Dasein drängen, die «Ungeborenen», verbannt er und stößt sie ins Nichtseiende zurück. Im Traumsymbol: Er schlägt mit der Faust gegen sie. Er ist nicht zu einem Leben « über sich selbst hinaus » durchgedrungen.

Paul und Georg

In dem Verhältnis zwischen Paul und Georg erkennen wir unschwer das durch die ganze dekadente Literatur in mannigfacher Ausstrahlung verbreitete Motiv des sich ergänzenden Freundespaares. Vorgezeichnet war es schon in Schnitzlers « Anatol » in der Freundschaft zwischen Anatol und Max. In Max sehen wir, wie in allen seinen Nachfolgern, den Ärzten und Freunden in Schnitzlers Werk, den nüchternen, unbefangenen, illusionslosen Menschen, der kraft einer natürlichen und klaren Intelligenz stets einen Anhalt hat für Maß und Mitte.

Man muß, um die Bedeutung des Freundes in den Werken der Wiener Dichter zu erweisen, etwas weiter ausholen. Zweifellos handelt es sich hier um Abwandlungen eines alten Motivs. Es wäre zunächst an die auffälligste Eigenschaft dieses Verhältnisses zu erinnern. Hauptgestalt und Arzt, bzw. Freund oder Diener, stehen zueinander wie Idealist und Realist. In diesem Sinne können, um einige Beispiele zu nennen, aufgefaßt werden die Ärzte bei Schnitzler, der Arzt in Hofmannsthals «Turm», der Arzt Gion in der gleichnamigen Erzählung Hans Carossas, die Ärzte bei Ibsen (z. B. Dr. Relling in der « Wildente »), die Freunde in Hesses « Narziß und Goldmund » (Anm. 37), aber auch, um weiter zurückzugehen, Friedrich und Leontin in Eichendorffs « Ahnung und Gegenwart », Albano und Roquairol in Jean Pauls « Titan », Faust und Mephisto, Tasso und Antonio bei Goethe, Hamlet und Horatio bei Shakespeare. Ärzte, Freunde, Diener haben ihren Vorläufer wahrscheinlich in der Figur des Hanswurstes; dies wohl auch im spezifisch wienerischen und weiterhin barocken Sinne. Das Paar Don Quichotte und Sancho Pansa des Cervantes mit seinem Gegensatz von Pathos und Ironie müßte hier erwähnt werden. Vielleicht sind alle diese Gestalten Abkömmlinge des Hofnarren. Ein Hauch dieser uralten Tradition kann erspürt werden aus der Bemerkung Anatols zu Max : « Von dir geht ein Hauch von kalter, gesunder Heiterkeit aus, in der die Sentimentalität des Abschiedes erstarren muß !... Vor dir weint man nicht !» (Th. st. I, 65.) Damit ist noch nicht die ganze Bedeutung des Verhältnisses von Paul zu Georg erfaßt. Es erhält vielmehr einen neuen, wesentlichen Aspekt durch den Kampf der feindlichen Brüder in Beer-Hofmanns « Jaakobs Traum ». Die Spannung zwischen Paul und Georg ist nur eine Sonderform des zeitlosen Motivs der feindlichen Brüder. Es soll im Zusammenhang mit « Jaakobs Traum » untersucht werden, in welchem Sinne dieses Motiv auf mythische Vorstellungen zurückweist. Es handelt sich hier um den Gegensatz, der auch in die Brudertragödien eines Gryphius («Papinian»), Schiller («Räuber», «Braut von Messina»),

Grillparzer (« Ein Bruderzwist in Habsburg »), Otto Ludwig (« Zwischen Himmel und Erde ») u. a. m. hineinspielt. Der Konflikt liegt aber auch Thomas Manns großem Roman « Joseph und seine Brüder » zugrunde.

Im « Tod Georgs » bedeutet denn auch Georg das Vorbild eines nüchternen, voll in der Realität der Gegenwart stehenden und nicht von den Gedanken an das Vergangene gehemmten Menschen. Georg ist im Gegensatz zu Paul das Idealbild des Menschen. Auffallend ist immerhin, daß wir von diesem Leben nicht mehr zu sehen bekommen als einige Andeutungen oder Hinweise in teilweise schwer zugänglichen Symbolen. Konstruktiv dichtete Beer-Hofmann erst in der « Historie von König David ».

Georg ist gleichsam nur die Emanation einer in Paul schlummernden unbewußten und unaktivierten Persönlichkeitshälfte. Er verkörpert sozusagen sein besseres Ich, seinen Dämon. Mit Georgs Tod gehen dessen Qualitäten in Paul über, oder, reziprok ausgedrückt, in Georg stirbt auch der dekadente Mensch. Der Freund und realistische Gegenspieler wird überflüssig (Anm. 38). Der Dichter braucht die Gestalt und ihren überraschenden Tod nur, um den seelischen Wiedergeburtsprozeß seines dekadenten Protagonisten Paul einzuleiten.

Daß die Figur, die uns im Zusammenhang mit der Problematik des « Tod Georgs » am meisten interessieren würde, nur mittelbar bekannt wird, entspricht einer Eigentümlichkeit der Wiener Dichter, denen die Freunde nur Anlaß zu einem « Nosce te ipsum » werden. Das spüren wir etwa aus den Versen Hofmannsthals :

> « Und wenn sich jemals zwei ins Auge sehn,
> So sieht ein jeder sich nur in dem andern ... »

Und noch deutlicher :

> « Die Freunde so, ihr Leben ist ein Schein,
> Ich lebe, der sie brauche, ich allein ! »   (I a, 102.)

Der Sinn des Todeserlebnisses

Im Zentrum der Erzählung steht das Motiv der Begegnung von Tor und Tod. Der über der Realität der Dinge schwebende, im Reiche der Präexistenz tatenlos hindämmernde Paul wird durch den Tod der geträumten Frau und durch den Tod seines Freundes aus seinem lebensfernen Zustand aufgerüttelt. Der narzissisch auf sein Ich bezogene Mensch wird erst jetzt reif für wahrhaftes Erkennen. Diese innere Umwandlung entspricht in ihrer Bedeutung einer Episode aus dem Leben des Gautama Buddha. Beer-Hofmann hat dessen Erlebnis mit dem ersten Toten, wie schon Auernheimer meint, nach Ischl « verlegt » (Anm. 39). Der Sinn des Todeserlebnisses soll im folgenden noch deutlicher umrissen werden.

Schon in unserem ersten Abschnitt erkannten wir die Beschäftigung mit dem Tod als eines der Hauptthemen der Dekadenz. « Nackt und allen gemein, ging aller Handel der Menschen um Leben und Tod. » Diesen Ausspruch bezeichnet schon 1900 der Wiener Alfred Gold als Kernsatz der Dichtung (Anm. 40).

Die Dichtungen um das Geheimnis des Todes sind erwachsen im letzten Grunde aus der Urangst des bürgerlichen Menschen, vollends des dekadenten Menschen, vor dem Ablauf der Zeit. Das Zeitalter der Sekurität, der Versicherungen, der krampfhaften Vor- und Fürsorge, kurz die Spätform der bürgerlichen Kultur, sieht ja eine ihrer stolzesten Errungenschaften darin, daß es ihr gelungen ist, der Herrschaft des Todes Stück um Stück seines Bodens zu entreißen. Diese Tätigkeit erfüllt einen bestimmten humanen Zweck und besitzt eine natürliche Grenze, die nicht ungerächt überschritten wird. Der Mensch, der hier zur Diskussion steht, kennt jedoch kein anderes Ziel, als sich um jeden Preis den Tod fernzuhalten. « Wahnsinn selbst schien ihm begehrenswerter als der Tod. » Der Tod aber triumphiert über den Menschen und triumphiert schon im Leben über ihn. Denn er sitzt kauernd im Menschen und hämmert sich lautlos sein Bild und formt sich von innen her in jahrzehntelanger Arbeit den Leichnam. Und es nützt nichts, « daß man bettelnde, gierig krallende Finger ins Leben » einschlägt. Der Tod ist an das Ende des Lebens gesetzt, und in ihm findet die Auflösung der Individualität, der an Zeit und Raum gebundenen Persönlichkeit statt. In seiner stets der gegenwärtigen Zeit vorauseilenden Phantasie und in seinem unaufhörlichen Zurückblicken in längst Vergangenes drang der Dekadente nie zu einer völlig realisierten Gegenwart durch. Treffend sagt Schnitzler im « Schleier der Beatrice »: « In diesen Zweigen ruht laue Luft, die nichts vom glühnden Ernst des Tages weiß... » (Th. st. II, 141.)

So wurde ihm alles, was das Zeichen der Zeit an sich trägt, verhaßt. Zwei Erscheinungsformen, in denen sichtbar die Verwandlung durch die Zeit am eigenen Leib sich vollzieht, wurden besonders häufig behandelt, die der *Verwesung* und die des *Alterns* (Anm. 41). In der Verwesung wird der Leib in Erde zurückverwandelt. Es ist die unbarmherzigste Form der Vernichtung des Individuums. Dem Tod voraus geht das Alter. Im Altern erlebt der dekadente Mensch schon ein langsames Verwesen bei lebendigem Leibe. Für Beer-Hofmann waren die Alternden die wider das Naturgesetz am Leben Bleibenden, die « über ihr Blühen hinaus dauern wollten ». Auch dieses Problem symbolisierte sich ihm in der Landschaft : « Als könnte er den kühlen und sonnigen Herbst, den er *liebte*, doch noch irgendwo *draußen* finden, ging Paul alle Nachmittage ins Freie. Aber er fand überall dasselbe : eine Landschaft, die häßlich geschrumpft schien oder öde sich dehnte; die *keinen Zwecken* mehr diente und nichts mehr erhoffte; nur mehr wartend lag. »

Symbol des Alterns ist das Welken, Symbol der Jugend die Blüte. Wie die Blüte muß das Leben des Menschen sein. Wenn sie den Zweck ihres Daseins erfüllt hat, wenn die Frucht wächst und reift, erlischt sie und stirbt ab. Der Mensch, der sich an das Leben klammert, erliegt den Wirkungen des Alters, er « schrumpft », er « welkt », er verfällt der Krankheit, den Kräften der Auflösung, dem Erlöschen all jener Eigenschaften, um derentwillen wir ein Leben glücklich nennen : Schönheit, Lebensfreude, Liebesfähigkeit, Kraft, Begeisterung, Gesundheit. An dieser Stelle schlägt die Dichtung von der Todesfurcht um in die der Todesliebe. Dem Versuch, über das Blühen hinaus zu dauern, steht konsequenterweise gegenüber das Postulat des frühen Todes. Und das mythische Leitbild dieses Postulates ist das göttliche Kind.

Das *Kind* ist das Göttliche, im Reiche spielenden Vorlebens frei Herrschende, das Träumende und Ungeschlechtige. « Offenes » Leben, das voll der unerfüllten Möglichkeiten ist, steht über « geschlossenem », gezähmtem, zivilisiertem Leben. « Denn sie fühlten etwas, was für sie jenseits der Häusermauern und der zahmgestutzten Gartenhecken begann.» Alles sind beim Kind noch « Urmächte wie am Anbeginn aller Dinge. » — « Führerlos, und nicht auf gewiesenen

Wegen, ging man… Kein Verirrtsein gab es, wie in den Straßen begrenzter Städte; in Grenzenloses, in Zeit und Raum schien man zu sinken.» Symbole des Kindes sind wie die der Astarte Blüte, feuchter Wind, Frühling. Das Kind sitzt am Bett alter Menschen, und über «welke Wangen streicht der flüchtige Kuß halboffener Kinderlippen — kühl und leicht wie Apfelblüten, die ein feuchter Wind vom Baum weht». Das Kind schreitet über «hartgefrorene Felder den lauen Frühlingswinden» entgegen und saugt «durstig am Eiszapfen». Auch der junge Mensch ist beschenkt mit den Kräften des offenen Lebens. Junge Menschen sind, weil sie im Besitz unversieglicher innerer Kräfte stehen, immer die «Erhofften einer Welt». Aus diesem Grunde erweist sich die Lebenskurve Georgs als das Ideal. Sein Dasein war vergleichbar dem der Blüte. Er war gestorben in der Fülle seines Lebens und nicht entstellt von Krankheit und Leiden — so wie nach «vorahnendem» Spiel der Kinder ein Schlaf alles verhüllt und überdeckt. Deshalb : «Glücklich durfte man Georg nennen.»

Die Aufforderung, «*früh zu sterben*», ist als eine klare Schlußfolgerung des Werkes zu betrachten. Die Erkenntnis war schon Paul in «Das Kind» vergönnt. Als er auf der Donaubrücke bei seiner Heimfahrt mitten durch einen Schwarm von *Eintagsfliegen* hindurchfuhr, zeigte er die Verwunderung des Menschen, «daß es solche Wesen gab, die nichts erleben konnten, — die aus dem Wasser aufstiegen, — zeugten und sterbend wieder hinabsanken». — Das bleibt schließlich als Konsequenz : So ist der Mensch, aufsteigend, zeugend oder gebärend, die tiefsten Schauer des Lebendigseins damit auskostend und wieder zurücksinkend in den Strom, der einen ehe an die Küsten des Daseins gespült hatte. Dem einen Kernsatz, daß aller menschliche Handel um Tod und Leben gehe, reiht sich damit der andere, ergänzende an : «Und es zeigten die Götter an, daß dem Menschen besser sei zu sterben, als zu leben.» Hierin sehen wir die offene Verkündigung eines *ephemeren Daseins*. Nicht wer lang lebt, sondern wer früh stirbt, ist ein «Liebling der Götter» (Anm. 42).

Mit der Einbeziehung des Todes in das Leben, mit der Lehre von der Arche geneseos, mit diesem Akt der Sinngebung ist zwar noch kein Weltbild gewonnen, wohl aber mindestens der erste und der entscheidende Schritt zur Überwindung der Dekadenz getan. Damit stellt sich der Dichter an die Seite Hofmannsthals, für den « der Tod » das « Leben » ist und in Gegensatz z. B. zu Schnitzler, für den er eigentlich zeitlebens das sinnloseste aller Phänomene bleibt, das bloße Fatum.

Mit der Idee, daß der Tod das Tor zu neuem Leben ist (Arche geneseos), kann nur der materielle Fortbestand gemeint sein. Mit dieser Idee wird vorerst die haltlose Todesfurcht des dekadenten Menschen entkräftet. Was aber geschieht mit der Seele ? Genau über diesen Punkt verweigert uns die Dichtung eine unumwundene Auskunft. Aber es ist klar, daß der Dichter im « Tod Georgs » nicht nur die Dekadenz überwinden will, sondern daß sein eigenes Weltbild sich darin entfaltet. Dies geschieht im entscheidenden Augenblick freilich auf reichlich esoterische Art. Hier müssen nun zwei Voraussetzungen erwähnt werden, die eigentlich nicht organisch in das Kunstwerk verwoben sind, nämlich die Idee von den *gerechten Losen* und das *Bekenntnis zum Judentum*.

Die Idee von den « gerechten Losen », von einer immanenten Gerechtigkeit, begegnet uns andeutungsweise mehrmals im « Tod Georgs ». Erst am Schluß aber wird sie ohne Umschweife klar und deutlich ausgesprochen :

« Denn ehe noch der letzte Atem über klaffende Lippen wehte, auf schnelleren Wegen als das Licht, konnten unerkannt vielleicht Vollstrecker nahen, die *hier* Verworrenes *hier* noch lösten, die an noch Lebenden Urteilssprüche vollzogen, irdisches Unrecht zu irdischem Recht richteten, und die, von fremden Augen ungesehen, qualvolle Tode verhängten, und Verlassene wieder einführten in die Heimat, und Gefesselte hinaus in Seligkeiten... Ziemte es sich nicht, auch vor der verhüllten Möglichkeit gerechter Lose, ehrfürchtig seine Augen zu beschatten ... ? » (Anm. 43.)

Während die « Historie von König David » von allem Anfang an um das Problem des Judentums kreist, folgt im « Tod Georgs » das jüdische Bekenntnis erst zuletzt. In sprachlich meisterhaften Partien und in Bildern von stärkster Leuchtkraft ist von jenen metaphysischen Fragen die Rede, die dann in « Jaakobs Traum » im Zentrum stehen, von der Entschuldung Gottes durch den Menschen und von der Begnadung (Anm. 44).

Was aber sagen uns diese beiden Tatsachen in bezug auf das Weltbild des Dichters ? Der Mensch ist dreifache Existenz, einmaliges Individuum, an Zeit und Raum gebundene Persönlichkeit, zweitens Träger eines bestimmten Blutplasmas — hier also Glied des auserwählten und abgesonderten Volkes —, und drittens Seele, Entelechie, irgendein irrationales Etwas, das hier nicht näher zu bestimmen ist. Als Individuum lebt ein jeder Mensch das Schicksal zu Ende, das eben in seiner Totalität seine Persönlichkeit ausmacht. So wird alles Unrecht noch hier beigelegt, und wäre es im letzten Augenblick, alles Leid hier gestillt, alle Schuld hier gesühnt. Das Schicksal des Menschen, seiner Personheit, geht auf der Erde zu Ende. Wo wäre sonst Gerechtigkeit ? Denn nach dem Tod sind Zeit und Raum, die Elemente, in denen Schuld und Sühne, Leid und Erlösung möglich werden, aufgehoben. Die Persönlichkeit wird aufgelöst und ihr Kern verströmt ins Grenzenlose. Sie wird alles Sinnenhaften, und damit ihres Individualwertes, entledigt. Was übrigbleibt, ist die « Seele », die « Animula Vagula Blandula » (« Verse »), von der es bezeichnenderweise heißt, daß sie « nackt » und « frierend » im Grenzenlosen « schweift ». Mit der Aufhebung von Zeit und Raum für das Individuum aber wird die Seele des Allgemeinbewußtseins teilhaftig, sie wird allgegenwärtig, zeitlich und räumlich.

Es könnte scheinen, daß wir mit solchen Erörterungen den festen Boden unter den Füßen verlieren. Indessen ist unschwer zu erkennen, daß wir uns in Gedankengängen der Gnosis, genauer der « Kabbalah », bewegen. Ich zweifle freilich, ob der Dichter selbst damals schon sich dieser Zusammenhänge bewußt war. Denn gerade seine schwankende Einstellung in bezug auf Präexistenz und Metempsychosenlehre (vgl. Anm. 9 und 38) beweist es. An dieser Stelle müßte man die äußerst interessanten Partien in Franz Werfels letztem Roman, « Stern der Ungeborenen » (Stockholm 1946), in denen von den verschiedenen Formen der Zeit, von der Isochronie und der Heterochronie die Rede ist, zum Vergleich beiziehen. Es wäre verlockend, die gedanklichen Verbindungslinien, die von hier und eben auch von Beer-Hofmanns Werken zum Neuplatonismus laufen, bloßzulegen.

Doch nun zur zweiten Voraussetzung, dem jüdischen Bekenntnis. Es berührt mehr als eigenartig, daß ausgerechnet auch in Werfels « Stern der Ungeborenen » nach 100 000 Jahren gerade noch « der Jude » existiert. Der Dichter meint selbst, daß man ihm diesen Punkt seines Reiseberichtes am wenigsten glauben wird. So bleibt auch bei Beer-Hofmann ein Zwischenglied zwischen Individuum und Allgegenwärtigkeit, zeitlich und räumlich : Das Blut. Das Blut nämlich ist der sinnliche Ausdruck jener erwähnten Gewähr für den materiellen Fortbestand. Das Blut ist das *Symbol* der Zeitenlosigkeit. Er kreist und pulst durch die Adern der unzähligen Generationen und schlingt ein Band von den Ahnen zu den spätesten Nachfahren. Das Individuum aber ist nur eine Emanation, ein einzelnes Glied in einer langen Kette, ein « Nu » im Vergleich zur Ewigkeit. Aber auch wenn der Mensch hier fest umgrenzte Persönlichkeit ist, so ist er doch auch als Glied des auserwählten und abgesonderten Volkes — wie er « drüben » allgegenwärtig ist — « hier » zugleich Ahne und Nachfahr in bezug auf sein Blut. Nach seinem Tod ist er selbst ein Kraftatom und fließt im Strom des « Blutes voll Unruh und Stolz » weiter, ewig, ohne Unterlaß. Er ist an allem teilhaftig, und ihm sind — wie Gott — « wie ein einziger Tag viel hundert Jahr » (« Verse », S. 32). « In uns sind Alle », heißt es daher im berühmten « Schlaflied für Mirjam ». Und darum kann David «noch einmal den Schein seiner Erdentage leben », können die « Ahnen » an Davids Wiege singen, können die Engel und andere kosmische Mächte zu Jaakob sprechen.

Mit diesen Erörterungen greifen wir bereits über den Horizont des « Tods Georgs » hinaus, wenn man auf das abstellt, was explizit in der Dichtung ausgesagt ist. Doch läßt die subtile Symbolsprache des Dichters durchaus schon hier solche Schlüsse zu. Ihre Berechtigung zu erweisen, wird die Aufgabe des fünften Teiles unserer Abhandlung sein.

Wir haben gesehen, daß die zeitbedingte Aufforderung zum frühen Tod hier bereits ins Metaphysische aufgehöht wird. Alle diese Beziehungen klingen aber nur nebenbei mit. Selbst der Dichter spürt, daß er damit seiner eigenen Entwicklung vorausgreift und, mitten in dieser Welt des diesseitig Beharrenden, Perspektiven ins Unendliche eröffnet. Wir sagten auch, daß diese Voraussetzungen « nicht organisch » im Kunstwerk verwertet sind. Entsprechend empfindet darum Paul: « *Gerechte Lose! — Das Wort traf und erschreckte ihn, als wäre es vom Himmel herab, schwer und eisern, gefallen und läge nun, ein Fremdes, inmitten seiner Gedanken.* »

Form und Sprache

Die *Form* der Erzählung geht schon aus der kontextlichen Analyse hervor. Das dichterische Material wird nicht vom Ende, sondern von der Mitte aus geordnet. Bis zum Tod Georgs lebt Paul sein dekadentes Leben ganz zu Ende. Seine Jugendzeit ersteht vor unsern Augen, und das Schicksal, das ihn bedroht, wird im Traumerlebnis mit der Frau liquidiert. Die Umschichtung setzt erst im zweiten Teil ein. Allerdings erfahren wir von den Früchten der gewonnenen Erkenntnis nichts. Wir werden recht eigentlich um die Erfolge des mühsamen Weges betrogen und müssen uns mit der Zusicherung zufrieden geben, daß Pauls Erkenntnis eine radikale und bleibende Veränderung seiner Denk- und Empfindungsweise herbeiführt. « Aber was diese Abendstunde ihm gegeben, blieb. » Im übrigen läßt sich der Dichter nur bei Zeichen und Symbolen behaften. Auffällig ist ein bedeutsamer Unterschied in der Wirkung des ersten und des zweiten Teiles. Gestehen wir den ersten beiden Kapiteln unbedenklich wahrhaft dichterische Kraft zu, so bleiben die letzten beiden Kapitel im bloß Assoziativ-Reflexorischen eigentlich stecken und ermüden auf die Dauer. Mit Georgs Tod hört irgendwie die ausgeführte Dichtung auf, nicht aber die Konzeption ihres Ganzen. Mit der sehr oft bewußten Zusammenfügung der in ihrer handgreiflichen Symbolik gelegentlich etwas aufdringlichen Motivreihen wird ein Erlahmen einer ursprünglich bedeutenden Gestaltungskraft spürbar (Anm. 45).

Die *Sprache* des « Tod Georgs » ist ein eigenartiges, in seiner Bedeutung nicht leicht erklärbares Phänomen. Sie erwächst aus einer doppelten Wurzel. Künstlerisch wird sie entscheidend beeinflußt vom Impressionismus der Jahrhundertwende. Weltanschaulich wirken teilweise wenigstens der Kreis um Ernst Mach und besonders die Wiener psychanalytische Schule nach.

Der unmittelbare Einfluß der *impressionistischen* Wortkunst eines J. J. David, eines Bahr, Altenberg, Schnitzler und Hofmanns-

76

thal tut sich kund in dem lyrisch-dichten Strom einer stets das seltene und erlesene Epitheton, das Participium praesentis, die nominalen Formen des Verbums bevorzugenden Sprache. Das sprachliche Medium Beer-Hofmanns wächst sich durch seine Sorgfalt der Diktion und seinen Reichtum an Nuancen schon fast zu einem Dienst, ja zu einem Kult am Worte aus. Durchaus impressionistischer Kunstübung entstammt ferner die bis an die Grenze der Vollendung entwickelte Verwendung des Leitmotivs (Anm. 46).

Die Technik des *Leitmotivs* besteht darin, daß mit denselben sprachlichen Mitteln in verschiedenen Situationen derselbe Eindruck hervorgerufen wird. Ein Meister des Leitmotivs, der « vor- und zurückdeutenden magischen Formel » ist Thomas Mann. Doch wird es in den Jugendwerken, bis zu den « Buddenbrooks » — wie er selbst im Vorwort zur 146.—149. Auflage des « Zauberberges » sagt — « auf bloß naturalistisch-charakterisierende, sozusagen mechanische Weise » verwendet.

Das Leitmotiv im « Tod Georgs » ist weitmaschig, wird durch kleine Abweichungen oder syntaktische Verschiebungen leicht verschleiert und wirkt immer mehr anklingend und assoziationsbildend als stereotyp wiederholt. Beer-Hofmann hat das Leitmotiv zu einem wundervollen Instrument ausgebaut, das mit den Mitteln einer betörenden Klangmagie die eigenartigsten Stimmungen hervorzaubert und einen unnachahmlichen lyrischen Glanz über das ganze Werk verbreitet.

Dagegen mischt nun die fast wissenschaftlich betriebene *Seelenzergliederung* in diese lyrisch dichte, klangsatte Sprache einen Zug von Objektivität und Verstandesmäßigkeit, der den Gesamteindruck eher beeinträchtigt. Es ist vornehmlich diesem Umstand zuzuschreiben, daß das Werk trotz der rauschenden Pracht einer seltenen und durchaus unerhörten Sprachkunst eine bemerkenswerte Kühlheit hinterläßt, die schon Alfred Gold zu dem harten Urteil verleitete, daß diese Dichtung « infolge der merkbar verstandesgeborenen Mache doch nicht erwärmt und auch nicht Wärme verrät » (Anm. 47).

Wenn wir unsere Bemerkungen über Form und Sprache zusammenfassen, können wir das Werk in künstlerischer Hinsicht ungefähr folgendermaßen charakterisieren :

Die Dichtung besteht in einem assoziativen Aufschürfen und phantasiereichen Agglutinieren einer Unmenge von Beobachtungen, in einem Aufreihen halb unbewußter Gedankenketten, wobei der Dichter im langsamen Fortschreiten an dünner Fabel immer wieder überraschend tiefe Schächte ins Zentrum der Welt- und Lebensrätsel treibt. Solche Weisheiten und Einsichten werden mit Vorliebe in eindrückliche, formelhafte Wendungen gegossen. Der ganze Kreis von Erfahrungen, Beobachtungen, Erlebnissen soll auf diese Weise gefestigt und dem flüchtigen Lauf der Zeit entrissen werden. Selbst das Banale wird sakrosankt. Es wird mit einer schweren Bedeutung behaftet, verliert dadurch das Flüchtige der bloßen Impression und dient dem unsichern, schwankenden Dichter, sich zurechtzufinden. Es handelt sich hier nicht nur um bloßes Auffangen äußerer Eindrücke, um impressionistische Stimmungsseligkeit, sondern um ein ständiges Werten dessen, was sich ereignet; ein ständiges Ordnen und Kategorisieren der Sensationen hat statt. Es ist, als sollte mit dem Netz der Sprache die ganze flutende Vielfalt der Dinge eingefangen werden. Deshalb konnte der Dichter sagen: «Worte waren — wie ein dünnes, kühlendes Gewebe — über das heiße Antlitz des Lebens geworfen.»

In formaler Hinsicht ist zu beachten, daß die einzelnen Reflexionen scheinbar willkürlich aneinandergereiht sind, trotzdem alles auf das kunstvollste aufeinander bezogen ist und nichts, oder fast nichts, losgelöst von der Grundbedeutung steht. Es liegt nahe, diese Eigentümlichkeit mit einem Rassemerkmal des jüdischen Menschen in Verbindung zu bringen, über das sich Erich Bischoff, einer der führenden Kenner jüdischen Wesens, in seinem Buch «Die Kabbalah» wie folgt vernehmen läßt: «Der Orientale hegt eine Vorliebe für eine von freier Willkür beherrschte Komposition, die gewissermaßen waagerecht und genossenschaftsmäßig die Begriffe zwanglos miteinander verknüpft (Ideenassoziation pflegt, die zuweilen fast zur Ideenflucht wird). Der Orientale hat die Dinge um sich herumliegen, wie sie gerade liegen, kraft seines fabelhaften Gedächtnisses die einzelnen gleich beim Hinblicken erkennt und sie, wie er sie braucht, zueinander fügt und wieder von sich legt.» (a. a. O. S. 4.)

Durch die Fülle des gedanklichen Materials, durch die reich-

78

entwickelte Symbolik, durch die Überzeugungskraft in der Kombination von Sinn und Bild, durch die bis ins Detail ausgewogene Formulierung wird diese Sprache zur Magie. Anderseits verrät sich in der Starrheit und Formelhaftigkeit der Diktion ein Mangel an künstlerischer Freiheit. « Der Tod Georgs » ist in großartigem wie in nachteiligem Sinne ein Meisterwerk der Überredung. Man kann Größe und Grenze solcher Kunst nicht treffender charakterisieren als mit dem Wort von Hofmannsthal : « Überredung ist auch Gewalt. » (1 b, 21.) Diese Sprache ist blendend. Wer sich aber ihrer suggestiven Wirkung einmal entzieht, fühlt sich rasch ernüchtert. Bei keinem der spätern Werke ist diese Reaktion so ausgeprägt.

III. « DER GRAF VON CHAROLAIS »

Das Geschehen

Der « Graf von Charolais » ist, wenn man von der unveröffent-
lichten Pantomime « Pierrot hypnotiseur » absehen will, das erste
dramatische Werk Beer-Hofmanns. Es stellt die Neubearbeitung
eines alten englischen Trauerspiels dar: « The Fatal Dowry » von
Philip Massinger und Nathanael Field (Anm. 48). Wir bedienen
uns für die Inhaltsskizze mit Vorbedacht der aktweisen Zusammen-
fassung der Geschehnisse.

Vorgeschichte: Die Dichtung spielt in der Hauptstadt Burgunds
zur Zeit Karls des Kühnen. Der alte Graf von Charolais, ein hoch-
verdienter General der Burgunder, ist kurz nach erfolgreicher
Beendigung eines Feldzuges durch ein Mißgeschick getötet worden.
Er hinterläßt eine große Schuldsumme, die er zur Ausrichtung
rückständigen Soldes für seine Truppe auf sich genommen hatte.
Die Leiche des Generals wird von den Gläubigern auf Grund eines
alten Gesetzes gepfändet und in den Schuldturm geworfen. Sein
einziger Sohn, der Graf Wilhelm von Charolais, ist außerstande,
die Leiche des Vaters aus der Schuldhaft zu befreien.

Erster Akt: Der Graf von Charolais kommt mit seinem Freund
Romont in ein verrufenes *Wirtshaus*, um die Stunde der Gerichts-
verhandlung, in der das Urteil gefällt werden soll, abzuwarten. Die
Gläubiger, die ihn hier aufgesucht haben, lassen sich zu keinem
Vergleich bewegen. Vielmehr gerät der Graf mit dem roten Itzig,
einem geldgierigen Juden, in eine heftige Auseinandersetzung.

Der zweite Akt spielt in einem *Salon* des Gerichtspräsidenten
Rochfort, eines alten, in seinem Amte ergrauten Mannes. Seine
Tochter Désirée feiert ihren zwanzigsten Geburtstag. Sie ist eben
aufgestanden und besichtigt die Geschenke. Ein Vetter Désirées
und Mündel Rochforts, Philipp, bringt ihr mit einigen Musikern ein
Ständchen.

Dritter Akt: Im *Gerichtssaal.* Die Gläubiger haben gegen den Grafen ihre Klage vorgebracht. Die Verhandlungen sind beendet: Die Gläubiger beharren auf ihrer Forderung. Der Graf anerbietet sich, selbst in den Schuldturm zu gehen, um für den Vater die ehrenhafte Bestattung zu ermöglichen. Der Präsident ordnet eine Pause an. In diesem Augenblick glaubt er in dem Grafen das Ideal-bild eines Mannes und eines treuen Sohnes zu erkennen. Einen solchen Menschen hat er als Gatten für seine Tochter gesucht. In plötzlichem Entschlusse bietet er sich den Gläubigern als Bürge an und führt dem von diesem unerwarteten Glück betäubten Grafen die Tochter zu.

Der vierte Akt spielt wieder im *Salon* im Hause des Präsiden-ten, das jetzt auch vom Grafen, seiner Frau Désirée und ihrem Kinde bewohnt wird. Drei Jahre sind verstrichen. Der Graf muß, von seinem Freund Romont aufgefordert, einen Bau beaufsichtigen, der manche Reitstunden entfernt ist. Diese Gelegenheit benützt Philipp, der Désirée in brennender Liebe ergeben ist, um sich ihr zu nähern. Trotz ihrer heftigen Weigerung erliegt sie allmählich seinen ungestümen Werbungen. Sie begleitet den Verführer ins Freie und folgt ihm in jenes verrufene Wirtshaus. Der Graf ist vorzeitig zurückgekehrt. Romont, der zufällig das Paar auf seinem Weg ins Wirtshaus gesehen hat, teilt dem Grafen den Vorfall mit. Charolais will zuerst das Furchtbare nicht glauben und schmäht den Freund wegen seines unziemlichen Verdachtes. Als er aber im Schnee die Spuren entdeckt, ist auch für ihn kein Zweifel mehr möglich.

Fünfter Akt: Das *Wirtshaus,* wie zu Beginn des Dramas: Der Graf tritt vor den völlig überraschten Wirt und zwingt ihn zum Geständnis, daß seine Frau mit einem fremden Mann im Hause ist. Er befiehlt ihm, sofort den Gerichtspräsidenten aus der Sitzung zu holen. Unterdessen dringt er in das Gemach ein, schleppt Philipp heraus und erwürgt ihn. Der Präsident wird vom Grafen aufge-fordert, Recht zu sprechen über das Vorgefallene. Widerwillig ge-steht Rochfort schließlich, daß Désirée den Tod verdient hat. Dé-sirée ersticht sich mit dem Jagdmesser des Grafen vor den Augen der Männer.

Wenn wir so die äußere Handlung des Dramas vor unserm geistigen Auge vorüberziehen lassen, will uns scheinen, daß es sich hier um eine durch unnötigen Aufwand zur Tragödie aufgebauschte, gewöhnliche, ja banale Ehebruchsgeschichte handelt. Der Eindruck ändert sich aber wesentlich, wenn wir von dem Drama als spezifischem Bühnenwerk absehen. Als abgründiges, von ernsten Problemen bewegtes Werk erweist sich die nur *gelesene* Dichtung, wo alles einzelne gleich wiegt, jedes Wort an seinem Platz sein Gewicht behält, und nicht das Rampenlicht schon Licht und Schatten verteilt und dadurch Akzente setzt, nicht mehr der zur Handlung drängende Mime im Fluß der Ereignisse über die für die Deutung wichtigsten Partien des Dialogs hinwegeilt.

Um uns über die letzten Beweggründe dieses Dramas Klarheit zu verschaffen, müssen wir es in doppelter Betrachtung von außen und von innen in seine Bestandteile zerlegen.

Zwei Stellen werden immer wieder zitiert, die aber, aus dem Zusammenhang herausgerissen und bei oberflächlicher Betrachtung des Ganzen, leicht zu Fehldeutungen führen. Charolais spricht nach Désirées Tod:

> « Ich trieb sie ja wohl in den Tod ! Ich „trieb“ sie !
> „Trieb“ ist das Wort — nicht wahr? (Kopfschüttelnd)
> *Ich* trieb sie nicht !
> „*Es*“ trieb uns — treibt uns ! „Es“ ! — Nicht ich — nicht du ! …
> … Nichts tat ich ! Mir
> ward's angetan — — auch das nicht — *es* geschah ! »

In diesen Versen scheint die ganze Tragik des Werkes auf ein unpersönliches, dumpfes « *Es* », auf ein allwaltendes Schicksal geschoben zu sein.

Merkwürdig bleibt tatsächlich das beharrlich wiederkehrende Motiv des Wechsels von Erhöhung und Erniedrigung. « Glück kommt, Glück geht » (« Der junge David »). Von der Kernfabel strahlen in allen möglichen Schattierungen eine Reihe intensiv gesehener Schicksale aus. So steigt vor unsern Augen der *Titelheld* aus tiefster Verzweiflung zu schwindelnder Höhe des Glückes und fällt dann wieder ins Unglück zurück. Aber auch der *alte Charolais* erlebte ähnliches. Seine *Gattin* starb ihm an der Geburt seines Sohnes. Und zuletzt fällt er selbst, kaum ist er am Ziel angelangt, einem tragischen Geschick zum Opfer. *Rochfort* heiratete mit sechzig Jahren aus tiefster Sehnsucht nach einem Kinde. Auch ihm starb die *Gattin* an der Geburt des Kindes. Und im Alter verliert er das Kind auf eine unbegreiflich tragische Art. Auch bei einer Nebenfigur, dem *Wirt,* taucht das Motiv auf. Er war früher ein hochgefeierter Sänger. Dann nahm ihm ein « Frühlingswind » die Stimme, und Glück und Ruhm waren dahin.

Der tiefe Schicksalsglaube — im ganzen Werk verstreut sind Spuren davon zu finden — entstammt bei Beer-Hofmann zwei verschiedenen Wurzeln.

Er ist einerseits *orientalischen* Ursprungs. Er ist zweifellos ein Ingrediens des jüdischen, östlicher Lebenshaltung bewußt nahestehenden Dichters. An einer Stelle des « Tods Georgs » spricht er von den Menschen aus « 1001 Nacht »: « In weiter Ferne, regungslos, mit unerbittlich offenen Augen, harrte ihr Schicksal ihrer; sie wandelten den Weg zu ihm, wenn sie vor ihm flohen. » Das starke Gefühl der Schicksalsverhangenheit ist aber anderseits eine typisch *österreichische* Eigenheit. Vielleicht ist sie letzten Endes barocker Tradition (Anm. 49). Massenhaft finden wir bei den modernen Österreichern Belege. Als Beispiele mögen einige Zitate von Schnitzler oder Stefan Zweig dienen; so aus Schnitzlers « Der Weg ins Freie »:

> « Irgendein Gesetz ist wirksam, unbegreiflich und unerbittlich, an dem wir Menschen nicht rütteln können ... »
> « Nicht wir sind's, die unser Schicksal machen, sondern meist besorgt das irgendein Umstand außer uns, auf den wir keinerlei Einfluß zu nehmen in der Lage waren. » (Erz. Schr. III, 353, 423.)

Das klingt weniger pathetisch, eher sachlich. Ebenso in Zweigs Buch « Verwirrung der Gefühle »:

> « Aber dann riß es mich fort, ich mußte ihm nach : ohne daß ich es wollte, schob sich mein Fuß. Es geschah vollkommen unbewußt, ich tat es gar nicht selbst, sondern es geschah mit mir. » (46.)

Oder in der « Marie Antoinette »:

> « Aber wem sie das schwarze Los von Anbeginn zugeteilt, dem geben die Götter keine Zeichen und Winke. Ahnungslos unbefangen lassen sie ihn seinen Weg schreiten, und von innen wächst ihm das Schicksal entgegen. » (49.)

Wir führen noch eine andere interessante Stelle an, den Ausspruch einer Frau, deren Wort eine gewisse Kraft des Zeugnisses besitzt: Eine Notiz aus den Tagebuchblättern der Kaiserin Elisabeth von Oesterreich (zitiert im Vorwort von Ludwig Klages zu Alfred Schulers « Nachlaß »):

> « Ich gehe immer ... auf die Suche nach meinem Schicksal. Ich weiß, daß mich nichts davon abhalten kann, es an jenem Tag zu treffen, an dem ich es treffen muß. Alle Menschen müssen sich zu einer gewissen Zeit auf den Weg machen, ihrem Schicksale entgegen. Das Schicksal macht lange die Augen zu, aber einmal sieht es uns doch. Jene Schritte, die man unterlassen soll, um ihm nicht zu verfallen, grade die geschehen dann. Und ich tue diese Schritte seit jeher. »   (69.)

Bei den modernen Oesterreichern ist aber das Verhältnis des Menschen zu den objektiven Mächten weder Ausdruck eines Glaubens an die orientalische Prädestinationslehre, noch eindeutig Tradition des österreichischen Barocks. Viel eher spielt das dem barocken Empfinden zwar verwandte Lebensgefühl des « fin de siècle » die ausschlaggebende Rolle. Ducunt volentem fata, nolentem trahunt. Wurzellosigkeit, Willensschwäche, dumpfe Fatalität und Todesstimmung, — das alles bedeutet hier letztlich nur den offensichtlichen Mangel an schicksalsbildender Substanz, an urwüchsiger Kraft. In der Konzeption einer schicksalslenkenden Macht fand der Dekadente die angemessene Ausrede, um den Mangel an eigener Vitalität zu bemänteln. Auch d'Annunzio spricht mehrmals von der « Nutzlosigkeit jedes noch so heißen Widerstrebens gegen die Ungerechtigkeit der blinden Mächte ». Im « Triumph des Todes » finden wir eine Allegorie, die dieses Verhältnis aufs deutlichste versinnbildlicht:

> « Er sah den Leichenzug wieder, den Sarg, die Vermummten; und jene zerfetzten Kinder, die mühselig und ein wenig gebückt, mit ungleichem Schritt und die Augen aufmerksam auf die flackernden Flämmchen gerichtet, das tropfende Wachs auffingen. Diese Kinder blieben ihm lange im Gedächtnis. Als er später an die Geliebte schrieb, entwickelte er die geheime Allegorie, die sein auf Bilder geschulter Geist unklar durchgefühlt hatte. „Eines von ihnen, mager und gelb, stützte sich mit einer Hand auf eine Krücke und fing mit der andern das Wachs auf, während es sich an der Seite eines Vermummten, einer Art von Riesen, fortschleppte, der die Kerze mit ungefüger Faust brutal packte. Ich sehe sie beide noch; und ich werde sie nicht vergessen. Vielleicht ist etwas in mir, was mich diesem Kinde ähnlich macht. Mein wahres Leben ist in der Macht eines geheimnisvollen, unverkennbaren Jemand, der es mit eiserner Faust packt; und ich sehe es zerfließen und schleppe mich nahe, nahe hinzu und bemühe mich, wenigstens einen kleinen Teil aufzufangen. Und jeder Tropfen verbrennt meine arme Hand !" » (117/118.)

Es wäre verfehlt, den « Grafen von Charolais » kurzerhand als Schicksalsdrama zu bezeichnen. Es wäre aber ebenso falsch, dem Werk einen eigenen dramatischen Konflikt abzusprechen. Zwar: Wir nehmen Kenntnis von einer Reihe zufällig zu einem Schauspiel vereinigter Schicksale, dumpf und ergeben hingenommen, in nichts aufeinander bezogen, durch nichts miteinander verbunden als durch die rhythmische Bewegung des Auf und Ab, des Wechsels von Glück und Unglück. Vieles vom Entscheidenden ist keineswegs motiviert. So ist der plötzliche Entschluß Rochforts, für die ungeheuren Schuldsummen des Grafen zu bürgen und ihm sein Kind ohne weiteres zur Frau zu geben, schwer verständlich. Der Unterschied zur Vorlage ist auffallend: In der « Fatal Dowry » verbringt Charolais eine gewisse Zeit wirklich im Gefängnis, und Rochfort überlegt sich seinen Entschluß reiflich. Ebenfalls ist das Verhalten Désirées von einem rein psychologischen Standpunkt aus unglaubhaft. Wiederum bleibt die Vorlage auf realerem Boden: Beaumelle steht schon vor ihrer Ehe in enger Beziehung zu Novall dem Jüngeren. Auch ist das Mädchen keineswegs aus so lilienreinem Stoff. Die eine ihrer Kammerzofen vertreibt ihr gründlich die moralischen Skrupeln. Noch manche Fragen drängen sich auf: Was haben der Wirt, was der rote Itzig, was Romont und der Sekretär mit dem Drama eigentlich zu schaffen?

Das Geheimnis des Werkes beruht darauf, daß in der Überlagerung der Schicksale, in der Überladenheit der Parallelführung ein gewisser zynischer Unterton eliminiert, eine einseitige Erschütterung über ein individuelles, traurig-sinnloses Geschick abgeblendet werden soll: Denn hier handelt es sich nicht nur um das scheinbar hämisch zufällige Einzelschicksal des Grafen. Mehrere selbständige Dramen sind in die Dichtung hineinverwoben, die sich mindestens in ihrer Wirkung auf der Bühne zwar gegenseitig abschwächen, die aber den Blick des aufmerksamen Betrachters vom Einzelereignis auf die Gesetzmäßigkeit des Ganzen hinlenken sollen. Denn hier geht es durchaus nicht um die Tragödie einer einzelnen Gestalt, sondern um diejenige einer ganzen Generation, ja sogar um diejenige eines ganzen Zeitalters.

Das Drama in seiner inneren Bedeutung

Der Graf von Charolais und das Drama der Zeit

Trotz Grafentitel und Abstammung von einem berühmten General haben wir in dem jungen Charolais keine in irgendeinem Sinne ausgezeichnete Persönlichkeit vor uns. Als einen Menschen mittleren Charakters schildert er sich selbst:

« So war ich und so bin ich : Klüger nicht,
nicht stärker, tapf'rer, schöner als die Menge,
nicht groß, nicht klein — auch nicht um einen Zollbreit
in irgendwas die Vielen überragend. »

Als edler und feiner Mensch ist er bewegt von Verachtung und Abscheu gegenüber allem Häßlichen und Gemeinen. Das Ansinnen, die Tochter des Paramentenmachers, eines Gläubigers, zu heiraten, um deren Vater als Bürgen nennen zu können, weist er mit Entrüstung von sich. Gegen das Treiben des Wirtes, dessen Kupplerei und kriecherische Unterwürfigkeit, hat er nur die Empfindung tiefsten Ekels übrig:

« ... Einmal nur war ich
bei euch — drei Jahre sind das — früh am Morgen.
Wie's da herauskroch aus den Gängen, aus
den Winkeln schlich, sich aus den Türen stahl,
verlarvt, mit heisern Stimmen, übernächt'gem
erhitzten Hauch verdorrter Gaumen; ...
drei Jahre sind's, und *heut'* noch faßt mich Ekel
vor diesem Haus an und — —vor euch ! »

Das Bestreben des Grafen geht dahin, diesen niedrigen Äußerungen des Triebes den Eintritt in seinen Lebenskreis zu verwehren:

« Fernhalten darf ich mir, wovor mich widert. »

Er gehört einer Welt der Geradlinigkeit und Legitimität an. Er repräsentiert die Klasse des Bürgertums. Darüber können seine kriegerische Abstammung und das Leben im Heerlager des Vaters nicht hinwegtäuschen. In seiner Seele wohnt der Drang, das Elementare und die Mächte der Natur auszukreisen. Gerade hier aber ereilt ihn die Tragik. Sein auf den Kräften des Rationalen aufgebautes System der Welt zerschellt an den Kräften des Irrationalen. Die Naturgewalt verschafft sich Durchbruch in der Gestalt Philipps. Und zwar zerbricht die Welt des Grafen an *dem* Ort, vor dem er am meisten Ekel empfindet, und ausgerechnet auf *die* Weise, die ihm die widerlichste sein muß.

Alles was ihn an seinen ersten Besuch im Wirtshaus auch nur hätte erinnern können, schließt er aus, hält er sich fern. So will er als Gutsverwalter des Präsidenten dem Wirt den Anteil am Erntegewinn, auf den er bisher Anspruch hatte, entziehen. Bis hieher wäre der Graf eigentlich nur einem selbstbereiteten Schicksal verfallen. Die besonders zugespitzte Form der Tragik besteht darin, daß ihn die Katastrophe in dem Augenblick ereilt, wo er eine einsichtige Haltung einzunehmen sich bemüht. Während nach der Unterredung, in deren Verlauf der Wirt bitter und traurig sein Schicksal erzählt, Rochfort ausruft: « Komödiant! », entgegnet der Graf: « Das Letzte war nicht gespielt » und ist dabei, wie die Regieanmerkung treffend sagt, « fast ein wenig *verstört* ». Im tiefsten Innern beunruhigt, gibt er Romont Anweisung, dem Wirt den Widerruf der Verfügung mitzuteilen. Romont aber war es, der gerade in Ausführung dieses Auftrages das ehebrecherische Paar bei seinem Eintritt ins Wirtshaus ertappte.

Der Tragödie des *bürgerlichen* Menschen gesellt sich die nicht minder bedeutende Tragödie des *dekadenten* Menschen zu.

Daß der junge Graf von Charolais von dekadentem Lebensgefühl beherrscht wird, geht, abgesehen von seinem schwermütigen, sanften Wesen, hervor aus einer Anzahl von Eigenschaften, die wir als Symptome fallenden Lebens sofort erkennen.

Eine bei so vielen Figuren Schnitzlers feststellbare verräterische Bereitschaft für Krankheit, eine lebensmüde Empfindlichkeit zeigt auch Charolais, wie aus folgendem Ausspruch Romonts über den Grafen geschlossen werden kann:

« Mein Freund wird leicht verletzt — in jedem Sinn.
Ein Ritzer ist's bei andern, und bei ihm wird's
zur Wunde und hört gar nicht auf zu bluten. »   (Anm. 50.)

Die Eigenschaft, nicht über das Vergangene hinwegkommen zu können, verrät sich in dem Satz: « Erinnerung, so heißt mein Erbe. » Das ist offenbarstes dekadentes Bekenntnis. Diese Menschen leben nur in der Vergangenheit. Sie sind verstrickt in Vergangenes und Gewesenes und gewinnen nie ein unmittelbares Verhältnis zur Gegenwart.

Ist einerseits der Graf von Charolais an die Vergangenheit und an das Gewesene gebunden, so ist er anderseits ein Losgelöster, vom Muttergrund wahren, starken Lebens Abgetrennter. Für ihn

gilt, was Stefan George an Hofmannsthal schreibt: «Woran Sie
leiden, ist eine gewisse Wurzellosigkeit.» So ist es bezeichnend,
daß der Graf ohne Mutter aufwuchs:

> «... Sieh, ohne Mutter,
> im Zelt, im Sattel bin ich aufgewachsen ...»

Und sein Schicksal mit dem glücklicheren seines Kindes ver-
gleichend, sagt er zu Beginn des vierten Aktes:

> «Ich freu' mich, daß mein Kind es besser hat
> als ich; denn ich wuchs ohne Mutter auf.»

Seine eigene Mutter aber charakterisiert er mit dem Wort:

> «... Die Mutter
> verarmt und freudlos, der erschöpfte, letzte,
> blutleere Sproß des hochberühmten Stamms —.»

Es gehört zum Grundbestand dieser Dichtung und ihrer tragischen Konflikte, daß ihren Gestalten jeder Bezug zum Bereich
der Mutter, zur Natur, zu den Elementarkräften des Lebens fehlt.

Der Graf von Charolais gibt ein erschütterndes Bild vollständi-
ger Einsamkeit. Er steht vor uns als Protagonist der ungehemmten
individualistischen Vereinzelung. Er bewegt sich nicht in den seinem Stande gemäßen Gesellschaftskreisen (er trägt keinen
Schmuck); er ist nicht mit dem Boden verwurzelt und hat keine
Heimat (er besitzt kein *Gut*); er ist auch nicht Glied einer Familie
(er besitzt keine *Freunde* und keine *Verwandten*); und so bekennt
er erschüttert: «*Ich bin der Letzte!*» (Anm. 51.) Sein Leben rinnt
einsam dahin:

> «Romont! was hab' denn ich? wer hat mich lieb?
> Um wen soll ich mich sorgen? Woran kann ich
> mein Leben knüpfen, daß es mir nicht schwerlos,
> unwichtig, leer, entrollt? Gib mir den Menschen —
> — das Ding — das Tier! Nur etwas — ich ertrag's nicht,
> so arm zu sein — an allem arm!...»

Der Graf ist nur durch den Vater mit der Welt verbunden.
Im Vater sieht er seine ganze Ahnenreihe im Geiste vor sich. Als
er vor seiner Leiche steht, empfindet er:

> «... Als wär' dies nicht mein Vater —
> als hätt' ich eine Gruft mir öffnen lassen,
> in der ein Urahn tausend Jahre schläft,
> und stünd' nun da — von ihm wohl stammend — ja —
> doch einer, den er nie geahnt — ihm fremd,
> was uns verknüpft, scheint kaum mehr Blut — ein Name! —
> So lag mein Vater da!»

Nur « ein Name, kaum mehr Blut », ein nur geistiges Band verknüpft ihn mit der Vergangenheit. Er steht in der Welt des Vaters. Welt des Vaters heißt Welt des Logos, der Vernunft. So entfaltet sich im « Grafen von Charolais » die Tragödie der Vaterwelt wie später in noch eindeutigerem, großartigerem Sinne im « Turm » Hugo von Hofmannsthals.

Die Symbolik des Turmes ist in beiden Werken analog. Auch hier handelt es sich im Schuldturm gleichsam um den gefestigten Besitz des Innen. Turm, geschlossener Raum überhaupt, ist Symbol der Individualität. Das Anerbieten des Grafen, den Vater dadurch auszulösen, daß er sich selber in den Schuldturm werfen läßt, ist absolut folgerichtig. Es wäre die letzte und radikalste Konsequenz seines Daseins. Statt dessen wird er allerdings durch eine Fügung des Schicksals an dieser Konsequenz verhindert.

Wenn wir im vorhergehenden Abschnitt den Grafen als einen Menschen kennen lernten, der sich trotz seiner Bemühung nicht in das reale Leben einordnen kann, dem es trotz der Anklammerung an der Kraft des Haftenden fehlt, so dürfte sich die Frage aufdrängen, ob hier nicht zugleich auch das Schicksal des *ewigen Juden* mitgestaltet worden sei. Zu dieser Frage berechtigen uns zwei Umstände: einmal der, daß sich im « Tod Georgs » der Protagonist der Dekadenz plötzlich als Jude entpuppt, dann aber, daß das Problem des Judentums mit der Figur des roten Itzig in der Dichtung angeschnitten wird. Ist nicht das Unstete, das heimatlose, schweifende Wesen des Grafen eigentlich jüdisch? Die Kurve seines Schicksals ist die des israelitischen Menschen, des Ahasver, des Fliegenden Holländers: Ein Volk, « irrend, den Staub aller Heerstraßen in Haar und Bart, bespien mit aller Schmach, wandernd » («Der Tod Georgs», S. 217); dann sich irgendwo niederlassend, für kurze Zeit sich festheftend; schließlich wieder aufs neue vertrieben, verstoßen, gehetzt. Auch Charolais ist solch ein ahasverischer Mensch: auch er auftauchend aus einem Wanderleben, dann die neue Heimat als trügerisch kurze Befriedung ewiger Unruhe. Und zuletzt entschwindet er wieder in das gleiche dämmernde Zwielicht, aus dem er gekommen. Sehr schön sagt darüber Lou Andreas-Salomé: « Denn in der Tat gleitet er damit einfach zurück ins Leere, aus dem er kam, ins blinde Ungefähr, woraus nur ein Zufall ihn heraushob, hierher ihn stellend, vor unser Interesse. Durch nichts wird diese Verlassenheit einleuchtender als durch den Umstand selbst, daß der Zuschauer des Trauerspiels sich gewissermaßen mit getroffen fühlt, wenn Charolais am Schluß klagt:

„Und Keiner, Keiner sieht mich an!" » (289.) (Anm. 52.)

Tragisch wird die Gestalt des Grafen dadurch, daß er scheitert, indem er seinem dekadenten (oder jüdischen) Schicksal entweichen und sich verwurzeln will. Er gründet eine Familie und Désirée erhält von ihm ein Kind. Der Durchbruch ins Soziale ist hier geleistet. Er fühlt sich dem kommenden Geschlechte verpflichtet.

« Doch seit dies Kind kam, weiß ich, daß ich nur
Verwalter war von allem, was in mir —
— gut oder bös — als Vätererbe kreiste. »

Charolais hat seinen ursprünglichen Lebenskreis verlassen. Er hat ihn als nicht mehr zeitgemäße Daseinsform überwunden. In der Vorlage, wo Romont die Welt des Generals vertritt, sagt der Graf ein treffendes Wort:

« Die Schlacht verstehst du, nicht den Hof, Romont;
Leb wohl, du Mann des Kriegs! Wir scheiden jetzt;
hier trenn' ich unsern langgewebten Bund. » (459.)

Aber an seinem Plan einer neuen Welt, einer Welt des *Hofes*, der gesicherten Bestände, des eingehegten Lebens, scheitert er als echter tragischer Held. Wir erleben die Tragödie des mittleren Charakters und der Sicherheit. Die Katastrophe trifft ein, indem die niederen Mächte des Daseins, vom bürgerlichen Menschen unaufhörlich bagatellisiert oder mit einer Empfindung von Ekel und Abscheu abgewiesen, sich Geltung verschaffen. Der Dichter gestaltet somit in seinem Drama den — hauptsächlich auch von psychoanalytisch geschulten Denkern vorausgesehenen — Aufbruch der dämonischen Kräfte, der von der Ratio unterdrückten irrationalen Mächte, und deren zerstörendes Eindringen in das Weltsystem der Sekurität. Gewaltig reckt sich die Figur dieses Grafen von Charolais auf zum Mahnmal vom totalen Fiasko der europäischen Gesellschaftsordnung, der Gesellschaftsordnung des späten 19. und des frühen 20. Jahrhunderts.

Die Tragik Rochforts

Auch der Präsident des Gerichtes ist ein Vertreter der bürgerlichen Lebenshaltung. Er ist geleitet vom Willen, alle Regungen freien und ungezügelten Lebens zu verdammen. In ihm ist das Bürgertum mit seinen Schranken an Moral und Gesetz personifiziert. Er ist sein « fester Felsen ».

Rochfort steht als Repräsentant für eine Gesellschaftsordnung, die die natürliche Beziehung von Mensch zu Mensch, sofern sie nicht im Kodex bürgerlicher Ehrenfähigkeit ratifiziert ist, unterdrückt und bekämpft. In seiner Art aber verstößt er gegen die Gesetze des Lebens. Das Kind seines Alters — er hatte mit 60 Jahren « ohne Liebe » die Gattin erwählt und ohne Liebe, nur im Gedanken an sich, das Kind gezeugt — wurde ihm durch die Liebe, die elementare, einer Naturkraft zu vergleichende Liebe wieder entrissen.

> « Das letzte Stück des Weges wollt' ich nicht
> ganz einsam geh'n. Umrankt von Jugend, dacht' ich,
> müßt' es sich leichter sterben ! ... »

Als nun Désirée zur Blüte ihres Lebens herangereift ist und er für sie einen Gatten sucht, fällt seine Wahl auf den Grafen, dessen hingebende Treue und Liebe zum Vater, ja selbst zum toten Vater, seine Bewunderung erregt. In ihm sieht er den seinem eigenen Wesen verwandten Menschen. Indem er Désirée diesem pietätvollen Manne zur Frau gibt, geht sie ihm nicht verloren. Er gibt sie dadurch, wie Lou Andreas-Salomé sagt, nicht « total an den Mann fort ». Mit dieser in den geheimsten Regungen seines Wesens selbstsüchtigen Weigerung der Fortgabe an das Leben, an die Dea terrena, verstrickt er sich in Schuld. Auch ihn ereilt das Schicksal trotz der halben Erfüllung: Auch er wird aufgerufen zur harten Entscheidung über Leben und Tod ausgerechnet an dem Ort, den er verschmäht. An ihm erfüllt sich das tragische Schicksal des in seinem eigenen Gesetz gefangenen Richters (Anm. 53).

Philipp

Die Bedeutung dieser Gestalt weist weit über das hinaus, was auf der Bühne etwa von ihr in Erscheinung tritt. Aus dem Geburtstagsständchen, das Philipp der Désirée darbringt, könnte nicht auf seine ausschlaggebende Rolle im Drama geschlossen werden. Durch kein Wort ist angedeutet, daß mehr als eine konventionelle Ehrung beabsichtigt war. Dennoch verrät er sein eigentliches, tieferes Wesen schon durch die beiden Umstände, daß er vom *Garten* her ins Haus tritt, und vor allem, daß er sich mit *Musik* in die Dichtung einführt. Nur wenige Stellen erlauben einen Schluß auf das Verhältnis des Dichters zur Musik. Einmal ist schon im « Tod Georgs » in einem bedeutenderen Sinne die Rede von ihr:

> « Und ihre ganze Seele trugen Frauen in demütigen Händen dem entgegen, den sie liebten ... und wenn sie stumm bei ihm saßen, trat ihre Seele aus ihnen heraus und füllte — sich dehnend — den Raum, und zwischen den steilen Wänden des Schweigens gefangen, schwoll sie stark und betäubend an, wie *Musik* oder Duft in verschlossenen Zimmern. »   (200.)

Frauenliebe, Musik, ein dionysisches Symbol, ist Seelensymbol, Sinnbild des fließenden Lebens. Was aber bedeutet die « gottgewollte Überlegenheit der Musik » (« Theater Habima »), die mit dem « Spiel lydischer Flöten alle Sehnsucht aus dem Innern süß emporsaugt »? Sie ist gleich dem göttlichen Enthusiasmus. Auch Hofmannsthal sagt:

> «... Denn dem Hauch des Göttlichen
> hält unser Leib nicht stand, und unser Denken
> schmilzt hin und wird Musik. »
>   (Ged. u. kl. Dr., Insel 1923, 105.)

Die Musik, wie das Göttliche, wie die Liebe, versetzt alle Menschen in Schwingung, wiegt alles in den gleichen Rhythmus, schlingt ein Band um alles Geschaffene, bringt alles zueinander in Beziehung. Wie das Wort des Dichters ist sie imstande, aller Menschen « Herz zu gleichem Puls zu zwingen ».

Die Macht, Dinge und Menschen in Bewegung zu versetzen, ist von allen Figuren im « Graf von Charolais » nur Philipp vorbehalten. Er allein kann die Dinge « bedrängen, bis sie sich bewegen » und sich, sei es in Liebe oder in Haß, aber immer in einem Gefühl, « entfalten ». Er ist also der einzige, der « außen » zu leben versteht, der aszendentes Leben verkündet, der ein Gefühl von der Gegenwart hat und nicht der « Letzte » ist. Er ist allein fähig zum Leben.

Worin aber besteht seine Tragödie? Darin, daß er sich versündigt am wahren Geist der Liebe. Er umwirbt Désirée und verleitet sie zu einem Fehltritt. Er löst sie aus dem sozialen Band der Familie und bringt sie, um sie zu einem schmählichen Ehebruch zu verführen, an einen verrufenen Ort.

92

Ich bitte um kostenlose Zusendung von Prospekten über Ihre Verlagswerke aus folgenden Gebieten:

☐ *Sozial- und Wirtschaftswissenschaften*

☐ *Philologie und Literaturwissenschaft*

☐ *Philosophie und Psychologie*

(Das Gewünschte bitte anstreichen)

Name und genaue Adresse:

DRUCKSACHE

Wünschen Sie über unsere Verlagsarbeit ständig unterrichtet zu werden, so teilen Sie uns bitte durch diese Karte mit, für welche Gebiete Sie Interesse haben. Wir orientieren Sie dann laufend über unsere Neuerscheinungen.

Die Bücher wollen Sie nach wie vor durch Ihren Buchhändler beziehen.

An den

Verlag A. FRANCKE AG.

Bubenbergplatz 6

BERN

Schweiz - Suisse - Switzerland

Hier müssen wir innehalten und uns über die symbolische Bedeutung dieses « verrufenen Ortes » Klarheit verschaffen. Das Wirtshaus wird besucht von Liebenden, die sich öffentlich nicht zeigen dürfen: von einem alten Mann und seinen Liebesknaben; von verliebten, aber nicht verheirateten und von ehebrecherischen Paaren. Es ist eine Zuflucht der « freien », unmoralischen Liebe und liegt am Rande der Stadt, noch nicht in der freien Natur, sondern nur außerhalb der festen Mauern des Bürgertums, das sich alles Elementare fernzuhalten trachtet. Das Wirtshaus ist eine Stufe zwischen Stadt und Land, zwischen der « Welt des Hofes » und dem ungebundenen Leben. Es ist der Schauplatz des ersten und des fünften Aktes, von Charolais' Auftauchen und Verschwinden. Das Elementare ist hier zuhause wie in der Dorfherberge in « Das Kind ». Aber der Ort ist « verrucht », verrucht im Sinne der bürgerlichen Moral. Daß ein solcher Ort existieren muß, ist eine Folge unnatürlicher Verhältnisse in der Gesellschaft. Hier liegt ein versteckter Angriff auf die moralischen Zustände im Wien des späten 19. Jahrhunderts, wie sie Stefan Zweig im Kapitel « Eros Matutinos » seiner « Welt von Gestern » so treffend gezeichnet hat. Hier beginnt bereits die Kulturentartung der Depravation ihre ersten, deutlich erkennbaren Schatten zu werfen.

Die Schuld Philipps besteht darin, daß er den Rahmen der Sittlichkeit sprengt und dadurch die Herrschaft des Lebens dorthin ausbreitet, wo wiederum der menschlichen Existenz feindliche Elemente erwachsen. Es ist deshalb Sünde wider das Leben, wenn Philipp Désirée an diesen Ort bringt; wie es auch Sünde wider die Natur ist, wenn Rochfort für diese Welt nichts als Verachtung und Ekel übrig hat und sie ignoriert. Wie Rochfort für seine Schuld die Strafe über sich ergehen lassen muß, so erleidet auch Philipp für ein noch schwereres Verbrechen die Sühne.

Bestimmen wir die Stufe, die Philipp in der Entfaltung seines Lebens erreicht hat, so können wir sagen, daß er wohl über die für aufsteigendes Leben notwendigen Kräfte verfügt und daß er wohl fähig wäre, den Geist der Liebe und Gemeinschaft aus sich ins tätige Leben hinaus zu verwandeln, daß er aber noch scheitern muß an den dekadenten Gegenkräften. Und welches sind die « dekadenten Gegenkräfte » ? Für die Antwort ziehen wir mit großem

Gewinn die auf einige Gestalten in Hofmannsthals Frühwerk bezügliche Deutung von K. J. Naef bei: « Eine Vermutung soll aber ausgesprochen werden: daß Loris, und noch der spätere Dichter, in der wiederholten Darstellung ungebundener Erotik, sittenloser, ungetreuer Menschen ohne Gedächtnis und Charakterfestigkeit — daß er darin ein Symbol fand für die mystische Lebenssphäre, die innere Bindungslosigkeit und Grenzenlosigkeit der Präexistenz ... Die rein vorstellungsmäßige innere Ungebundenheit der mystisch begabten Jugendlichen würde mit sittlicher Verantwortungslosigkeit und Fahrigkeit gleichgesetzt! » (S. 49.) — Übertragen auf unser Drama bedeutet das, daß wir in Philipp den Repräsentanten des im Bereiche der Präexistenz verharrenden Menschen sehen. Wirklich hat Philipp alles, was er nun mit der Verführung Désirées in den Bereich der Wirklichkeit hinüberträgt, was ihn auch im Außen in Schuld stürzt, *voraus* erlebt.

> «... Befiehlst du den Gedanken?!
> Glaubst du, ich lag allein, die vielen Nächte,
> schlaflos, mein ganzer Leib ein einz'ger Schrei
> nach dir?! ... Befiehl Gedanken! Sieh, sie brachten
> dich nachts zu mir, umstellten dich, umdrängten
> dich lechzend — eine Meute — und herab
> vom Leibe rissen sie die Hüllen dir,
> bis nackt du vor mir standest — hörst du's — nackt! »

Philipp ist wohl, wie Lou Andreas-Salomé sagt, « bei allem Saus und Braus der Reife fähig an den tiefen einfachen Erfahrungen des Lebens ». Aber bei seinem ersten Schritt, den er vom Innen in das Außen unternimmt, verstrickt er sich in Schuld, die nur mit dem Tode gebüßt werden kann.

Schuld und Tragik Désirées

Schuld und Tragik Désirées sind ähnlicher Art wie diejenigen Philipps.

Als Frau untersteht sie der Großen Mutter. In ihr ist die Bindung des Menschen an die Weltmächte geleistet. In dem immer und immer wieder zu Recht zitierten Dialog zwischen dem Präsidenten und seinem Sekretär spricht Rochfort einige Verse, die zweifellos zum Bedeutendsten gehören, was Beer-Hofmann je geschrieben hat. Zuerst distanziert sich Rochfort von der so unwürdigen wie leider landläufigen Einteilung der Frauen:

> « Wird sie mehr ihm sein als etwas,
> was Tisch und Bett behaglich macht? Sie ist
> ein Weib, und „Weiber" kennt er ja : die einen
> bezahlt man, und die andern lacht man aus ! »   (Anm. 54.)

Wie tief eingewurzelt die allgemeine Mißachtung der Frauen (zur Zeit der Entstehung der Dichtung) gewesen sein muß, verrät sich auch in der Frage, von der wir schon heute kaum mehr verstehen, daß man sie überhaupt stellen kann:

> « Denkt er daran, daß sie — wie er — Geschöpf,
> von Gott in diese Welt gesetzt, nur daß
> ihr schwerer aufgeladen ward als ihm?
> Daß sie nicht *minder, anders* nur als er? »

Aus Schnitzlers und Stefan Zweigs Werken kennen wir ja zur Genüge das unheilige und unausgesetzt verdächtigende Betasten der Beziehungen zwischen den Geschlechtern, eine der auffallendsten und wohl unangenehmsten Begleiterscheinungen dekadenter Literatur.

In den nun folgenden Versen wird endlich das Wesen der Frau bestimmt:

> « Entwöhnt ward nur der Mann; das Weib, es darf
> noch immer träumen an der Erde Brüsten,
> dem Werden nah. Noch nicht entlassen aus
> geheimnisvollen alten Urverträgen,
> dem selben Nachtgestirne unterworfen,
> das auch dem Meer befiehlt, wird sie von jedem
> erfüllten Mondeslauf, mit Blut und Schmerzen,
> — wie eine säum'ge Priesterin — gemahnt,
> was hier ihr Amt ! Und was dem Mann an ihr
> als Zwiespalt, Rätsel — Reiz vielleicht — erscheint — —
> ist : daß sie noch so nah den Elementen
> — das letzte jüngste selbst vielleicht — für ihn
> das einz'ge Band noch ist, das sein Geschick
> an aller Welten ew'ges Schicksal bindet ! — »

Zu diesen Versen sind einige erklärende Worte notwendig: Der Mann ward *entwöhnt* des Umgangs mit der Erde, den Elementen, dem ewigen Schicksal der Welt. Er hat sich mit der Kraft seines Geistes gelöst vom Schoße der Erde und sich selbständig gemacht. Er wird aber dem Wechselnden der irdischen Dinge immer fremder, verfeindet sich dem Leben und langt an bei der tödlichen Erstar-

rung. Das Weib dagegen steht in unlösbarem *Urvertrag* mit der
Erde, der Dea terrena. Es ist selbst die Natur: In der Frau vollzieht sich das Geheimnis des Wachstums. Neues Leben zu gebären
ist daher ihr *Amt.* Wenn sie aber in ihrem Amte *säumig* ist, wird
sie vom Nachtgestirn, « das auch dem Meer befiehlt », *gemahnt.*
Sie ist unterworfen dem Monde, dem Zeichen der Fruchtbarkeit
und der Göttin Astarte. — Und endlich: Sie ist das einzige *Band,*
das den Mann verknüpft mit den Mächten der Erde, das « sein
Geschick an aller Welten ew'ges Schicksal bindet ». — In ihr soll
der Mann zur Ruhe kommen, in ihr soll seine Sehnsucht gestillt
werden. Doch dies muß ein innen fester Bestand seines Wesens sein:

> « Nicht wissen muß er's, soll's nicht, unbewußt
> soll's in ihm sein, am Grunde seiner Liebe
> verborgen schlafen — gütig machen ihn ! »

Désirée ist zwar nicht in diesem Sinne eine säumige Priesterin.
Sie wird dem Kreislauf des Daseins dienstbar. Denn sie hat ein
Kind geboren. Aber auch bei ihr liegt die Schuld im Vergehen
gegen den Geist der Liebe. Sie erliegt dem Verführer, der sie an
den Ort der verbannten, der verbotenen und verwerflichen Liebe
bringt. Sie wird damit zur Verräterin an ihrem Mann, der in seiner
Wurzellosigkeit bei ihr eine bleibende Heimstatt zu finden hoffte.
Auch sie wird so Exponent der Depravation.

Aber noch in einem anderen Sinne entspricht die Schuld Désirées derjenigen Philipps. Auch bei ihr hat ein Beharren im präexistentialen Zustand über die vom Leben gesetzte Grenze hinaus
statt.

Das Hinaustreten in die Existenz geschieht nicht wie bei Philipp
durch ein aktives Verbrechen gegen das Leben. Hier gilt vielmehr
das, was K. J. Naef wiederum über das Problem der Schuld beim
jungen Hofmannsthal sagt: « Seltsamerweise wird zur Schuld oft
nicht so sehr ein Tun als ein Unterlassen: ein mangelhaftes, ober-
flächliches Inbeziehungtreten mit dem Leben, das Nichtvordringen
zur Erfüllung der Gesetze des Handelns und Seins. » (49.) In diesem Sinne ist Désirée schuldig, schuldig nicht nur in individuellem
Sinne, sondern an Stelle ihres Vaters, als Glied seiner Welt.

Es ist hier auf das Problem des Androgynismus hinzuweisen,
das bei der Verschuldung Rochforts und Désirées eine wesentliche
Rolle spielt.

Wir haben uns schon bei den Novellen mit dem Gedanken vertraut gemacht, daß für Beer-Hofmann das fern erträumte Ziel der Menschheit das doppelgeschlechtige, das zugleich zeugende und empfangende Wesen sei. Der in einigen orientalischen Mythen niedergelegte Entwicklungsprozeß der Menschheit findet seine Spiegelung in jedem individuellen Leben. In der Präexistenz ist der Mensch ungeschlechtig. Beim Eintritt in die Existenz festigt sich sein Geschlecht nach Maßgabe der vorherrschenden Gene. In der Existenz sehnt er sich nach seiner Gegenhälfte. Aus dieser Sehnsucht wird die Liebe und wird das Kind. Dies ist der Weg, den der Mensch beschreiten muß, um neuerdings zur Einheit vorzudringen. Rochfort ist in wahrhaft tiefer Lebenserfahrung bereits durchgedrungen zur neuen Zweieinheit. Dies wird in seiner Lehre offenbar, daß Gott zuerst den Menschen schuf und dann erst Mann und Weib. Die Verschuldung Désirées besteht darin, daß sie die Erfahrung des Alters, die ausgewiesen ist in der Existenz, für ihr eigenes Leben vorausnimmt. Das Ziel des Menschen, beim doppelgeschlechtigen, an die Gottheit grenzenden Zweiwesens anzulangen, wird also bei dem Mädchen im Bereiche des Geistes vorauserlebt. Damit ist ihr der Weg zur vollen Menschlichkeit, zur Herrschaft über das Sein, verwehrt; denn: « *Dienst* ist ein Weg zur Herrschaft, es gibt keinen anderen » (Hofmannsthal III b, 59).

> «... Sie werden's dich
> genug noch lehren, daß er Mann und Weib
> sie schuf — du halte fest: er schuf den *Menschen*! »

Jene Stunde, in der ihr der Greis seine Lebenserfahrung mitteilte, ist ihr in lebendiger Erinnerung geblieben. Was sich dabei ereignete, ist durchaus symbolisch zu deuten:

> « Und wie du's sprachst, begann es Mittag von
> den Türmen rings zu läuten, stark und stärker,
> daß von den Ästen Eis sich klingend löste. »

Das heißt: Die Zeit ist erfüllt, hier endet ein individuelles, irdisches Leben; die Herrschaft über das Leben ist errungen: Das Eis löst sich.

Das ist ein Ziel für einen Greis, für ein menschliches Wesen, das den Kreis des Äußern erfahren, im wörtlichen Sinne durchfahren hat. Für das junge Weib aber darf es kein Ziel sein.

Und dennoch war dies Wort tief in sie gefallen und hatte ihr Leben bestimmt:

> « Es fiel in mich so wie in einen Brunnen,
> fiel schwer und tief hinab; was dann darüber
> auch quillt und rinnt — es liegt versenkt am Grund
> und leiht nun allem Schein und Farbe ! Sieh :
> ein einz'ges Wort von Dir hat mich so reich
> gemacht ... »

Man müßte ergänzen: « Hat mich um die Erfahrung eines Lebens » reicher gemacht, — und hier beginnt der Tod, denn: « Wenn das Haus fertig ist, kommt der Tod » (Hofmannsthal III b, 122). — Der Weg, den Désirée gemeinsam mit Charolais antritt, ist voraus längst im Bereiche des Vorerlebens beschritten worden. Denn die Erfahrung des Vaters besitzen ist dasselbe wie « das Leben erleben wie ein Buch ».

Die Präexistenz im Leben des Charolais

Hier müssen wir nochmals zu Charolais zurückkehren. Auch für ihn stellt sich die Schuldfrage noch in anderm Sinne. Auch sein Leben erweist sich in bezug auf Désirée durchaus präexistential. Das zeigt sich darin, daß er die Segenskräfte der Liebe magisch vorausempfinden kann. Folgendermaßen läßt er sich im ersten Akte, auf dem Tiefpunkt seiner menschlichen Existenz, seinem Freund Romont gegenüber vernehmen (Kursiven deuten auf symbolische Entsprechungen in andern Werken):

> « Aufwachen früh am Morgen, über mir
> nicht mehr die graue Decke meines Zelts :
> Weit offen steht ein Fenster in den Garten,
> und Düfte, Laute, die sich wirren, wirft
> der kühle Morgenwind mir zu; doch ich
> kann gut sie sondern, denn ich weiß : dies sind
> die *Linden,* die beim Gittertore steh'n;
> und was dazwischen durch sich windet, stärker
> und süßer, giftig fast — das ist das Beet
> von *weißen* Lilien, gestern noch geschlossen,
> und über Nacht *entfaltet,* darum ist
> der Bienen Summen lauter auch als sonst;
> dies helle ist des *Brunnens* Rinnen; und was
> so stöhnt, ist der gespalt'ne tote Ast
> am alten *Ölbaum,* den der *Wind* jetzt beugt,
> und unter *Kinder*tritten knirscht der Kies jetzt.
> Darum streicht's kühl jetzt über meine Schläfen,
> weil eine Tür sich *öffnet,* die ich nicht seh';
> jetzt tritt es ein — jetzt horcht's auf meinen Atem —
> ich lieg' ganz still — bald wird sich's zu mir neigen,

> und über mir sind dann die Augen, die
> den *Frieden* in mir suchend, mir ihn geben —
> — ich aber weiß : Hier darf ich bleiben — hier
> bin ich zuhaus ! — — Und niemals werd' ich's haben !
> Niemals das haben ! nie ! . . . »

Das sind Worte der Beschwörung. Als dann das Glück wirklich eintrifft, findet es den Grafen nicht bereit. Er hält es für eine Traumvision.

> « Dies ist ein Traum ! Romont ! Nicht wahr . . . »

Désirée steigt, von ihrem Vater gerufen, von der Galerie in den Gerichtssaal hinunter; von oben kommt sie Charolais entgegen, in « blendendes Sonnenlicht » getaucht. Wie die Frau im « Tod Georgs » schwebt sie als beinahe unwirkliches Bild vor seinen Augen, als Bild erfüllten, gesegneten Lebens (Anm. 55).

Als Charolais aus dem Traum in die Wirklichkeit zurückfindet, schlägt es Mittag; Mittag wie seinerzeit für Désirée, als sie von den Schauern der Erkenntnis des Greisenalters angerührt wurde. Hier glaubt nun Charolais seinem dekadenten Verhängnis zu entrinnen. Er ist bereit, sich dem Leben hinzugeben.

> « In mir war nichts als sie ! Vergessen konnt' ich,
> daß mir ein Vater starb ! . . . Mit ihr erst
> begann's von neuem . . . ! »

Aber es ist Täuschung. Die Bindungskräfte der Ehe müssen schon von Anfang an zu schwach gewesen sein. Der Mann kann der Frau nicht begegnen. Er ist nicht stark, nicht lebenskräftig genug, um sie ganz an sich zu fesseln. Er hat sie nicht genügend für sich verpflichtet. Er entläßt sie heimlich ins Grenzenlose. Er gleicht ganz jener Gestalt in Schnitzlers bedeutendster Novelle, der « Hirtenflöte » (1911): Wie Erasmus seine Gattin in das Grenzenlose entließ, wo sie sich verirren mußte, besitzt Charolais nicht die Kraft, die Gattin an sich zu binden. Wie Erasmus seine Frau aus dem Bereich des festgegründeten Turmes ins gesetzlose Leben sendet, wo sie sich — auf sich allein gestellt — verlieren muß, so verläßt umgekehrt Charolais sein Heim und sein Weib, um einen entfernten « *Bau* » zu beaufsichtigen. Er wendet sich damit symbolisch der Welt des Turmes zu und eröffnet damit dem Leben in seiner elementarsten Form den Zutritt in den Kreis seines Daseins.

Das Leben des Charolais bewegt sich in einer dünnen Luft von Geistigkeit. Er lebt am realen Leben vorbei; er verrät eine Seelenlage, die der Wirklichkeit fern ist. So kann ihm der rote Itzig vorwerfen, daß er das Leben nicht ganz ernst nimmt. Denn des Grafen Behauptung, daß für ihn von der Herausgabe des Leichnams das Leben abhänge, ist nur eine Spielerei mit dem Wort, eine drastische, überspitzte, hypertrophische Darstellung des Sachverhalts. Er nimmt das Wort nicht vollwertig:

« Nix nur e so, wie ihr „mein Leben" sagt's. »

Denn bei ihm, dem Juden, dem Geldmenschen, hängt wirklich das Leben daran, im wahren, nicht im bildlichen Sinne des Wortes.

Und der Beteuerung, daß er lieber wirkliches Gift von Désirées Händen genommen hätte, als sich auf diese schmähliche Weise hintergehen zu lassen, fügt Charolais — wie in Erkenntnis seiner häufig metaphorischen Sprechweise — bei:

« Dies ist kein *Gleichnis* bloß ! »

Am Leben vorbei, fremd der Frau gegenüberstehend trotz Ehe und trotz Kind: Dem, was in ihr « reich, dunkel, unerschöpft » ruhte, vermochte er nicht zu begegnen, ihr Sein hatte er nicht ausgeschöpft. Er ist noch nicht über sich hinausgedrungen:

« Und ich sah in ihren Augen *mich* . . . »

Charolais hat versagt. Er, der « Letzte » seines Geschlechtes, eines Geschlechtes also, das « säumig » war, ist nicht mehr gewachsen dem Anruf des Lebens. Désirée war ihm entglitten.

Erst der Getäuschte, an dem Ereignis Zerbrochene, dringt nun ganz in die Wirklichkeit vor. Allerdings nur für wenige Augenblicke, um dann nur um so weiter wegzurücken und in einen eigenartigen Dunst und Schatten von Bedeutungslosigkeit zurückzusinken. Aber in diesen wenigen Augenblicken enthüllt sich die Wahrheit seines Lebens. Als rächender und strafender Mann wird er für Désirée erstmals zum wahrhaft Liebenden. Hier hat er endlich das Weib in seiner innersten Wesenheit getroffen. Einmal, erst jetzt, an der Schwelle ihres Todes, aufgereckt auf den Trümmern eines zerbrochenen Glückes, ist er durchgedrungen. Darum kann Désirée ihren Mann auch erst jetzt im tiefsten Sinn des Wortes lieben. Sie geht für diese Liebe in den Tod.

Désirée (auf den Knien, den Kopf zurückgeworfen, mit seligem Lächeln und gebreiteten Armen):

« Ich hab' dich lieb ! Nur dich ! Dich hab' ich lieb ! »

In diesen Momenten der echten, aber leider verspäteten Selbstverwirklichung verrät Charolais, was ihm Désirée bedeutete. So spricht er zu Rochfort, den er zur Ausübung seines Richteramtes zwingt:

«... In Nächten —
— ihr kennt sie — wo uns sinnlos Furcht beschleicht,
die alte Urangst aller Kreatur
in uns vom Grunde aufsteigt, uns begähnt,
Schlaf scheu sich birgt, von oben Ungeheu'res
mit schwarzgespannten Riesenflügeln, Grau'n
auf uns herniederweht — floh ich zu ihr!...
... bei ihr war Zuflucht, Sicherheit bei ihr!
Ihr Arm, gelegt um meinen Nacken, barg mich,
Ihr Atmen — Friede! Ihre Lippen — Glück!
Ihr Leib — Verheißung! Eins mit ihr zu werden,
aus mir in sie zu flüchten, faßt' ich sie,
umschlang sie, ließ mein Leben in sie strömen — —
und hielt sie — meine Antwort an den Tod!»

« Der Tod Georgs » und der « Graf von Charolais »

Zuletzt bleibt uns nur noch die äußerste Konsequenz der Deutung zu ziehen, die in einem Vergleich des Dramas mit dem « Tod Georgs » besteht. So deutlich und plastisch die Geschicke im « Grafen von Charolais » sich abspielen, so verschwommen und gleichsam versickernd und verdämmernd sie im « Tod Georgs » sind, tritt dennoch klar zutage, daß sich beide Werke wie dramatische und epische Formwerdung ein und desselben Vorwurfes verhalten.

In der Tat stellt sich bei genauem Zusehen der « Graf von Charolais » als eine Dramatisierung des « Tod Georgs » heraus. Der Nachweis ist nicht schwer zu führen. Der Grundgedanke, das Versagen des Männlichen gegenüber der Frau, herrscht auch in der Traumfabel im « Tod Georgs » vor:

«Denn an ihn hatte sie geglaubt, als wäre ihm die Kraft und Tugend aller Dinge zugewachsen, die er ihr zerstört, und die schwächer gewesen als sein Wort.» (90.)

Sie, die Frau, hatte an ihn geglaubt, und er hatte sie enttäuscht. Und weil sie seine Traumphantasie war, starb sie. Denn « leer und haltlos » war sie, weil er nur *sich* in ihr sah. Im « Grafen von Charolais » ist der Konflikt dramatisch. Da sind *wir* es, das Publikum, die an ihn glauben. Wir sind hier wie die Frau. Wir glauben an ihn und werden durch sein Glück, das ihm aus der Zuneigung eines alten und gereiften Mannes erwächst, getäuscht.

Paul ist der Graf von Charolais. Die Frau des Traumes ist Désirée. Die Akzente sind um weniges verschoben. Während Paul irgendwie identisch mit dem Dichter ist, sich hier in geheimnisvoller Weise ein Zugang zu des Dichters Seele selbst eröffnet und somit diese Gestalt gleichsam in fließendem Entwicklungszustand sich befindet, bleibt der Graf eine runde, klar umrissene und bestimmte Gestalt, die die Schwerpunkte ihrer psychischen Struktur nicht mehr verlagert. Désirée hingegen ist lebendige Gestalt. Sie ist nicht eigentlich Lebensuntüchtige, ihrer Berufung sich Entziehende, wie die Frau im « Tod Georgs ». Vielmehr wird gerade *der* Moment für den Verlauf der Handlung ausschlaggebend, wo sie in das Leben hineingerissen wird. Wer aber entspricht Georg ? Unverkennbar: Philipp. Er allein ist Träger offensichtlich aszendenter Kräfte. Er beurteilt sich selbst am besten:

« Wer lebt, der wirbt ! Wer tot ist — *der* entsagt ! »

Mit folgender Selbstcharakteristik stellt er sich Georg an die Seite:

« ... Ich will nicht sein
von denen, die mit „dann" und „dann" ihr Leben
sich wie ein Mahl in Gänge teilen, sparend
beim ersten Gang den Hunger für den letzten.
Da folgen klug geordnet : Lust, Genießen,
Erwerben, Freien, Kinder, Macht und Ruhm,
ein sanftes Sterben, wenn man satt der Welt — —. »

Im « Tod Georgs » aber sagt Paul über Georg:

« Hätte auch er sein Leben von Kindheit an in Abschnitte geteilt ... ? Oder war er von denen, die wußten, daß ihr Leben floß, und das Wasser nicht stillstand, um sich selber zu besehen? Und die wußten, daß man es nicht in Krüge fassen konnte, um in die gefangene Flut zu starren und ihr zu sagen: „Du bist mein Leben".»

(118.)

Die Tragödie des Patriarchats

Der Konflikt der Generationen

Vierfach sehen wir die Tragik des « Grafen von Charolais » ausstrahlen. Der Dichter gestaltet in seinem Werk das Drama des untergehenden *Bürgertums*. Die beiden Repräsentanten sind Rochfort, der « feste Felsen » des bürgerlich-gesitteten Daseins, und Charolais, der « mittlere » Charakter. Zugleich wird der Graf tragisch als Vertreter der *Dekadenz,* als einer jener Menschen, die in sich alle Möglichkeiten des Menschseins als fertige, von den früheren Generationen übernommene Klischees vorfinden, die das Leben nur geistig, ästhetisch bewältigen wollen und die zwangsläufig dem Lebensüberdruß, der « acedia », verfallen. Charolais ist aber auch der willenskranke Mensch der Zeit, der sich leicht dem Fatalismus ergibt, weil er dem Schicksal nichts entgegenzusetzen hat. Diese beiden Aspekte des Dramas sind wesentlich historischer, entwicklungsgeschichtlicher Natur. Mußte Charolais so vom Geiste her tragisch enden, so ist sein Schicksal auch vom Blute her bereits besiegelt. So scheitert er menschlich als Vertreter des *Judentums.* Das Unverbundene des dekadenten Lebens ist nur eine andere Erscheinungsform der Heimatlosigkeit des jüdischen Geistes. Unter demselben Verhängnis steht auch der rote Itzig (Anm. 56).

Charolais und mit ihm auch Philipp und Désirée werden schließlich tragisch, weil sie in der *präexistentialen* Daseinsform verharren. Das ist einerseits ein typisch dekadentes Verhängnis. Anderseits aber ist es das Schicksal, das den jugendlichen Menschen besonders oft trifft. Denn der Jugendliche überträgt das innen voraus Erlebte ohne Rücksicht und ohne Bedacht ins Außen. Unbekümmert, traumwandlerisch schreiten diese Menschen ins Leben. Doch bei ihrem ersten Schritt treffen sie auf den äußern Widerstand. Das königlich-unbeschränkte Leben findet ein Ende. Es muß durch Dienst neu errungen werden, oder aber das Individuum geht zugrunde. Das Drama Philipps und in einem bestimmten Sinn sogar das des Grafen beruht auf der zeitlosen Tragik des jugendlichen Helden, auf der Tragik des Idealisten, des Neuerers, des Revolutionärs, — sei dies nun der traumhaft sicher schreitende Egmont, der seinen Idealismus mit dem Tode besiegelnde Max Piccolomini, der an der Schwelle der Zeiten stehende geschichtliche Held Friedrich Hebbels oder der zum Königtum berufene, doch vorher zu langer Irrfahrt verwiesene Parsifal.

Diese vierfache Tragik ist immer und wesentlich geistiger, aktiver, männlicher Art. Männlich, typisch und unverkennbar männlich ist der Versuch, sich von den unberechenbaren Kräften der Natur abzulösen; aber auch, sich egoistisch der Pflicht der Zeugung, der liebenden Selbstvergessenheit zu entziehen; auch, sich mit seinen Kräften für geistige Belange zu versparen; auch, schweifend zu sein als Abenteurer, Wanderer, Kämpfer; aber auch die Weigerung oder Unfähigkeit, ins Leben hinauszutreten, ins reale, tätige, gefestigte Leben mit überschaubaren Pflichtbezirken, wo sich der Mensch den Weg zur Herrschaft durch Dienst sucht, wo er sich durch die beharrenden Sachen emporkämpft zur Freiheit. Männlich ist es, den Sprung zu wagen über das Leben, und die Freiheit des Alters vorwegzunehmen, zu den Sternen gelangen zu wollen, ohne den rauhen Pfad begangen zu haben, oder wie im « Tod Georgs » den Blick auf das ferne Gebirge zu heften, während die Frau auch das Dazwischenliegende mit dem Auge « durchwandert ». Männlich dies alles, — und nun begreifen wir die Tragödie als eine gründliche und sehr bewußte Abrechnung mit der Welt der einseitigen Männlichkeit, mit dem Patriarchat.

Patriarchat heißt Herrschaft des Vaters über den Sohn und Herrschaft des Mannes über die Frau. Die Opposition gegen die Vaterwelt tritt in diesem Werk durchaus nicht überall offen zutage. Vielmehr verhüllt sie sich in eine fast krankhafte Pietät. Wie als bestimmender Grundakkord klingt immer wieder das Verhältnis Vater : Kind auf; klingt auf zwischen General und Graf von Charolais, zwischen Charolais und seinem Söhnchen, zwischen Rochfort und Désirée, in der Erzählung des roten Itzig, im Anerbieten des Paramentenmachers, im Verhältnis zwischen dem Wirt und seinem Vater. Bezeichnenderweise lautet schon die Widmung, die dem Buch vorangestellt ist: « Meinem Vater ».

Das dichterische Motiv von der Vorherrschaft der väterlichen Welt über die des Sohnes greift tief in die neuere deutsche Literatur ein. Dahinter verbirgt sich, insbesondere für den Dichter der Dekadenz, ein wichtiger geistesgeschichtlicher Aspekt. Im Vater verkörpert sich die glorreichere Vergangenheit. Dem Sohn bleibt nurmehr übrig, im Schatten einer größeren, ruhmreicheren, aber entschwundenen Zeit zu leben. In der überall aufflackernden Auseinandersetzung mit der Welt des Vaters liegt zugleich grenzenlose Bewunderung für das bereits Erfüllte und heimliche Anklage eines späteren, nachgeborenen Menschen. Schauer nachhallender Begeisterung, Erschütterung über die eigene Unzulänglichkeit, so äußert sich das Pathos des Epigonen.

Das Drama Beer-Hofmanns also gestaltet den Generationenkonflikt. Unter der Oberfläche vollzieht sich die Auseinandersetzung, obgleich sie nicht weniger wichtig ist als die Ehetragödie. Dabei triumphiert, wenigstens äußerlich, die alte über die junge Generation. Beinahe wie im « Hamlet » lastet die Hand des toten Vaters schicksalsschwer auf dem Sohn, greift er bestimmend in dessen Lebenskreis ein und übt so über die Grenze des Todes hinaus seine Macht auf die nachfolgende Generation aus. Die sklavische Liebe zum Vater übertönt alles, am Anfang auch die Liebe zu Désirée, die Charolais ja in erster Linie heiratet, um den Leichnam des Vaters aus der Schuldhaft zu befreien. Der Gerichtspräsident aber erinnert geradezu an Meister Anton in Hebbels in mancher Beziehung seiner Art vorausschreitenden Drama « Maria Magdalene ». Auch Rochfort steht scheinbar unerschütterlich und könnte doch wie jener ausrufen: « Ich vestehe die Welt nicht mehr! » Auch er hat seine Tochter in den Tod getrieben gemäß seiner Auffassung von der Welt, in der es für Désirée keinen Platz mehr gibt. Beer-Hofmann setzt mit seinem Drama gewissermaßen den Schlußstrich unter eine Entwicklung. Es ließe sich zeigen, wie gerade diese Konstellation in der Auseinandersetzung zwischen den Generationen durch das ganze 19. Jahrhundert vorherrscht, während vor und auch kurze Zeit nach der Klassik wie dann vor allem nach der Jahrhundertwende in immer stärkerem Maße das Schwergewicht zugunsten der jungen Generation sich verschiebt. Sturm und Drang, teilweise das Junge Deutschland, und dann zuerst wieder der Naturalismus und schließlich der Expressionismus sind die wichtigsten Phasen, in denen gegen die Tyrannei des Vergangenen, gegen Konvention und Tradition, gegen « die Väter » frondiert wird. Daneben läuft die traditionsgebundene Linie, deren Vertreter im Schatten der großen Geister stehen, ohne sich gegen sie aufzulehnen, die dann im Fin-de-siècle, in der Dekadenz und speziell also im « Grafen von Charolais » ihr vorläufiges Ende findet. Thomas Manns « Buddenbrooks » und aus dem engern Lebenskreis Beer-Hofmanns etwa J. J. Davids erste Troika-Novelle (wo der unbedeutende Sohn eines bedeutenden Vaters, eines berühmten Schauspielers, von dessen Ruhm völlig überdunkelt, jegliche Kraft, sein Leben selbst zu gestalten, verliert; Anm. 57) könnten als Marksteine auf diesem Entwicklungsgang genannt werden. Den Umschwung bezeichnet auf Wiener Boden am deutlichsten Hugo von Hofmannsthals « Turm », wo Sigismund, in dem die besten Elemente eines künftigen Geschlechtes vereinigt sind, zugleich den leiblichen Vater, Basilius, und den geistigen Vater, Julian, die beide ihn ihren Zwecken dienstbar machen wollten, überwindet.

Der Konflikt der Geschlechter

Der Konflikt der Generationen ist nur der eine Aspekt in der Tragödie des Patriarchats. Der andere Aspekt betrifft das Verhältnis zwischen Mann und Frau. So kommt auch der Ehebruchgeschichte eine bestimmte geistesgeschichtliche Bedeutung zu.

Ehekonflikte sind in der neuern Literatur ein häufig behandeltes Thema. Realismus und Naturalismus haben den Blick dafür geschärft. Streit und Zank, gegenseitiges Mißverstehen, Eifersucht, Untreue des einen Partners, das sind Alltagstragödien, Tragödien der Straße. Ihrer künstlerischen Gestaltung haftet nicht selten das Odium des Banalen, Gewöhnlichen an. Wo das Motiv in die höhere Literatur eindringt, wie in Beer-Hofmanns «Grafen von Charolais», muß eine tiefere Ursache des Ehekonfliktes zugrunde liegen. Entscheidend ist nicht, *was* erlebt wird, sondern *wer* es erlebt.

Wir haben gesehen, daß der energielose Mensch der Dekadenz der Leidtragende ist. Er ist der « Mensch des Gautama ». Hier ist auf eine merkwürdige Beziehung aufmerksam zu machen, die uns bei der Tragödie König Sauls wieder begegnet. Die Mutter des Charolais ist an dessen Geburt gestorben. Er ist in gewissem Sinn ein « Muttermörder ». Über ihm schwebt das Leitbild des Orest. Er entstammt einem Geschlecht, das die Welt des Mütterlichen, des Stofflichen auszuschalten sich bemüht hat. Das aber ist sträfliche Einseitigkeit. Eine Einbuße an vitalen Kräften ist ihre Folge. Im Gegensatz zum *Mann*, der um seiner geistig-ästhetischen Ansprüche willen die Bezüge zur Erde verleugnet, wird die *Frau* Bejaherin und Vertreterin des Lebens. Diese Eigenschaft ist durchgehend, auch wenn wir im einzelnen Fall nicht immer starke und kraftvolle Frauengestalten antreffen. Wir denken an Maeterlincks Mélisande oder an Hofmannsthals Dianora (Anm. 58). Die Frau ist trotzdem einfach Repräsentation des Chthonischen, des Natur- und Erdgebundenen, sogar des Dionysischen. Darum heißt zum Beispiel die Frau in Schnitzlers « Hirtenflöte » Dionysia. So wird das Motiv des Ehebruchs, der Untreue des weiblichen Partners symbolisch für die vitale Unterlegenheit des Mannes, für seine Unfähigkeit, den in der Frau inkarnierten Mächten der Erde zu begegnen.

Das Motiv ist in der modernen Literatur weit verbreitet. Es müßte den Rahmen dieser Arbeit gänzlich sprengen, wollten wir diesem elementaren Problem sorgfältiger nachgehen. Auf einige repräsentative Ausgestaltungen muß aber in diesem Zusammenhang hingewiesen werden.

Das dem Mann an Erdkraft überlegene Naturell der Frau tritt uns oft entgegen in Werken Gerhart Hauptmanns, so schon in « Fuhrmann Henschel », « Bahnwärter Thiel », « Rose Bernd ». Eines seiner Dramen dagegen zeigt in den Grundproportionen weitgehende Übereinstimmungen mit dem « Grafen von Charolais »: « *Elga* ».

Wie das Drama Beer-Hofmanns auf ein barockes Vorbild zurückgeht, so die « Elga » ihrerseits auf das Werk eines Österreichers, auf Grillparzers Novelle « *Das Kloster bei Sendomir* ». Zweimal taucht also in einem Strom barocker Kunstüberlieferung an verschiedenen Stoffen die gleiche Fabel auf, eine auffällige, jedoch nicht überraschende Tatsache. Bezeichnend sind die Unterschiede zwischen Hauptmanns « Elga » und dem « Grafen von Charolais ». Bei Hauptmann ist die dramatische Linie reicher gegliedert, die Schuld psychologisch besser verteilt, die Motivierung durchsichtiger, die Katastrophe atmosphärisch vorbereitet. Bei Beer-Hofmann ist die Glückskurve deutlicher herausgetrieben, die Katastrophe dagegen atmosphärisch gar nicht vorbereitet, mit keiner Bemerkung angedeutet. Das ist bei einem Meister der Stimmungskunst unverkennbare Absicht. Je überraschender die Erhöhung zu höchstem Glück, desto niederschmetternder der Fall in die grausige Tiefe. So unterscheidet sich der noch weitgehend der barocken Weltkonzeption verpflichtete Dichter Österreichs vom Dichter des Naturalismus und Dramatiker Deutschlands.

Wir haben *Grillparzer* genannt. Die verblüffenden Übereinstimmungen in Konflikten und Motiven zwischen ihm und den Dichtern der Wiener Dekadenz müßten Gegenstand einer besonderen Untersuchung werden. Mögen wenigstens einige Details des «Klosters bei Sendomir» die frappierende Verwandtschaft mit der gedanklichen Anlage des «Grafen von Charolais» erhärten. Auch Starschensky ist ein «mittlerer» Charakter. Er besitzt «ein über alles gehendes Behagen am Besitz seiner selbst» (9). Daß sich Elga ihm in der Nacht nähert, bildet einen weiteren Beleg für die symbolische Relevanz der Novelle: «Schwarze Regenwolken hingen am Himmel, jeden Augenblick bereit, sich zu entladen, dichtes Dunkel ringsum.» (10.) Die «Führerin» ist der Großen Göttin verwandt. Sie besitzt «üppig aufgeworfene, beinahe zu hochrote Lippen». Durch Elga gerät Starschensky in den Besitz der Natur. Es ist höchst bezeichnend, daß ihm «plötzlich die Gabe verliehen ward, die Sprache der Vögel und anderer Naturwesen zu verstehen, und der nun, im Schatten liegend am Bachesrand, mit freudigem Erstaunen rings um sich überall Wort und Sinn vernahm, wo er vorher nur Geräusch gehört und Laute» ((10). Auch Starschensky verläßt sein Gut, «um eine seiner entferntern Besitzungen zu besuchen» (19). Als ihn sein Verwalter zum erstenmal warnt, zürnt er ihm, wie Charolais seinem Freund Romont. Wir erwähnen weiter die nächtlichen Zusammentreffen in der «halbverfallenen Warte» (die in mehr als einer Beziehung an das Wirtshaus erinnert), wobei der Mond und andere Natursymbole eine ähnliche Rolle spielen wie eben in der symbolistischen Kunst Beer-Hofmanns. Bei Grillparzer endlich erzählt Starschensky als Mönch seine Geschichte den im Kloster rastenden Wanderern, während Beer-Hofmann seinen Helden am Schluß die Worte sprechen läßt:

> «— Am Lagerfeuer langer Winternächte
> — Geschwätzig, schamlos, wie uns Unglück macht —
> erzähl' ich zwischen Würfelnden und Dirnen,
> was hier gescheh'n ...»   (Anm. 59.)

Einen ähnlichen Verlauf nimmt das Schicksal eines Paares, von dem Felix Salten in einer kleinen, aber starken Novelle erzählt: «*Der Mann und die Frau*». Auch hier bilden wie bei Grillparzer Krieg und Verheerung den stimmungsmäßigen Hintergrund. Auch

hier ist der Schauplatz ein an das Slawentum grenzendes Rand-
gebiet. Die Ehe zerbricht durch das Dazwischentreten eines Soldaten. Der Soldat ist der höchste Exponent der Depravation. Das wird
bei Hofmannsthals Oliver im « Turm » und bei den spätern Werken
Beer-Hofmanns offenbar.

Mit der Erschießung einer Philipps-Gestalt endigt auch eine
Episode, die Randolph von Stettner in Wassermanns « *Christian
Wahnschaffe* » erzählt und die der Anlaß seiner Verabschiedung
vom Militär und Auswanderung nach Amerika geworden ist: Ein
« harmloser, frischer Mensch » ist der Frau eines Rittmeisters, der
« Tochter eines Gerichtspräsidenten » etwas zu nahe getreten,
während ihr Gatte, ein Vertreter der « fossilen Kaste », wegen
einer « Erkrankung der Lunge Urlaub nehmen » mußte. Er wird
nach dessen Rückkehr auf Pistolen gefordert und fällt. Ähnliche
Ereignisse bei Schnitzler (z. B. « *Liebelei* ») sind, wie sich von selbst
versteht, sehr zahlreich.

Bei Hofmannsthal denken wir in diesem Zusammenhang an
Stücke wie die « *Idylle* » oder « *Die Frau im Fenster* » (Anm. 60).
Der Konflikt, der hier überall durchschimmert, wird in schärfster
Plastik herausgearbeitet in J. J. Davids Novelle «*Das Ungeborene*»:
Ludmilla Hajduk verläßt aus Sehnsucht nach einem Kind ihren
Gatten Gregor Grazda. So entsprechen sich durchaus und unver-
kennbar: Charolais, Starschensky, Messer Braccio, Gregor Grazda;
Désirée, Elga, Dianora, Ludmilla Hajduk; Philipp, Oginsky, Palla
delle Albizzi, Zlamal.

Endlich muß hier aber auch auf ein Drama aufmerksam gemacht
werden, dessen Übereinstimmungen mit dem « Grafen von Charolais » womöglich noch frappanter sind als die mit Hauptmanns
«Elga». Es betrifft dies wiederum ein Werk von d'Annunzio: «*Francesca da Rimini*» (Anm. 61). Die Ähnlichkeit der Motive geht teilweise so weit, daß man fast nur noch von einem Unterschied im historischen Hintergrund sprechen kann. Wir wählen nur die wichtigsten
Motive aus: Francescas Spiel mit dem Feuer, der musikliebende
Paolo, Gianciottos Ausritt und vorzeitige Rückkehr, sein verkrüp-
pelter Körper (wodurch die Unzulänglichkeit im Körperlichen
besonders betont wird), das Lesen der Geschichte von « Tristan
und Isolde », so daß man wiederum erinnert wird daran, daß diese

Menschen « nur das im Leben erleben, was sie vorher durch Bücher empfunden ».

All dies waren nur Andeutungen, in denen der ungefähre Horizont, der im « Grafen von Charolais » einbezogen ist, flüchtig abgesteckt werden sollte. Es ist aber mit Nachdruck darauf hinzuweisen, daß der Dichter in einem Drama das objektiv sich abspielen ließ, was er in sich eigentlich schon mit dem « Tod Georgs » überwunden hatte.

Den meisten seiner Gestalten, so passiv, so schwächlich sie in ihrem Charakter auch erscheinen, ist das Bestreben eigentümlich, daß sie über die Welt des Vaters hinausdringen, sich der Erde und dem Leben hingeben, sich wieder verwurzeln wollen. Im « Tod Georgs » fand der Dichter im Astarte-Mythus das Leitbild, das dieser regenerierenden Absicht genau entsprach. Im « Graf von Charolais » wird das Leben, die Erde, die Mutter repräsentiert durch Désirée. Sie steht noch im « geheimnisvollen alten Urvertrag » mit der Großen Mutter. Désirée aber ist Desiderata, Erwünschte, heimlich Ersehnte.

Charolais aber, Wanderer und Bürger, scheitert zwiefach. Er kann, wie die dekadenten Protagonisten bei Schnitzler und Hofmannsthal, von sich sagen: « Ich bin immer unterwegs » (Felix Imhof im « Christian Wahnschaffe »; vgl. S. 58 und Anm. 34). Dieses sein ahasverisches Daseinsgesetz sucht er zu durchbrechen, indem er Ruhe in der bürgerlichen Existenz sucht. Dabei zeigt sich, daß seine Unstetheit nicht dionysisches Daseinsgefühl ist, sondern der Gespaltenheit von Leben und Geist entspringt. Es ist krankhafte Unruhe, *Getriebenheit*, nicht faustischer Drang zum Unbedingten oder romantische Sehnsucht nach dem Unendlichen. Die Anklammerung im Bürgerlichen ist im Sinne des strömenden Lebens Erstarrung. Charolais hat die dunkeln Untergründe seines Daseins nicht in sein neues Leben einbezogen. Es ist das « Grauen vor dem Tod », den er nicht als « Leben » begriffen hat. Er ist ein «Mittlerer», der die Pole des Daseins nicht ausmißt. Darum wird er in den Wirbel hineingerissen, in den Désirée, Rochfort, Philipp geraten sind: in den Zusammenbruch der patriarchalischen Welt. Denn patriarchalische Existenz allein genügt nicht. Die Frau, das Leben, die Erde spottet der planenden Kraft der männlichen Vernunft. Das selbstherrliche Bürgertum mit seiner Überschätzung der Ratio und seiner Vernachlässigung der irdischen Bindungen hat seine Rolle ausgespielt.

Probleme der dramatischen Form

Bei einer sachlichen Prüfung der dramatischen Qualitäten würde dieses Werk ziemlich schlecht bestehen. So weist es keine innere Triebkraft auf, sondern nur die äußere des blinden Schicksals oder Zufalls. Weder geht es hier um wirkliche Ideenkämpfe, noch ist die äußere Gliederung unanfechtbar; weder werden wir in atemraubende Spannung versetzt, noch gelingt eine restlose Demonstrierung dessen, was man als Ziel der Dichtung bezeichnen könnte; weder ist die Motivierung hinreichend, noch sind die Charaktere mit Ausnahme des Grafen klar genug umrissen. Man könnte hier vielleicht den Einwand erheben, daß z. B. auch Hofmannsthal in einigen seiner « Kleinen Dramen » diesen für das Gelingen des Dramas auch heute noch wesentlichen Forderungen nicht nachgekommen sei, und daß es trotzdem niemandem einfallen würde, die erhabene Kunst des Dichters deswegen geringer einzuschätzen. Dieser Einwand fällt dahin, wenn man bedenkt, daß Hofmannsthal in klarer Einsicht über seine Begrenzung und seine Möglichkeiten im Rahmen des Kammerspiels, eben des « Kleinen Dramas » bleibt, Beer-Hofmann dagegen mit der prätentiösen Gebärde des großen Dramatikers auftritt. Die allen Ernstes erstrebte Nachahmung der klassischen Form des großen Dramas wurde ihm jedoch zum Verhängnis. Die Kunstfehler, an denen das Drama krankt, können deutlich gemacht werden in der Erörterung zweier Probleme, dem der Inkongruenz zwischen der gelesenen und der auf der Bühne aufgeführten Dichtung — und dem der Inkongruenz zwischen dem Ganzen und seinen Teilen.

Inkongruenz zwischen dargestellter und gelesener Dichtung

Hinterläßt uns einerseits eine sorgfältige Interpretation den Eindruck, daß wir es mit einem bedeutenden Meisterwerk zu tun haben, das die entscheidenden Probleme der Zeit umspannt, so würde uns anderseits wahrscheinlich eine Darstellung auf der Bühne heute eher ernüchtern und enttäuschen.

Das Werk ist mit Gestalten, Ereignissen und Schicksalen, mit Problemen und Motiven derart überladen, daß es den Hörer mit seiner Vielfalt einfach erdrückt. Das über manches Jahr gereifte Werk des 38jährigen Dichters sog alle die Fragen, alle die Konflikte, die ihn bewegten und die er miterlebte, in sich auf und vereinigte sie zu einer Gesamtschau der Zeit. In seiner mehrschichtigen Anlage aber entzieht es sich gemeiner Verständlichkeit. Wie man auch der Dichtung beizukommen versucht, sieht man sich einem hydraähnlichen Gebilde gegenüber, dessen Grundgehalt wohl mehrmals durchscheinend wird und das im Einzelnen durch zahlreiche Schönheiten immer wieder besticht, das aber als einheitliches Ganzes weder erlebt noch restlos ausgedeutet werden kann.

Seine Wahrheit ist nicht für die Bühne. Denn die Ereignisse sind zu grell. Was dem Geschehen an symbolischen Elementen zu Hilfe kommt, ist zu schwach, zu sehr sprachlich-assoziative Andeutung, zu wenig handfestes Requisit, als daß seine Bedeutung von der Bühne aus sich erschlösse. Gehalt und Gestalt gelangen nicht zur Deckung. Daß die Wirkung trotz des Aufgebots an starken Bühneneffekten verpufft, haben mehrere Besprecher zu verschiedenen Zeiten und an verschiedenen Orten festgestellt.

Die Art der Wirkung ist vielleicht zu vergleichen derjenigen, die ein zum erstenmal gehörtes kompliziertes Fugenwerk ausübt. Die Grundhaltung wird herausgehört aus dem am Anfang und zwischenhinein manchmal voll aufklingenden Thema. Die kostbaren Einzelheiten aber, die gedankliche Arbeit der Durchführung, die Kunst der technischen Meisterung des Stoffes jedoch gehen unter in dem vielfältigen Stimmengewirr. Der Eindruck vom Ganzen bleibt unklar. Ganz ähnlich verhält es sich mit dem Drama Beer-Hofmanns. Nur drei sehr kleine Kategorien von Menschen haben Zutritt zu dieser exklusiven Kunst: die einen, die von innen her die Bereitschaft für das Verständnis mitbringen, weil sie demselben Lebenskreis entstammen. Ihre Zahl dürfte schon heute nur noch gering sein. Die andern können intuitiv sofort vom ersten Eindruck aus richtig das Einzelne unter sich verbinden und den Teil auf das Ganze beziehen. Sie sind vielleicht noch seltener, weil nur die Gabe restloser Einfühlung zur unfehlbaren Deutung führt. Die dritten endlich sind diejenigen, die durch intensives Bemühen, als hätten sie die Partitur vor sich und folgten mit dem Zeigefinger jeder einzelnen Stimme, vom Einzelnen her systematisch zum Verständnis des Ganzen sich vorarbeiten. Wir haben hier wirklich eine an Gedanken und Problemen übersättigte, hochgezüchtete, und — hier soll einmal das fatale, mißverständliche Wort gebraucht werden — ästhetisierende Kunst vor uns, — tatsächlich ein *Werk*, ein Gewirktes, nur keine verständliche, lineare und einfache *Dichtung*, die in erhabener Selbstverständlichkeit alles, was zu ihrem Verständnis nötig ist, mit sich führt.

Es scheint uns somit nicht verwunderlich, daß das einst mit dem *Volks*-Schiller-Preis ausgezeichnete Werk heute nur noch sehr selten aufgeführt wird. Nur ein sehr gut eingeführtes Publikum könnte dieses exklusive Kunstwerk in sich aufnehmen, würde den großen Atem, der darin weht, erspüren, könnte hinter das den Augen und Ohren sinnfällig sich Darbietende zum Kern, zum menschlichen Gehalt vordringen.

Die hier skizzenhaft umrissene Eigenart des Werkes beruht auf einer Besonderheit des Arbeitsprozesses. « Der Graf von Charolais » ist nicht entstanden als ein glühendes Bekenntnis leidenschaftlichen Kampfes, als Ausdruck heftiger seelischer Bewegung oder Erschütterung, sondern als abschließende, bilanzziehende Objektivierung eines schon überwundenen Kampfes. Die Folge ist eine dem Stoff gegenüber durchaus epische, Teil für Teil sorgsam erledigende Arbeitsweise. Hier herrscht eine abgeklärte und selbstsichere Haltung vor: Der gereifte Mann blickt in erinnernder Erschütterung zurück, aber er selbst ist schon nicht mehr beteiligt. « Der Graf von Charolais » hätte ebensowohl eine Komödie werden können. Er ist es in gewissem Sinne geworden im « Rosenkavalier ». Wir erkennen hierin unschwer eine Art Travestie des Trauerspiels von Beer-Hofmann. Die Marschallin ist wie Charolais der Typus des alternden Menschen; alternd besagt in diesem Zusammenhang ja nichts anderes als dekadent. Rofrano ist wie Désirée jugendlich überschäumende Lebenskraft, aber noch schlummernd, noch nicht selbst geworden. Sophie drängt sich wie Philipp in eine irgendwie naturwidrige Verbindung als gleichsam korrigierendes Element ein. Das Trauerspiel ist schon einmal Komödie geworden in den « Meistersingern von Nürnberg »: Auch hier ein Alternder, der zugunsten eines jungen Paares resigniert. Die Komödie hätte sich mit dem ernsten, verhaltenen, aber auch ehrgeizigen und anspruchsvollen Wesen Beer-Hofmanns nicht vertragen. Seiner Art, immer nach den höchsten Kronen zu greifen, immer in die tiefsten Tiefen sich zu versenken, immer in den fernsten Fernen zu suchen, lag das Lächerliche in keiner Weise. Tatsächlich finden wir keine komischen Züge in seinen Werken, vielleicht mit ganz wenigen Ausnahmen im « Jungen David », den der Dichter zwischen seinem sechzigsten und siebzigsten Lebensjahr geschrieben hat. In einer Welt der absoluten, erzwungenen Sinnhaftigkeit hat der Humor keinen Platz.

Wir betonen, daß in der Dichtung eine Lücke klafft zwischen Erstrebtem und Erreichtem. Aus dem Gefühl eines gewissen Ungenügens heraus wurde dafür, was *intensiv* nicht zu erreichen war, *extensiv* versucht, bis sich schließlich der weitgesteckte Horizont ergab, in dem alle die tragischen Probleme, denen wir im Verlauf der Analyse begegnet sind, Aufnahme fanden. Man spürt förmlich, wie mit der Arbeit die Dichtung gleichsam aufquoll, sich Thema an Thema reihte, sich Schicksal an Schicksal ansetzte, so daß schließlich dramatisch Nebensächliches, wie die Figur des roten Itzig, der Gerichtsrat, der Wirt und sein Vater, ja selbst der Sekretär und Romont zusammen breiteren Raum beanspruchen als die Hauptereignisse. Ein episches Sichverbreitern stört den Ablauf der Handlung mehrmals, ein Verweilen und Sichausruhen unterbricht den Fluß des Geschehens jeden Augenblick. Wäre es dem Dichter mit seinen dramatischen Problemen ernst gewesen, er hätte wohl vorwärtsgetrieben, hätte seinem Ziel zugedrängt, hätte, was « schwer und verworren » in ihm ruhte, aus sich herausgeschleudert, in wildem, trotzigem Sichaufbäumen von sich gestoßen. So erkennen wir ein selbstgefälliges Betrachten der Eigenschaften des Helden, ein fast liebevolles Ausmalen der Katastrophe, ein — man möchte beinahe sagen — wohlgefälliges, allmähliches Vernichten des Helden und der andern Figuren.

Entscheidend für die Charakteristik des Ganzen wie in gewissem Sinne für die Einstellung des Dichters bleibt schließlich das Moment der « halben Erfüllung ». Alle diese Gestalten befinden sich auf dem Wege zum Bessern. Es sind « Übergänglinge ». Sie alle haben eigentlich den Grund, um dessentwillen sie nun die Katastrophe erleiden, in sich schon beseitigt. Dies ist der Grund, warum wir das Werk dem « Tod Georgs » nicht ebenbürtig erklären können. Es ist nicht echte Erschütterung im Ganzen — wohl vielleicht in einzelnen Gestalten, — es ist nicht flutendes Leben, miterlebte Gegenwart, trotziges Entscheiden, — es bleibt stehen bei der Abrechnung und Verurteilung.

Inkongruenz zwischen dem Ganzen und seinen Teilen

Von einem Drama erwarten wir in der Regel eine abgeschlossene Handlung, die einen bestimmten, in der Exposition sich ankündigenden Verlauf nimmt. Die klassische Forderung nach der Einheit der Handlung ist als ästhetisches Gesetz, obwohl immer wieder durchbrochen, unverletzlich und unaufhebbar. Schwer ist meistens der Preis, der auf seine Mißachtung gesetzt ist. In ganz besonders auffälliger Weise durchbricht das Gebot aber Beer-Hofmann. In seinem Werk ist der Dichter nicht nur von einer ursprünglichen Richtung abgeglitten, sondern er riskiert eine radikale Schwenkung, ein vollständiges Neubeginnen, so daß Alfred Kerr in einem Essay seiner « Welt im Drama » sagen konnte: « Das Werk ähnelt einer Statue, an der statt des Kopfes wieder ein kleinerer menschlicher Körper beginnt » (II, 317). Dieses seltsame, entschiedene Abbiegen — wie wenn ein Reiter einige Hürden aufstellt und dann, statt darüber zu springen, in der entgegengesetzten Richtung davongaloppiert (wiederum ein Gleichnis von Kerr, II, 316) — hinterläßt ein Gefühl der Beunruhigung und Befremdung, das durch nichts, durch keinen Gehalt und keine noch so « betörende » Sprachkunst mehr beseitigt werden kann. Dieser in das Spiel einreißende Bruch stört, — er bleibt ein charakteristischer Zug an dem einmaligen, bedeutenden und mit großen Ansprüchen auftretenden Werk.

Wiederum wird die Verletzung des ästhetischen Gefühls hervorgerufen durch ein nicht eingehaltenes Versprechen. Wiederum ist ein Rahmen gesetzt; ein Ganzes kündigt sich an; und bei der — hier nur schon oberflächlichen — Prüfung bricht alles doch auseinander. Äußerlich scheinen die Glieder als Teile eines organischen Ganzen zu stehen; innerlich besteht gar kein organisches

Ganzes. Die formale Einheit wird vorgetäuscht durch die magische Abfolge der Szenenbilder: Wirtshaus — Beim Präsidenten — Gerichtssaal — Beim Präsidenten — Wirtshaus. Außer dieser besteht nun allerdings kein Grund, das Drama als eine Einheit aufzufassen. Nur zusammengehalten durch die Personen, zerfällt es doch durchaus, und zwar, wie sich leicht nachweisen läßt, in zwei Teile.

Das erste Drama wird gebildet durch die drei ersten Akte. Es enthält Charolais' Einordnung ins Bürgertum. Der zweite Akt ist zugleich die Exposition zum zweiten Drama, das die Katastrophe, das Verschwinden des Grafen zeigt. Auch dieses ist dreiteilig. Zuerst erfolgt die Versuchung Désirées. Dann bleibt die Bühne «für kurze Zeit leer». Darauf erscheint Charolais, der von Romont über das Vorgefallene Bericht erhält. Zuletzt wird Désirée verurteilt.

In der Zweiteiligkeit dieses Werkes verrät sich schon ganz deutlich eine Bereitschaft zu der Abfolge von Werken, zur Trilogie oder zur Tetralogie. Den Dichter interessiert das Schicksal, die Kurve des Glücks, höchstens noch das Verhalten des Menschen seinem Schicksal gegenüber.

Ihn interessiert hier nicht der dramatische Konflikt, das Gegenüberstellen zweier Welten. Das wird vielleicht am deutlichsten an dem Umstand, daß sich die beiden Vertreter der verschiedenen Welten, Philipp und Charolais, nie gegenüberstehen. Auch Paul und Georg werden einander ja nie gegenübergestellt. Den echten Dramatiker hätte es zweifellos gelockt, bei irgendeiner Gelegenheit, am liebsten am Schluß, die Vertreter der gegenläufigen Prinzipien zu einer entscheidenden Auseinandersetzung zusammenzubringen. Diese Auseinandersetzung findet nicht statt. Vielmehr verhindert sie Charolais, und damit der Dichter, geflissentlich. Am Schluß, während er Philipp aus dem Gang in die Wirtsstube zerrt, redet er blindwütig auf ihn ein und hält seinem Opfer die Kehle umklammert, als wollte er ihn vor allem am Sprechen verhindern. Der verzweifelt sich Wehrende kann nur noch keuchend stammeln: «Laß — laß —ich werde...» Wir möchten ergänzen: «Laß, ich werde dir alles erklären.» — Aber gerade dies will Charolais vermeiden: «Nichts mehr! Dieb! Nichts mehr wirst du — ». Und damit erwürgt er ihn, tötet ihn dort, wo die Stimme ihren Sitz hat, wo das Wort gebildet wird, — das Wort, dessen Magie der Graf erliegen müßte. Denn er hat vor sich den Menschen, der sieghaft die Erde bezwungen hat und der zur Großen Mutter vorgedrungen und dadurch unwiderstehlich ist. Charolais erwürgt ihn, obwohl er ein gutes, breites Jagdmesser in seinem Gurt stecken hat, mit dem er seinem Gegner das Herz hätte durchstoßen können, das Herz, wie es sich nachher Désirée durchbohrt im Eigentod...

Dritter Teil

Die Historie von König David

> *« Zu sehr hat man uns gelehrt, in
> unseres Wesens geheimsten Schächten
> zu schürfen, und wir wissen von
> vielzuviel Leid. »*
>
> *(Gedenkrede auf Mozart.)*

Vorbemerkung

Mit folgenden Worten sandte Richard Beer-Hofmann im Jahre 1918 das Vorspiel zur « Historie von König David », die sein größtes und zweifellos bedeutendstes Werk hätte werden sollen, in die Welt:

> « „Die Historie von König David" ist der Titel, den ein Zyklus von drei Stücken („Der junge David" — „König David" — „Davids Tod") führt, die Davids Leben darstellen.
> Als Vorspiel zu ihnen ist „Jaakobs Traum" — die Auserwählung Jaakobs, des Ahnherrn Davids — gedacht.
> Es wäre mir erwünscht gewesen, „Jaakobs Traum", der seit Juli 1915 abgeschlossen lag, auch weiterhin — bis zur Vollendung meiner Arbeit — unveröffentlicht zu lassen.
> Ereignisse veranlassen mich auf meinen Wunsch zu verzichten. So sei denn „Jaakobs Traum" der Öffentlichkeit übergeben. »

Außer « Jaakobs Traum » sind bisher nur « Der junge David », das « Vorspiel auf dem Theater zu König David » und einige Entwürfe und Fragmente in dem Band « Verse » erschienen. Leider steht schon jetzt allen Hoffnungen zum Trotz fest, daß weder der zweite noch der dritte Teil des monumentalen Werkes vollendet ist (Anm. 62).

Das ist beklagenswert. Beklagenswert insbesondere bei einem Dichter, der wie ein patriarchalischer Zeuge obeliskenhaft herüberragte aus einer entschwundenen, verschütteten Welt in eine neue, jungfräuliche Zeit, — der als einer der letzten Überlebenden dieser

118

versunkenen Welt die Gegenwart erlebte, ihre bis in die Wurzeln reichende Korruption durchschaut hat und sie an Hand eines innen geschauten, großartigen Ideals umgestalten helfen wollte, — der den zeugenden Funken einer gesammelten Erfahrung von immenser Ausspannung in die aufgebrochene, unglückliche Jetztzeit zu werfen gewillt war.

Damit ist auch bereits umrissen, was unserer Ansicht nach das letzte, größte Werk Beer-Hofmanns (auch als Torso) unserer Zeit zu bedeuten hat, — ungeachtet aller Einwände und aller Vorbehalte, die wir etwa im Verlauf der Analyse noch anzumelden hätten: Sie gilt uns als eine wahrhaft große Dichtung von zeichenhafter Einfachheit, deren leitende Gedanken runengleich stehen und dem Urbestand menschlicher Erfahrung entstammen, — als gewaltiges, überlebensgroßes Gemälde voll wahrhaft orphischer Weisheit. Die « Historie » ist das testamentarische Vermächtnis eines der zweifellos größten Dichter der ersten Hälfte des zwanzigsten Jahrhunderts, ein weltanschauliches Bekenntnis großen Stils.

Innerhalb der Entwicklung des Dichters sehen wir mit der « Historie » den circulus vitiosus der Dekadenz gesprengt. In reinerer Form ist der Bestand mythologischer Urerkenntnisse in die Dichtung hineinverwoben. Indem er sich von engen individuellen Schicksalen ab- und dem sicher verbürgten Schicksal eines Volkes, *seines* Volkes zuwandte, das sich in zeitlicher Ausspannung über mehrere Jahrtausende erstreckt, fand der Dichter den Anschluß an das Absolute.

Die literarische Beurteilung der drei veröffentlichten Teile der « Historie » stößt auf recht erhebliche Schwierigkeiten. Sie sind ausnahmslos darauf zurückzuführen, daß gewissermaßen das gemeinsame Bezugssystem fehlt. Wir stehen in der Tat vor einer zweigliedrigen Rechnung mit vier Unbekannten. Die beiden veröffentlichten Dramen sind, wenn auch in sich abgeschlossen, Fragmente eines Ganzen. Der darin sich entfaltende Plan von der Welt wird erst vom Schluß aus überschaubar. Aus dem bisher Geschaffenen lassen sich wohl die Grundformen des Weltbildes skizzenhaft abstecken; aber die Umrisse verfließen allzusehr im Dämmer, so daß vorderhand von einer verbindlichen Deutung nicht gesprochen werden kann.

Für die Analyse bleibt uns kein anderer Weg, als jedes der drei Werke zuerst und hauptsächlich als ein in sich abgeschlossenes Ganzes zu behandeln. Wir leisten uns, gleichsam als Arbeitshypothese, die Fiktion, als hätten wir es je mit einer individuellen dichterischen Schöpfung zu tun. Unsere Ausführungen sind somit nur Prolegomena zu einer möglichen späteren Deutung, wenn einmal alles zugänglich ist, was zu diesem Werke gedichtet ist. Es muß uns bewußt bleiben, daß alle Einzeldeutung erst im Gesamtblick auf den kreishaft geschlossenen Kosmos des Ganzen den richtigen Platz zugewiesen erhalten und ins richtige Licht gerückt werden kann.

I. « JAAKOBS TRAUM »

Einleitung

Die erste Reihe der Werke Beer-Hofmanns richtete sich gegen die Dekadenz als angefochtene Form des Daseins. Die Bemühungen um die Überwindung der Dekadenz mündeten ein in die Verherrlichung des der Erde verbundenen Lebens. Die Gültigkeit der chthonischen Symbole bestätigte sich im Mythus der Astarte, der lebenspendenden, zeugenden und nährenden Mutter-Göttin. In der Beschwörung des Urbildes der Astarte glaubte der Dichter die Gefahr der Dekadenz gebannt. Darin liegt aber eine unzulässige Vereinfachung des Problems. Der Dichter — und nicht er allein, sondern im Verein mit vielen — hatte mit beschwörender Formel den Weltgeist der Astarte aufgerufen über eine niedergehende Kultur, die sich nur geistigen und ästhetischen Belangen hingab. Durch die Lösung des Geistes von der Erde waren aber die bis dahin gebundenen chthonischen Mächte frei geworden, und sie begannen den Menschen zu beherrschen und zuletzt zu tyrannisieren. Die Revolution gegen den Geist beginnt.

Der weltanschauliche Irrtum, auf den wir schließen können, beruht schon auf einer einseitigen Auslegung des mythischen Grundbestandes der Welt, auf der Einschränkung auf einen vergleichsweise wichtigen Aspekt. Astarte nämlich ist nicht nur Göttin der Liebe und der erhaltenden Kräfte des Daseins, sie ist in

120

weitestem Sinne Göttin der Erde, Göttin über Geburt und Tod. Sie ist nicht nur Aphtoret oder Aphrodite, sondern als Ištar bei den Assyrern die Königin und Göttin der Schlachten, des Krieges, der Vernichtung, sie ist Athene und wird von den Mythologen gar mit der Gorgo-Medusa indentifiziert (Anm. 63).

In den Krisenjahren vor, in und nach dem ersten Weltkrieg sah der Dichter in Tat und Wahrheit das Geschlecht, über das er den Untergang verhängt hatte, aus der Welt zurücktreten und eine neue Generation aufsteigen, die den immer wieder verkündeten Anschluß an das Leben, an die Große Mutter, an die Mächte der Erde zu vollziehen bereit war. Der Mensch aber erwies sich der beschworenen Gottheit ebensowenig gewachsen wie vorher der herrschenden. Dieses neue Geschlecht, auf dessen Ankunft der Dichter zu hoffen nicht müde wurde, ergab sich mit demselben Leichtsinn, mit dem das Vorhergegangene der verführerischen Macht des Logos erlegen war, den Mächten der Erde. Diese Form des Daseins aber mußte dem Dichter, der stets im Tiefsten gründete und nach einem tief innen angeschauten Vorbild an seinem Plan von der Welt arbeitete, ebenso verwerflich scheinen wie diejenige, die er eben zu Grabe getragen hatte. Spuren dieser neuen, ursprünglich zur Zeit des « Tod Georgs » noch nicht vorausgesehenen Entartung finden wir schon im «Grafen von Charolais». Die Versündigung gegen das Leben bestand bei Philipp nicht wie bei den Dekadenten in seiner Mißachtung, sondern in seinem Mißbrauch. Er erschien uns als ein Mensch, der den Kräften der Erde zugetan, aber im Geiste liederlich und verbrecherisch war, — der die Schrankenlosigkeit der Präexistenz ins Außen übertrug, bedenkenlos, welche Folgen für die Gemeinschaft daraus erwachsen mußten.

Inhaltliche Gliederung

Äußerlich zerfällt « Jaakobs Traum », das Vorspiel der « Historie », in zwei Teile. Der eine spielt auf Isaaks Hof zu Beer-Seba, der andere auf der Höhe Beth-El. Man kann das Drama in fünf Szenen gliedern, deren Geschehnisse wir in knappen Zügen festhalten.

Vorgeschichte: Der auf den Tod kranke, blinde Isaak befiehlt seinem Erstgeborenen, Edom, ein Opfertier zu jagen und eine

Mahlzeit zuzubereiten, damit er ihn segne. In Edoms Abwesenheit aber schickt Rebekah ihren jüngeren Sohn, Jaakob, zum Vater, um ihm den Segen abzulisten. Nachdem der Betrug geschehen ist, sendet sie Jaakob von Hause fort zu ihrem mehrere Tagereisen entfernt wohnenden Bruder Laban. Edoms Frauen lassen durch einen Sklaven Edom Mitteilung machen von dem Vorgefallenen.

I (1—124): Isaaks Hof im Morgengrauen. Edoms Frauen erwarten ihren Mann von der Jagd zurück.

II (125—313): Edom kehrt zurück. Er hat einen Schwur getan, nicht eher zu essen, zu trinken, zu schlafen, bis er seines Bruders Blut gesehen habe. Die Mutter beschwört ihn, von seinen Racheplänen abzulassen. Unverzüglich aber schickt er sich zur Verfolgung Jaakobs an.

III (314—820): Jaakob hat allein mit seinem Sklaven Idnibaal die Höhe Beth-El erstiegen. Die Herden weiden unten am Fuß des Berges. Nach langer Zwiesprache löst Jaakob den Sklaven aus seiner Knechtschaft.

IV (821—1000): Edom ist auf der Höhe Beth-El angekommen. Er führt eine Meute ungesättigter Hunde mit sich. Ohne weiteres legt er den Pfeil auf den Bogen und zielt auf Jaakob. Aber der Pfeil bleibt im Körper eines Lammes, das Jaakob im Arme trägt, stecken. Edom will mit dem Messer kämpfen und zuletzt ringen, doch unantastbar steht der Bruder vor ihm. Um ihn sind schützende Boten des Himmels. Erschüttert kniet er nieder und fragt Jaakob nach dem Grund seiner eigenen Verworfenheit. Aber Edoms Blutschwur steht noch zwischen den Brüdern. Jaakob löst ihn auf sophistische Weise aus dem Eid, indem er ihrer beider Blut zur Blutsbrüderschaft mischt.

V (1001—1515): Jaakob richtet sich das Nachtlager und legt sich zur Ruhe nieder. Quell und Stein klagen ihm ihr Leid. Eine Leiter türmt sich empor, auf der die Engel des Herrn auf- und niederschweben. Jaakob hält Zwiesprache mit den Sendboten Gottes. Unter ihnen ist aber auch Samael, der gestürzte Fürst des Himmels. Auch er ringt um Jaakobs Seele. Die Engel geraten selbst miteinander in Streit. Erst der göttliche Richterspruch schlichtet die Auseinandersetzung zwischen den Geistern.

Auch innerlich unterscheiden wir zwei Teile. Der eine hat zum Gegenstand den Kampf zwischen Jaakob und Edom, der andere Jaakobs Traum und sein Ringen mit Gott und den kosmischen Mächten.

Wir wenden uns zuerst dem menschlichen Drama, dem Streit der beiden feindlichen Brüder zu. Wir bleiben vorläufig ganz auf dem Boden der scheinbar nur der Exposition dienenden realen Begebenheiten. Dabei wird uns klar, daß auch im urbiblischen Spiel das Kulturproblem zur Sprache kommt, und daß es auch hier dem Dichter um die Anfechtung des Gegenwärtigen geht.

Der Kulturzerfall in der Generationenreihe

Die Anfechtung erstreckt sich rückwärts bis in die Generation *Abrahams*. Mit dem Gottesmann, an dessen Tisch im Hain von « Mamres Terebinthen » der Herr zu Gast war, beginnt der Umschwung von der mütterlich dumpfen Urzeit zur väterlichen Welt des Logos-Gottes. Der Herr hat Abraham aufgerufen, ihm seinen Sohn Isaak zum Opfer darzubringen. Abraham aber ist vorstellungsmäßig noch weitgehend dem Astarte-Kult ergeben. Wenn Gott ihm gebietet, den Sohn zu « opfern », faßt er diesen Befehl wörtlich auf und will ihn nach den Gepflogenheiten des Baal-Kultes töten. Er ist ein von dionysischem Vernichtungsrausch Besessener, sich selbst «entrückt» und «gottestoll». Der Logos-Gott aber ist nicht die vernichtende und blutrünstige Ištar. Abraham muß auf Weisung des erzürnten Herrn an Stelle des Sohnes einen Widder töten und darbringen. Das Tieropfer an Stelle des Menschenopfers bedeutet den ersten Einbruch der patriarchalischen Welt in die Gynaikokratie. Im Tieropfer erfolgt der menschliche Opfertod auf sinnbildliche, geistige Weise. Das unblutige Sühneopfer der christlichen Kirche ist die letzte Stufe dieses Entwicklungsganges. In der Eigenschaft der Entrücktheit ist Abraham auf der Linie der Aszendenz. « Sein selbst vergessen » bedeutet, daß er außen lebt, daß er nicht im Turme gefangen ist.

Die nächste Generation, diejenige *Isaaks*, nähert sich bereits der Gefahr der Dekadenz (Anm. 64). Sein Dasein dämmert hin im Schatten seines großen Vaters, des Gottesmannes. Im Vergleich zu ihm ist Isaak nur ein « blasses Reis, zu nah dem hohen Stamme ».

So hat sich Rebekah, sein Weib, in Gedanken nicht Isaak, sondern dessen Vater Abraham hingegeben. Er ist der unfähige, tatenlose, dem Leben nicht vollgewachsene Mensch der Dekadenz. Er hatte die Sinnenwelt verachtet und war deshalb blind geworden. Auch die Szenensymbolik tritt in den Dienst dieses Gedankens. Wir erkennen in dem Gehöft des Isaak, das « rings umschlossen ist von einer breiten, übermannshohen Mauer », unschwer eine Abwandlung des Turmsymbols. Isaaks Wohnung liegt bezeichnenderweise « am Rande der Wüste ».

In *Rebekah*, Isaaks Weib, erkennen wir die vernichtende Astarte: Ihr Blick bringt Krankheit, sie kann zaubern, sie bringt keine Opfer. An der Seite ihres dekadenten Gatten tritt sie in die depravierte Konkretion. Sie ist die säkularisierte Mutter-Gottheit. Aus ihrem Mutterschoß sind die zwei Brüder hervorgegangen, die die widerstreitenden Weltprinzipien repräsentieren. Sie bekämpfen sich schon im Mutterleib. So berichtet die Überlieferung, daß der zweitgeborene Zwilling beim Austritt aus dem Leib der Mutter des Bruders Ferse gehalten habe. In der Reihenfolge, wie sie ans Tageslicht getreten sind, lösen sich in historischer Perspektive die Weltzeiten, Chaos und Kultur, ab (Anm. 65).

Edom und Jaakob

Edom-Esau, der Vertreter der Depravation

Edom ist ganz der dunkeln, mütterlichen Weltseite verfallen. Er ist nur im Fleisch stark. In ihm können wir unschwer einen Typus der Neuzeit, insbesondere den nur noch materiellen, technischen, wirtschaftlichen Belangen hingegebenen Menschen erkennen. Er ist nicht minder auch Vertreter des soldatischen Zeitalters. Er ist eine Art Vorläufer des Soldatenkönigs Oliver und zugleich ein jüngerer Bruder Romonts.

Edom ist den Mächten der Erde hörig: « Auf Erden wächst deine Lust. » Er ist der Sklave der vernichtenden Astarte, er kann nur « jagen, morden, opfern ». Ihn sättigt nur « Besitz, Speise, Trank, Schlaf und Frauen ». Er ist ein Mensch, der « sich froh, satt und sicher freuen » kann. Seine Wünsche erfüllen sich ihm stündlich. Im Sinne der Degeneration ist er entartet, indem er sich mit Frauen fremder Stämme vereinigt.

Edom ist nur vegetatives Dasein. Er verwirklicht sich als Mensch nur halb. In seinem Kraftdünkel und in Trunkenheit von irdischer Lust taumelt er durch das Leben, stößt aber nie vor in den Bereich des Geistes. Die andere Welthälfte, die helle, rationale, männliche Seite, ist ihm gänzlich verschlossen. Er vergeht sich gegen den Sinn menschlicher Existenz, wie dies der dekadente Mensch tut, der seinerseits die Notwendigkeit realen, problemlosen Daseins mißachtet (Paul in « Das Kind », Paul zu Beginn seiner Entwicklung im « Tod Georgs », der Graf von Charolais).

In religiöser Hinsicht ist Edom lau. Er opfert, weil es Vorschrift und Tradition gebieten. Aber « kein Gott warf in ihn wehvoll dunkles Fragen ». Er spricht: « Ich will nicht diesen Gott, der immer nahe. » Hierin zeigt sich, daß Edom nicht nur männliche Geistigkeit, etwa die Fähigkeit zur Selbsterkenntnis, zum Bewußtsein vom eigenen Wert oder Unwert, sondern auch die durchaus mütterlichen Seelen- und Gemütskräfte, die « vereinigenden Elemente », völlig mangeln.

Trotzdem er sich äußerlich ganz der materiellen Weltseite verschrieben hat, ist er eben deshalb nicht der Liebling der Mutter. Im Gegenteil, ihre Zuneigung gehört Jaakob. Denn ihre mütterliche Herrschaft ist bereits gebrochen, sie untersteht dem Herrn, dem sieghaft leuchtenden Logos-Gott. Deshalb spricht Edom zu ihr:

« Ich bin dir fremd ! Fremd sind mir deine Worte,
Helft mir, ihr Frauen, sie verstehn, denn die dort —
Die Sprache meiner Mutter, spricht die nicht ! »

Sie hat sich dem Gott, der in Abraham und in Isaak lebt, unterworfen. Als Edom sie auffordert, den Betrug ungeschehen zu machen, antwortet sie: « Ich kann es nicht! Kein Bronnen strömt zurück! » Und sehr bezeichnend für ihre wahren Gefühle ist die Regieanmerkung: « *Wider ihren Willen* von Jubel erfaßt: „Gelobt der Herr, daß ich's nicht ändern kann !" »

In wilder Rache hat Edom jetzt selbst in das Reich des Geistes übergegriffen und den Schwur geleistet, daß « kein Weib ihm nahen » soll, ehe er Jaakobs Blut gesehen. In doppeltem Sinne ist deshalb wahr, was Rebekah zu ihm sagt: « Fremd bist du mir worden ! » Und darum kann sie es trotz ihren beschwörenden Worten nicht hindern, daß Edom Jaakob erreicht. Denn Edom ist vorübergehend dem Einfluß der Mutter entglitten.

Die auffälligste Eigenschaft Jaakobs besteht darin, daß er zu allem einen Bezug sucht, daß er stets über die Beschränktheit seines Einzel-Ichs hinausdringen will. In diesem Sinne erinnert er ganz an Philipp.

Jaakob hat eine « schmeichelnde Stimme ». Er ist nie allein, er spricht zu aller Kreatur, und alles Geschaffene spricht zu ihm. « Du neigst dich allem zu. »

Jaakob sucht aber auch über die Schranken seines Individuums in die geschichtliche Vergangenheit hinunterzudringen. Er ist «voll dunkler Fragen » und will « von Ahn und Urahn » wissen. In ihm klingt « aller Ahnen Zweifel Traum und Sehnen — ein nie verstummend Fordern — » noch einmal auf.

Eine bedeutende Rolle im Dasein Jaakobs spielt die Präexistenz. Auch darin gleicht er Philipp und den Gestalten der Dekadenz. Die Präexistenz bereitet immer dort dem Leben bedeutende Gefahren, wo nicht zur gegebenen Zeit der Eintritt in die Existenz, ins tätige, werkhafte Leben erfolgt. Die entsprechenden Erfahrungen machten Paul, der Graf und in besonders ausgeprägtem Sinne Philipp. Aber Jaakob ist noch jung, er ist noch der « Erhoffte einer Welt ». Er ist ein « Knabe », und er fürchtet gar, nie etwas anderes zu werden. Diese Furcht ist, wie wir später sehen, ungerechtfertigt. Aber jetzt sind ihm Tag und Nacht voll von Gesichten. Er weiß beispielsweise aus mystisch-präexistentialem Vorauserleben, wie « dem Knechte ist », und er schildert in visionärer Weise dessen Heimat. Überwältigt steht der Knecht Idnibaal vor Jaakob:

> «... Du Knabe — wer
> Hat dir gesagt, was Altsein heißt? Wer gab
> Dir Macht, daß du ins Innerste mir greifst? »

« Altsein » besagt hier, wie anderswo, wieder nur « auf dem Lebensweg am Ziele der Selbstverwirklichung angekommen sein ». Daher ist Jaakobs Vision von Idnibaals « Heimat » von tief symbolischer Bedeutung (ein dominierendes vereinigendes Symbol, vgl. fünfter Teil, viertes Kapitel).

Als Mensch aber, der « mit der Kreatur zu fühlen » versteht und der trotzdem der Seher, Dichter und Magier heißen kann, ist Jaakob ein Kind zweier Reiche, eines irdisch-kreatürlichen und eines gött-lich-geistigen. Der Graf von Charolais und Paul waren für uns Repräsentanten eines dem Leben feindlichen Daseins, Philipp und Edom galten uns als Vertreter eines Daseins, das vorbehaltlos verfallen war an die irdischen Kräfte. Jaakob ist der Vertreter des Menschen der Zukunft, der Bürger beider Welten. Er umgeht zugleich die ewige Tragik eines exklusiv geistigen Daseins *und* die fatale Konsequenz des Menschen der Jetztzeit. In vollem Bewußtsein nimmt er der Erde Segen und Fluch auf sich und dringt darüber hinaus vor in den Bereich des göttlichen Logos. Er geht vom Materiellen aus, er ist ein « Liebling seiner Mutter », und bei ihm ist oft ein « fernes Beten seiner Mutter ». Aber auch ein Kind des väterlichen Gottes ist er, weil er « immer strebend sich bemüht », weil er « Zweifels, Traumes und Ahnens voll » ist.

Jaakob ist darum ein Mensch in des Wortes wahrstem Sinne, ein « Civis humanus ». Er besitzt Achtung vor dem Lebenden, vor seiner irdischen Lust und seinem irdischen Leid, und zugleich den Drang nach dem Übersinnlichen. So ist das Wort Idnibaals symbolisch zu verstehen:

« Herr ! Steile Wege wählst du ! »

Und ebenso dasjenige der Engel:

« Durch Leid und Sturm — du Knabe — ring' dich aufwärts . . . »

Und so kann sich Jaakob selbst kennzeichnen als der « Erhoffte einer Welt », der Mensch der Gnade, der Gesegnete; er spricht die magische Formel aus in seinem Gebet zu Gott:

« Hier lieg ich — Herr ! Jaakob, den Du riefest —
Erwählt von Dir und doch . . . Kind dieser Erde ! »

Es ist deshalb von stärkster Gleichniskraft, wenn Jaakob nach dem Erwachen am frühen Morgen sich anschickt, von der Höhe, auf der er mit Gott gerungen hat, hinunterzusteigen in die Tiefe.

« Führt drunten weiter wieder nun mein Weg ? »

Denn ihm ist bewußt, daß sein Weg « drunten », in der Niederung des gewöhnlichen Lebens, der Alltäglichkeit, weitergeht, daß er sich durch die mühselige Qual, durch « Leid und Sturm » einer Kette gleichförmiger irdischer Tage erneut emporringen muß.

« Idnibaal, ich komme !
Harrt doch . . . es harret meiner auf dem Wege,
Der unten für mich anhebt, anderes noch ! »

Während wir in dem von Mauern umgebenen Gehöft Isaaks, das « am Rand der Wüste » liegt, ein szenisches Symbol der Dekadenz erkennen, läßt sich die Höhe Beth-El als szenisches Symbol der Aszendenz deuten. Die « geflachte Bergkuppe aus rötlich-grauem zerklüftetem Gestein fällt steil nach allen Seiten in die Tiefe ». Die Höhe beherrscht die Täler ringsum, und auf ihr läßt sich überschauen, was naht. Dadurch ist sie Symbol des Turmes, des Berges, der von der nährenden Erde wegführt und eine Stufe ist auf dem Wege zu Gott empor. Beth-El ist aber nicht nur unfruchtbarer Fels. Vielmehr entspringt hier oben ein « *Quell* », der sich zwischen Steinen « weißaufschäumend » den Weg zur Tiefe sucht. Die bekannten chthonischen Symbole geben dem Szenenbild das eigenartige Gepräge: feuchtes Moos, grüne Säumung, Frühjahrshimmel, Wind, Mond, tief eingerissener Felsenschrund, Felswände von Schlingkraut überwachsen. Im Verlauf des Traumes wird die Höhe zum Symbol der Insel, die ein vereinigendes Symbol für mütterlich-empfangende Erde und für väterlich-zeugendes Wasser ist. Zur Traumstunde wallen weiße Nebel um Beth-El:

> « Versunken alles in milchweißer Flut,
> Die rings das Tal erfüllt. Die Kuppe hier
> Ragt einsam wie ein *Eiland*. »

Bevor die Engel auf der Himmelsleiter herniedersteigen, sprechen Quell und Stein zu Jaakob. Auch sie repräsentieren die divergierenden Kräfte. Der murmelnde Quell ist aus der Erde ausbrechendes materielles Element. Darum eignet allen seinen Attributen ein vereinigendes Moment: «zärtelnd, raunend, rauschend, rinnend, schmeichelnd, lind. » Der Stein dagegen ist erstarrtes Feuer, ein verkapptes Turmsymbol. Er war einst Flamme, Glut und Licht. Er war fallender Stern, klingendes Licht, Sonnen und Sternen verschwistert. Er war « selig gleitend », bevor er auf der Erde harter, unfruchtbarer Stein wurde.

Zur Psychologie des Kampfes zwischen Edom und Jaakob

Edom ist nicht fähig, die Überlegenheit des Bruders voll zu fassen. An Isaaks Segen ist ihm einzig maßgebend, daß verheißen sind « Tau des Himmels und der Erde Fett, Korn und Most ». Er sieht stets und überall nur die materielle Seite.

Edom wird bei der Verfolgung begleitet von seiner Hunde-
meute. Sie ist gleichsam Verkörperung seiner eigenen Wesenheit.
Als er Jaakob töten will, trifft er nur das Lamm im Arme Jaakobs.
Und als er ihn in den Abgrund stoßen will, sind um Jaakob unsicht-
bar rettende Mächte, die Edoms Kraft, die Kraft der bloßen rohen
Materie, lähmen. Der Vorgang ist durchaus symbolisch aufzufassen.
Edom kann an Jaakob nur die irdische Hülle, den lammgleichen
Körper treffen, nicht aber den Lebenskern, den Brennpunkt seiner
Existenz. Das Lamm ist Jaakobs Opferpreis an die finsteren Mächte.
In ihm stirbt Jaakob symbolischerweise für die bloß körperlich-
sinnliche Welt. Im Tod des Lammes ist er für die Welt des Vater-
Gottes gerettet.

Daß ein Mensch den andern mißachtet, ihn bagatellisiert, ihn in
seiner individuellen Würde und Einmaligkeit auf das Gattungs-
mäßige oder auf die Stufe des Tieres hinunter erniedrigt, ist ein
häufig und beharrlich wiederkehrendes Motiv bei Beer-Hofmann.
Wir kennen es ja schon aus der Novelle « Das Kind », wo Paul
in der Frau auch nur das Tierische und das Materielle sieht, das
er zutiefst verachtet. Das aussichtslose Unterfangen Edoms liegt
darin, daß er seinen Bruder nach dem Maßstab des ihm gesetzten
Horizontes beurteilt. Er will sich mit ihm körperlich messen, er
will mit Jaakob kämpfen. Darum spricht er:

« Nicht, Zwiesprach mit dir halten,
Kam ich ! Setz' dich zur Wehr ! »

Aber Jaakob ist ein ganzer Mensch, und darum liegen die
Chancen für Edom von allem Anfang an ungünstig. Darum prallt
er vor Jaakob zurück, und darum liegt er zuletzt vor Jaakob auf
den Knien, in dem Augenblick nämlich, wo er sich mit ihm auf ein
Gespräch einläßt. Es ist damit Edom so ergangen, wie es in ähnlicher Weise dem Grafen von Charolais ergangen wäre, wenn er
sich mit Philipp in eine Diskussion eingelassen hätte. Auch Edom
hat, wie Charolais, einen Betrug zu rächen. Was aber damals im
Bereich des Materiellen, gleichsam mit umgekehrten Vorzeichen,
geschehen war, spielt sich hier auf einer geistigen Ebene ab. War
Philipps Betrug am Grafen ein Betrug in der rohen sinnlichen Welt
gewesen, so ist derjenige Jaakobs an Edom ein frommer Betrug,
eine «pia fraus» oder, in des Dichters eigenen Worten, ein «heiliger
Frevel». Jaakob ist nur mittelbar daran beteiligt. In Tat und Wahr-

heit stehen überpersönliche Mächte dahinter. Jaakob empfängt den Segen von außen. Daß er *ihm* und nicht *Edom* zubestimmt ist, zeigt sich in Isaaks Ekstasen bei der Segenserteilung, in den ihn von oben anwehenden Schauern. Jaakob empfängt den Segen, weil er sich der ursprünglich einem jeden Menschen mitgegebenen Gnadenmöglichkeit geöffnet, weil er die Idee des Menschseins bis zum Grund durchdacht hat. Denn die Möglichkeit, sich zum Civis humanus emporzubilden, ist mit der göttlichen Idee von der menschlichen Existenz gegeben, liegt verankert in Gottes Plan von der Welt.

Deshalb kann sich Jaakob der anfänglich nur irdischen Verheißung der Engel begeben. Er will nicht die Herrschaft über die materiellen Dinge, die ihm ohnehin als Mensch offenstehen. Als ihm die Engel der « Erde Fett, des Himmels Tau, Korn, Most die Fülle » versprechen, gibt er seiner Enttäuschung Ausdruck:

« Reißt einmal für mich dies ewige Blau,
Herab zu mir, euch Strahlende zu senden ...
Anderes will ich dann aus euern Händen,
Was, ahn' ich nicht — doch anderes empfahn !
... Ich überhob mich wohl, entläßt mich !
Dumpf, fraglos, will ich dämmern meine Zeit !
Berufet Edom ! und verschenkt an Edom,
Was Edoms — nicht Jaakobs — Seligkeit ! »

Einmal wird auch Jaakob sich der verführerischen Schönheit eines sehnsuchtslosen, ungebundenen Lebens bewußt. So schildert er selbst Edoms Existenz in schönsten Worten. Jeden Morgen kann Edom die Lider aufschlagen, und des « frohen Jägers helle Augen greifen nach der Welt ».

« Dein Blut schwillt trunken seiner eignen Kraft
Und reißt an sich, wonach's in ihm begehrt,
Ein Baum — gepflanzt an Wasserbächen — treibst du
Ins Licht, mit Kronen — täglich neu verjüngt ...
Kein Gott warf in dich wehvoll dunkles Fragen,
Wohin du blühst — was deine Wurzeln düngt ! »

Denn die Gnade der Erwählung bringt Leid und Verzicht mit sich:

« So heißt „erwählt" : Traumlosen Schlaf nicht kennen,
Gesichte nachts — und Stimmen ringsum tags ! »

In dieser letztern Eigenschaft gleicht er durchaus Paul aus dem « Tod Georgs ». Jaakobs Nächte sind, wie diejenigen Pauls, durchwühlt von Träumen und Gesichten.

Der mythische Kampf

Edom und Jaakob als Repräsentanten mythischer Kräfte

Die psychologische Analyse hat erwiesen, daß die feindlichen Brüder in scharfem anlagemäßigen Kontrast zueinander stehen. Dem Bruderkampf eignet aber weitgehend aufschließender symbolischer Charakter. Es spiegelt sich in ihm altorientalische Mysterienweisheit. Edom und Jaakob sind die Vertreter des gnostischen Dualismus von Gut und Böse, von Licht und Finsternis, von Geist und Materie. Sie sind mythische Urbilder der beiden vorherrschenden feindlichen Weltprinzipien.

Die « vom Mutterleib her » feindlichen Brüder entstammen der säkularisierten, ihrer uneingeschränkten Herrschaft bereits beraubten Astarte, der Magna Mater, der Schöpferin und Vernichterin allen Lebens, Rebekah.

Ihr Erstgeborener, Edom-Esau, ist der nur der Erde verhaftete Mensch, der Mensch der dumpfen, ungestaltigen, chaotischen Vorzeit. Er ist der Vertreter des Irdischen, Finsteren, der Repräsentant des Bösen, der Dämon der Nacht, der Nachtmahr der Semiten. Mit einbrechender Nacht begegnet er deshalb seinem Bruder, wie auch seine Frauen Geschöpfe der Finsternis sind. Auch sie üben ihre Herrschaft im Hause Isaaks nur in der Dunkelheit aus. Wir sehen sie nicht in dem trennenden, aufhellenden Licht, sondern in der gespenstischen Stunde vor Tagesanbruch, im dämmrigen Zwielicht der entschwindenden Nacht. Der Mythologe schreibt: « Esau ist seinem Bruder Jakob gegenüber die Idee der Disharmonie im Weltorganismus. » (Nork I, 477.)

Jaakob vertritt das helle Weltreich des Geistes — nicht eines satanischen, rationalen, den Ursprüngen entfremdeten, nihilistischen Geistes, sondern eines sich zu Gott drängenden, bejahenden Geistes —, eines Geistes, der nicht kritisch, zergliedernd, antastend, sondern der vereinigend, aufschließend, positiv erkennt. Er ist der Vertreter der harmonischen Entfaltung der menschlichen Seele, der eigentlichen Kultur. Er ist der später geborene Lichtmensch, der Repräsentant des Guten, Klaren, Geordneten. Auf seinem Weg zu Gott empor aber muß er zuerst die vorangegangene Weltzeit überwinden, muß er das ältere Prinzip brechen und mit dem Chaos ringen. Erst dann kann er Gott entgegentreten. Erst in diesem Kampf mit dem Bösen rechtfertigt er die Gnade, erringt er sich für die Tätigkeit des Geistes die Beglaubigung, weist er sich im Dasein aus. Im Kampf mit Edom tritt er gleichnishaft aus der Präexistenz in die Existenz über. Denn Jaakob ist nicht gewillt, den Grund der Erde zu verlassen. Vielmehr söhnt er sich im Blutschwur mit dem Bruder aus:

« Feindlicher Bruder du, vom Mutterleib her —
Aus freier Wahl sei mir von neuem Bruder ! ...
Ström' — ström' entzweites Blut zur Erde nieder
Und mische dich — und werde wieder eins !
Blutbrüder wurden Edom und Jaakob ... »

Mit der mythologischen Auslegung des Kampfes zwischen Jaakob und Edom überschreiten wir den Gehalt dieses zeitlosen Motivs durchaus nicht. Denn der Streit der feindlichen Brüder, als Symbol des gnostischen Dualismus, ist wahrscheinlich eines der allerältesten Motive der Weltliteratur. Für den Christen geht es zurück auf die Erschaffung der Welt, sind doch schon die Söhne des ersten Menschenpaares bis zum Tode verfeindet: *Kain und Abel.* Gerade Esau und Jaakob betreffend, sagt auch Thomas Mann in seinem ersten Josefs-Roman: « Faßte man Esaus Verhältnis zu Jaakob gebildet auf, ... so war es die Wiederkehr und das Gegenwärtigwerden — die zeitlose Gegenwärtigkeit — des Verhältnisses von Kain zu Habel. » (95.) Daß für das Judentum überhaupt Edom und Jaakob wahrscheinlich die mythischen Urbilder des Dualismus der feindlichen Weltkräfte sind, geht aus einer Stelle im « Mythologischen Wörterbuch » von Nork hervor: « Obgleich nur die Wechselherrschaft von Licht und Finsternis hier gemeint sein dürfte, weil, vom historischen Standpunkte aufgefaßt, diese Erscheinung in der Genesis sich zu oft wiederholt; denn auch der Zauberer Ham muß dem jüngeren Bruder Sem dienen, auch Israel, Ruben, Manasse u. a. müssen den jüngeren Brüdern das Recht der Erstgeburt abtreten. Das feindliche Prinzip, zugleich das sinnliche und finstere, ist immer, wie Diana vor Apoll, geboren, aber das Lichtwesen siegt zuletzt, wie das künftige geistige Leben auf das irdische Dasein folgt... Die in Rebekkas Leib sich streitenden Zwillinge symbolisieren den Kampf der beiden Grundwesen um die Weltherrschaft. » (II, 265.) (Anm. 66.)

132

In der zweimal, in « Jaakobs Traum » und im « Jungen David », beschworenen Schöpfungssage tauchen noch einmal, mythisch auf- gereckt, die Schatten der sich streitenden Brüder, die beiden Prin- zipien von Licht und Finsternis, auf. Der Erzählung Idnibaals in « Jaakobs Traum » (61 bis 63) entspricht die Schilderung Davids im dritten Bild des « Jungen David ».

« Bevor die Götter wurden », herrschte das Chaos. « Urwirre wirbelte und gor. » Allflut und Meer quollen in wüstem Knäuel. « Grause Urgötter » durchtaumelten die Welt in « Gier und Brunst und Haß ».

> « Zum Knäul geballt, beschliefs, erschlugs einand —
> Nichts heilig ! Eid nicht — Schlaf nicht — Treu und Glauben... »
> (« Der junge David », 140.)

Zu jener Zeit war kein « Drunten » und kein « Droben ». Aus dieser chaotischen Urwelt aber erhoben sich junge Götter, die das Urtümliche überwanden.

> « Da stiegen junge helle Götter auf
> Und, *heilig frevelnd*, warfen sie darnieder
> Das Ungeheure, dem sie eh' entboren;
> Und schufen Tag und Nacht und Himmelszelt
> Und banden der Gestirne Bahn mit Eiden.
> Den Fels zu Uru-Schalim aber rissen
> Sie auf, mit ihrem Blitz, zu einer Kluft,
> Die bis zum Erdennabel klafft, und warfen
> Das Blutige, Verstümmelte, Besiegte —
> Hinein ! Dort liegt's ! Und daß es nie entweiche,
> Schoß, feurig sausend, in geweihter Nacht,
> Ein Stein, von Flammensternen stammend, nieder
> Und sank als glühend Siegel auf die Kluft !
> Wer *dorten* opfert ehrt, was *ist* und *war* ! »

Das Überwundene ist das von Logos-Gott seinem schöpferischen Wort unterworfene Mütterliche. Es ist aber mit seiner Schöpfung schon gegeben. Deshalb ist es außerhalb des Gesetzes, außerhalb der Zeit. Es *war* und *ist*. Es ist nicht vernichtet. Und darum « opfert » man ihm und « ehrt » es und hofft es so zu beschwich- tigen. So sänftigt man

> « Den Trotz, der drunten unzertreten lauert
> Und schlaflos wacht, ob es ihm nicht gelänge,
> In jähem Ansturm, Fesseln zu zerreissen ! »

Auch Asahel ruft im « Jungen David »:

« Das Lied sagt, es kommt wieder
Erstarkt ! Oft bebt der Fels, weil gegen ihn sichs
Mit Riesennacken stöhnend stemmt. »

Gerade dies aber, die drohende Heraufkunft des Chaos zu hindern, hat David als seine Aufgabe erkannt: Er will auf den Felsen, der die Kluft deckt, des HERREN heiliges Haus, den Tempel, bauen.

« Noch schwerer schaff' ich ihn — Quader auf Quader
Türm ich darauf. »

Jaakob im Widerspiel der kosmischen Mächte

An Jaakobs Traum erweckt unser besonderes Interesse die Auseinandersetzung zwischen Gottes Sendboten und dem gestürzten Himmelsfürsten Samael. Ganz außer Betracht fällt für unsere Untersuchung jene Stelle, wo es sich um das Schicksal des jüdischen Volkes handelt, obgleich wir darin zweifellos eines der persönlichsten Bekenntnisse des Dichters vorfinden. Es ist eine großartige, von starkem Pathos getragene Apologie des zeitlosen Schicksals des Judentums, das in neuester Zeit in schauderhafter Weise wieder in seiner ganzen Tragik in Erscheinung getreten ist. Für die Deutung des Werkes gibt diese Partie des Dramas wenig her, — hauptsächlich auch darum, weil von den beiden vorhandenen Werken aus nicht überschaubar ist, ob der Dichter damit einen bestimmten Plan verfolgte.

In Samael erkennen wir noch einmal einen Vertreter des finsteren Reiches. Ihn trägt « uralte Nacht ». Die Umrisse seiner Gestalt verfließen im Dunkel. Zugleich aber ist Samael antastender, satanischer Verstand. Der Ausdruck, mit dem ein typischer Wesenszug bestimmt wird, entstammt dem dekadenten Wortschatz: « Der Blick seiner offenen Augen geht über alles Nahe hinweg in unbestimmte Weite. » Ihm gleicht darin der auf dem Turm stehende Paul, dessen Blick in unbestimmte Ferne schweift. Und wie der dekadente Mensch ist er einsam. Er ist der kritische Geist, dessen Zweifel selbst vor Gott nicht haltmachen. Er denkt historisch, deshalb spricht er von der Welt, von Gottes Schöpfung, nicht als von etwas Werdendem, sondern als von etwas Gewordenem:

« Mir — graut vor Ihm ! Ich faß' Ihn nicht ! Hat Er's
Gekonnt nicht anders? Anders nicht gewollt?

Greift Ihn Entsetzen nicht vor Seinem Werke?
Schuf Er zur Lust Sich diesen Ball? Nun rollt
Er taumelnd hin — entglitten Seinen Händen —
Hin durch die Zeit — ich frag : Zu welchem Enden?
Gefällige Diener preist den Spielball, den
Er schuf — *schlecht* schuf — es reichte nicht die Kraft ... »

Aus Samaels Mund geht « Lästern aus, Empörung, Geifer, Spott ». Seinem frevelnd anmaßenden Zweifel entgegnen die himmlichen Cherubim in vereinigtem Rufen:

« Verleumder du ! Er *schuf* sie nicht — Er *schafft* ! »

Aber auch der zweifelnde, über die irdischen Verheißungen enttäuschte Jaakob wird von den Engeln Gottes, den « Selig-Satten », den ewig Beschwichtigten, zurechtgewiesen. Für die Cherubim, die am Throne Gottes stehen, die « immer jubeln », ist des Menschen Sehnsucht unverständlich und sein Zweifeln frevelhaft. Damit treten sie allerdings in entschiedenen Gegensatz zu Gottes Meinung vom Menschen. Denn des letzteren « Empörung » ist « gottgewollt ». Darum gibt die « Stimme » bei Jaakobs kühnem Anruf nicht ihnen, sondern Samael recht. Samael ist « Gottes ewiger Schatten ». In ihm verkörpert sich die ewige Frage der Kreatur an ihren Schöpfer: « Zu welchem Enden » bin ich geschaffen ? Samael aber stellt Gottes Schöpferkraft in Frage. Er bleibt stehen beim Zweifel. Deshalb ist er auf ewig verworfen. Jaakob dagegen lehnt sich « liebend » und « hingegeben » auf. Er ordnet seine Empörung seinem Glauben unter. Er will sich vom Zweifler zum gläubig Wissenden emporläutern. Ihm wird sich Gott offenbaren. Der nur Zweifelnde dagegen wird verstoßen und dem Selig-Satten bleibt Gott verschlossen. Das ist der Sinn jenes Engelchores, der in den « Versen » steht und den der Dichter später nicht in sein Werk aufgenommen hat.

« Gläubigem Bejahen
Bleiben wir versagt,
Wollen *dem* nur nahen,
Der in Sehnsucht fragt ! »

Wir verstehen, warum der Dichter diese Verse gerade als Engelchor nicht verwenden konnte, denn der Psychologie der « Selig-Satten » sind sie — wenn man so sagen darf — durchaus unangemessen. Der zitierten zweiten Strophe fügt sich eine dritte an, die in diesem Sinne noch ungenauer ist:

« Zweifle, träume weiter —
Zweifel, Traum und Qual
Bau'n die Himmelsleiter
Auf — zu Gottes Saal ! »   (« Verse », 29.)

Hier wäre vor allem das Wort « Zweifel » zu beanstanden.
Denn allerdings ist bloßer Zweifel nicht geeignet, die Leiter zu
Gottes Saal emporzubauen. « Zweifeln » können der verzagte Jaakob und Samael. Bei letzterem wird daraus gar ein *Verzweifeln.*
Das Wort wäre vielleicht durch « Sehnsucht » zu ersetzen, wie
schon in der zweiten Strophe steht. Denn auch wo Jaakob zweifelt,
geschieht es aus der Sehnsucht nach Gott heraus.

Formale Probleme

Ähnlich wie der « Graf von Charolais », besteht auch dieses
Drama aus zwei Teilen, die direkt nichts miteinander zu tun haben.
Auch hier steht zu vermuten, daß sich die beiden Teile auf der
Bühne gegenseitig beeinträchtigen. Dabei kann man sich fragen,
ob überhaupt das mythisch-kosmische Spiel im Theater aufgeführt
werden soll. Richard Specht äußert sich darüber in einer Besprechung in der Zeitschrift « Der Merker »: « Ein Werk, wie Jaakobs
Traum, taugt kaum für die reale Bühne. Sie kann der Phantasie
des Lesers nicht nachkommen und muß enttäuschen. »

Wohl liegen auch hier — wie im « Grafen von Charolais » —
eine Reihe stärkster Bühneneffekte vor: Das Düstere der Szenen
zwischen Rebekah und Edom, zwischen Edom und Jaakob, — die
den Gestalten des Alten Testamentes angemessene Freskomalerei,
— die Knappheit der überaus prägnanten Diktion, — die geballte
Atmosphäre. Die Traumszenen müssen aber der Aufführung des
Dramas Eintrag tun. Denn kaum dürfte es je gelingen, Erwählung
und Ringen Jaakobs mit den überirdischen Mächten glaubhaft,
überzeugend und verpflichtend zu gestalten. Es zeigt sich hier eine
ähnlich fatale Erfahrung, die man gelegentlich mit der Aufführung antiker Stücke macht. Auf unserer am Realismus und
Naturalismus geschulten Bühne gelingt es nur in ganz seltenen
Ausnahmen, jene Evidenz des Numinosen zu erreichen, die der
beabsichtigten Wirkung entspräche.

Es war uns leider nie vergönnt, eine Aufführung selbst zu sehen.
Aber wir sind imstande, zwei namhafte Zeugen anzuführen. So

äußert sich *Richard Specht* unseres Erachtens durchaus richtig:
« Zu sagen ist: Daß die Szenen, in denen Menschen zu Menschen
sprechen, die stärksten und schönsten des Werkes sind... Aber
daß die eigentliche Hauptszene dann... nicht mehr so mächtig
ansteigt... Diese „Disputa" mit dem höheren Wesen hat etwas
Dialektisches in ihrer Dithyrambik, etwas allzu Überredendes,
allzu eifrig Verheißendes, so prachtvoll der Faltenwurf dieser
Verse ist, und auch die Stimme Gottes tönt nicht mit der über-
wältigenden Gewalt des überzeugend Niederrufenden, hat beinahe
etwas Talmudisches, irgendwie entschuldigend Verdrehendes, nicht
gebieterisch Offenbarendes. Aber wahrscheinlich, nein, sicher geht
das über alle Kraft des Wortes: Hier könnte nur Musik das Unsag-
bare ausdrücken. » (« Der Merker », 1919.)

Wie sehr gerade dieses Werk nach der Ergänzung durch die
Musik verlangt, beweist die denkwürdige Aufführung durch das
« Theater Habima », über die wir einen aufschlußreichen Aufsatz
Beer-Hofmanns besitzen.

Über die Erstaufführung in Frankfurt schrieb dann ein anderer
Rezensent, der seine Urteile unbestechlich allein auf Grund seiner
umfassenden Kenntnisse der modernen Dramatik fällt, *Bernhard
Diebold:* « Denn, so sehr auch im Stimmungsbereich stiller Lektüre
des Dichters ruhig-schöner Sprachfluß von seinem aufrichtigen
Gotteswillen und vom Streben Jaakobs aus irdischer Verwirrung
zu göttlicher Einigkeit zeugen mag — in der menschenverwirkli-
chenden Plastik der Bühnenaufführung tritt die Passivität und die
bedenkliche ethische Voraussetzung der Handlung mit unerwar-
teter Deutlichkeit zutage. Jaakob ist auf der Szene nicht mehr
Legende — sondern er *ist*. » (« Frankfurter Zeitung », 11.4.1921.)

II. « DER JUNGE DAVID »

Das Geschehen

Das Drama versetzt uns in die Zeit kurz vor Davids Krönung in Hebron. Vorbei sind die großen Siege Sauls über die Philister, vorbei der märchenhafte Aufstieg Davids, der Kampf mit dem Riesen Goliath, vorbei die Zeit, die er als Eidam des Königs und als Freund des königlichen Sohnes Jehonathan verlebte. Davids Erfolge haben Sauls unversöhnliche Eifersucht angestachelt. Jetzt trachtet er dem einstigen Liebling in ungezügelter Leidenschaft nach dem Leben.

Noch während Sauls Regierungszeit wollen drei Stämme, Juda, Dan und Simeon, David zu ihrem Fürsten ausrufen. Heimlich wird er vom Propheten Samuel zum König gesalbt. Bevor die Krönung stattfinden kann, muß er vor Sauls Nachstellungen über die Landesgrenze fliehen. Er findet Aufnahme bei König Achisch von Gath, einem der fünf Stadtfürsten der Philister. Er erhält ein Lehen an Israels Westgrenze: Ziklag.

Zu dieser Zeit aber rüsten sich die Philister für einen Kriegszug gegen Saul. Sie geben sich den Anschein, als gälten ihre Kriegsvorbereitungen einer Unternehmung gegen Damasek.

Sauls Sohn Eschbaal, Statthalter in einer nördlichen Grenzstadt, hat den Vater gewarnt. Doch Saul nimmt die Gefahr nicht so ernst. Sein ganzes Sinnen und Trachten geht immer nur auf die Vernichtung Davids. Deshalb läßt er wohl den Heerbann aufbieten, aber nur, wie er in « aufwirbelndem Rausch von Haß » verfügt, um Davids ganze Sippe in Bethlehem auszurotten (zweites Bild).

Unterdessen hat David sein Lehen verlassen und sich nach Israel begeben, um sich für die Krönung vorzubereiten. Denn es fehlen nur noch wenige Wochen, bis er von seinem Lehenseid frei ist und in Hebron zum Fürsten ausgerufen werden soll. In Bethlehem (drittes Bild) erfährt auch er von den Kriegsvorbereitungen der Philister. Auch er glaubt nicht, daß sie Israel gelten. Doch in

138

der gleichen Nacht treffen zwei Botschaften ein, die ihn vor ein furchtbares Dilemma stellen: Saul bietet den Heerbann seines Volkes auf, und kurz darauf bringt ein Eilbote der Philister den Befehl des Königs Achisch, sich sofort bei den Philistern zum Kriegszug gegen Saul zu stellen. Soll David dem Lehenseid treu bleiben und gegen sein eigenes Volk kämpfen? Oder soll er den Eid brechen und Saul zu Hilfe eilen, der seinen Anblick nicht erträgt und ihn eher vernichtet, als mit ihm in einen gemeinsamen Krieg zu ziehen?

In verzweifelter Stimmung eilt er an den Jordan, um von seinem Weib, Maacha, Abschied zu nehmen und den Befehl an seinen Neffen, Joab, abzugeben (viertes Bild). Maacha ruft in einer erschütternden Szene das ihrem Gatten drohende Unheil auf sich herab. Dann bricht sie auf, um vor der Krönung in Hebron noch einmal ihren Vater aufzusuchen. Kaum ist Maacha den Blicken Davids entschwunden, erhält er Nachricht, daß Ziklag von den Amalekitern während seiner Abwesenheit geplündert worden ist. Gleich darauf ertönen die Hörner der Philister: Boten des Königs Achisch. Sil-Bel, dessen Sohn, eifersüchtig auf die Gunst und Zuneigung, die sein Vater dem Fremdling und Freund gewährt, jagt David mit gehässigen Worten aus dem Dienst der Philister. David aber erkennt dahinter die gütige Meinung des Königs: Er hat ihn aus dem Eid gelöst, um ihn aus der Gewissensnot zu befreien. Zudem erschien er den andern Philisterfürsten nicht vertrauenswürdig genug. Der eben noch tief verzweifelte David reißt den Befehl wieder an sich. Er bricht sofort mit seinen Leuten auf, um die Plünderung Ziklags zu rächen.

Unterdessen aber hat das Verhängnis König Saul bereits ereilt. Er ist im Norden des Landes in eine Falle der Philister geraten und verliert samt seinem Weib Achinoam und seinen Söhnen das Leben (fünftes Bild).

Am Bach Besor (sechstes Bild) erfährt David das Unglück, das mit der Niederlage Sauls über Israel hereingebrochen ist. Eine einflußreiche Persönlichkeit aus seinem Gefolge, sein späterer Vertrauter und Ratgeber Achitophel, knüpft sofort Unterhandlungen an mit den Philistern und schließt einen Waffenstillstand mit ihnen.

Auf den Tag des Neumondes zieht David in Hebron ein. Kurz vor der Krönung meldet ein eben eingetroffener Bote, daß Maacha tot ist. Das Verhängnis hat sich an ihr erfüllt. David bricht zusammen und schlägt die Krone aus. Doch ein hundertjähriger Mann und seine Ahne Ruth brechen seinen « kindischen » Trotz. Er setzt sich die Krone aufs Haupt (siebentes Bild).

Verhältnis von Vorspiel und Hauptwerk

Der Dichter bleibt in diesem Drama ganz auf realem Boden. Nirgends mischen sich göttliche Mächte unmittelbar ins Geschehen ein. « Der junge David » bringt nun — vorbehaltlos gestehen wir es dem Dichter zu — tatsächlich das von Diebold geforderte « Drama vom Menschen ». Jedoch dürfen wir uns durch die von flutendem Leben erfüllte, an Gestalten und Begebenheiten reiche Dichtung, deren historisches Kolorit ebenso faszinierend oder noch tiefer erfaßt ist als das der Josefs-Romane von Thomas Mann, nicht darüber hinwegtäuschen lassen, daß wir ein « Spiel von der Welt », ein Theatrum mundi im Sinne Calderons oder Hofmannsthals (« Welttheater », Anm. 67), vor uns haben. Nur liegen seine Wurzeln ganz woanders. Hinter dem irdischen Geschehen, hinter dem « Drama vom Menschen », erheben sich die Schatten der streitenden Brüder Jaakob und Edom, die mythischen Gestalten des gnostischen Dualismus.

Jaakob setzt sich fort in David. Er ist von Gott zum Königtum berufen. Die Krone ist das Symbol der Herrschaft über die niedere stoffliche Existenz, über die Welt Edoms, das Symbol der Erhabenheit über das Leben. In David kämpft sich der Logos-Gott zur Herrschaft über die Erde durch. David ist der Exponent der Theokratie.

Edom dagegen erscheint wieder in zahllosen Verwandlungen. Edom-Samael ist die personifizierte höllische Versuchung, die proteushaft in den denkbar vielfältigsten Verkleidungen an den Menschen herantritt. Der geschichtliche Kampf Israels gegen die umliegenden Völker insbesondere ist für den Dichter das Symbol des welthistorischen Kampfes des Logos-Gottes gegen die finsteren Mächte.

An zwei Gestalten wird der Kampf des Lichtgottes gegen das chthonisch-unterweltliche Reich durchgeführt, an Saul und an David.

« Der junge David » zeigt den Untergang des alten Königs, der seiner Sendung nicht gewachsen war, und die Krönung des neuen, der das begonnene Werk unter besseren Voraussetzungen weiterführen soll. Das Drama behandelt hauptsächlich den individuellen Läuterungsprozeß Davids auf dem Weg zu diesem Ziel.

Der Untergang König Sauls

Saul feierte vor und bei seinem Regierungsantritt Triumphe. Die Befreiung der Stadt Jabesch und der Sieg gegen die Ammoniter bei Gilgal sind die Marksteine in seiner Jugendgeschichte. In Gilgal wurde er unter ungeheurem Jubel des Volkes feierlich gekrönt. Auf ihm ruhte sichtbar die Gnade Gottes, er war der Gesalbte des Herrn. « Lachend, weinend, ein Mann, ein Kind, Kraft — Stolz und Güte», so hing er am Halse Samuels, des Sehers und Propheten.

Saul war fest verwachsen mit der Erde. Vor der Krönung war er ein einfacher Bauer. Würziger Duft der Erde umgab ihn. Er stand im Besitz der mystischen Herrschaft über die Menschen. Er war Erlöser, Vorläufer des Heilandes, Linderer der menschlichen Not und Leiden, «Erhoffter einer Welt », der « Erbetene seines Volkes ».

> «... Das war ein Tag — in Gilgal !
> Die Opfer rauchten — eines armen Volkes
> Dank, Jubel, neues Hoffen loderte,
> Erlöst, zum Herren auf — Bresthafte sperrten
> Den Weg Schauls, daß sein Berühren heile,
> Die Kinder hielt man hin, damit ein Blick
> Schauls ihr Leben segne ...»

Saul aber stürzte sich mehrfach in Schuld. Seine Schuld wird nicht so deutlich, wie dies für die innere Logik des Dramas wünschenswert wäre. Wir sind, um den Gnadenverlust zu verstehen, gezwungen, den Umweg über die Heilige Schrift und über die Bibelexegetiker zu nehmen (Anm. 68). Vor allem hatte er aus schwächlichem Mitleid und aus falsch angewandtem Edelmut den Befehl, die Feinde Israels auszurotten, nicht durchgreifend befolgt. Denn die politischen Feinde, vor allem die westlichen und südlichen kriegslustigen Nachbarvölker, sind Sendlinge des finsteren Weltreiches, Repräsentation der Sünde. In seiner schonenden Haltung ihnen gegenüber erkennen wir ein Symbol seines unkonsequenten, kompromißbereiten Verhaltens gegen die materielle Welt. Dadurch wird er zum Verräter an der Idee der Theokratie.

Darum geht der Segen von ihm auf David, seinen Gefolgsmann, über. In diesem Augenblick ergreift der Geist der vernichtenden Astarte Besitz von ihm, er sinkt ab zum personifizierten Chaos. Zwar trägt er noch immer die Krone, das äußere Zeichen der Herrschaft, auf seinem Haupt. Darum verfügt er über die äußere Macht, die rohe tyrannische Gewalt. Aber alles, was er beginnt, wirkt ins Böse. Er ist ein « Glückloser, Tiefverstörter ». Von jetzt an verhüllen die Frauen das Antlitz ihrer Kinder vor ihm. «Unheil schickt sein Auge aus — — er hat den bösen Blick! » Der Alternde gar ist gänzlich der Depravation, im schlimmsten Sinne des Wortes, verfallen.

> «... Haß und Neid und Ohnmacht —
> Kraftlose Wut, die sich an Mord berauscht —
> Ein Tier, das aufheult, taumelt, schäumt und lästert —. »

Zwar versucht er in übermenschlichem Ringen den Bann, der über ihm liegt, zu durchbrechen. Im harfenspielenden David hoffte er seiner « Schwermut » zu entrinnen — freilich mit Erreichung des genauen Gegenteils. Die unmittelbar bezwingende Kraft, die Magie, die unwiderstehliche Gewalt über die Herzen der Menschen, sind ihm verlorengegangen. Mit erschütternder Klarheit tritt es ihm ins Bewußtsein, als er Uriah, Davids gefangenen Sklaven, auf seine Seite herüberziehen will. Ihn setzt er sich zum « Wunderzeichen ». Wenn Uriah von David abläßt und sich ihm zuneigt, dann ist « noch nicht alles aus » für ihn.

> « Du sollst mir sein so wie ein spät gekommnes
> Von Alternden kaum mehr erhofftes Kind. »

Aber Uriah entgegnet nur: « Die Krone gib an David! »

Statt sich mit David auszusöhnen und sich seinem Geschick zu ergeben, verfolgt er ihn in blinder Eifersucht, verfolgt ihn immer heftiger in dem Maße, als die Gnade von ihm weicht. In diesem krankhaften Bemühen, den Träger des Segens zu töten — ein aussichtsloses Edoms-Unterfangen! — wird er zum Verbrecher an Gottes Heiligtum: Er läßt die gesamte Priesterschaft des Heiligtums zu Nob töten, weil sie David für eine Nacht Unterschlupf gewährt hatte. Es ist bezeichnend, daß das Blutbad von Doeg, dem Obersten in Sauls Stallungen, einem *Edomiter,* vollstreckt wurde.

Saul ist unrettbar vergiftet vom Geist der Rache und der Eifersucht. Er « sieht nichts andres mehr als David ». Jedes normale menschliche Maß ist ihm abhanden gekommen. Achinoam, seine Frau, hat das Kainsmal, das auf seiner Stirn eingegraben ist, erkannt. Aus ihm spricht der Wahnwitz der Hybris. Er ist nicht mehr er selbst.

> « Und was ein Mensch noch tun darf, was noch sagen — —
> Du weißts ja nicht mehr — furchtbar artets aus ! »

Saul trägt aber auch Züge der Dekadenz an sich. Aus Furcht vor Verrat und Tod trägt er unter dem Hemd einen Kettenpanzer. Das ist nichts anderes als ein Symbol dafür, daß er auch geistig entartet, daß er wurzellos und im Kerker des Ichs gefangen ist. Es ist dasselbe Motiv wie das « Mieder » jedes dekadenten Protagonisten Freddy, der sich dadurch vor dem Altern zu bewahren glaubte, der den Verfall damit aufzuhalten hoffte. Saul stammt außerdem — ähnlich wie der Graf von Charolais — vom Geschlecht eines « Muttermörders » ab: Er ist Benjaminite; denn an Benjamins Geburt ist Rahel, Jaakobs Lieblingsfrau, gestorben. Auf diese Beziehung spielt der Dichter zu Beginn seines Dramas deutlich an.

Sauls Bewußtsein ist gespalten. Er ist « mit sich zerfallen ». Er ist eine dämonische Natur. Er schwankt zwischen haltloser Versunkenheit in das Reich der Mütter und dämonisch-mephistophelischer Kälte. Darum ist er gleichzeitig hysterisch und zynisch.

Sauls Tod ist ganz in dem Sinne seiner finsteren Repräsentation zu verstehen. Es ist ein Abstieg in die düstere Unterwelt. Es ist der Tod des schwarzen Magiers. Aus der ununterbrochen wachen Urangst vor den vernichtenden niederen Kräften gerät er dank seines Unsternes gerade in deren Schlingen. Auch hierin ist die Parallele zum Grafen von Charolais offensichtlich. Saul will sich gegen David wenden und seine Sippe vernichten. Statt dessen brechen die Philister in das Land ein. Ihnen muß er nun gezwungenermaßen gegenübertreten. Die Philister sind das Symbol des Ungeistes, der Depravation, der vernichtenden Astarte. Es ist deshalb symbolisch aufzufassen, wenn Saul, begleitet von seinem Weibe Achinoam, ausgerechnet in die von feindlichen Bogenschützen besetzte Schlucht im Gebirge Gilboa eindringt. Dort in der Klamm — in einer finsteren, « sternenlosen » Nacht — geht er zugrunde, geht zugrunde unter dem Zeichen der vernichtenden Großen Mutter.

Erst in der Gegenüberstellung mit David kann Sauls Bedeutung richtig erkannt werden. Saul könnte nicht wie Edom als die mythische Verkörperung des nur chthonisch Unterweltlichen, des finsteren Weltreiches angesprochen werden. Denn er trägt noch immer die Krone, das Symbol der Herrschaft, auf dem Haupte. Er ist der Gesalbte. Sein früherer Ruhm ist nicht ausgelöscht. Ein Abglanz seines Königtums ruht immer noch auf ihm. Das wird spürbar, wenn alle Bitterkeit, alle Leidenschaft von ihm weicht und er unbewegt in seinem Innern die letzten Spuren seines glücklichen, erfolgreichen Lebens aufsucht, er das geheim flutende Weben seiner zuzeiten verschütteten Seele erlauscht; dann vermag er sich zu besinnen auf seine Jugend. Deshalb schreibt er « Seine Geschichte » auf. Er sieht darin den letzten Trost seines « müdenttäuschten » Alters. Noch einmal erhebt sich vor den Augen des Todesnahen das Bild seiner aufsteigenden Periode. Es ist die großartige und ergreifende Gebärde des von der Zeit überholten Menschen, wenn er in höchster Bitterkeit und Erschütterung, während aus seinen «weitoffenen Augen Tränen brechen », ausruft:

> « ... Tag von Gilgal ! —
> Mein Tag von Gilgal ! Tag — wie bist du — weit ! »

(Anm. 69.)

Die Gestalt des jungen David

David ist im Gegensatz zum alternden Saul der Repräsentant des Lichten und Schönen, der jugendliche Held der erhofften Zukunft. An ihm soll die Entwicklung zu höherer, umfassenderer Menschlichkeit gezeigt werden, um die auch der heutige Mensch ringt.

Er ist ein « Kind der Erde ». Auch er war Bauernsohn und Hirt. Seine dynamische, erdhafte Kraft ist unbezweifelbar. Als Sänger und Harfenspieler besitzt er das Medium, mit dem man die Menschen verzaubert, sie außer sich versetzt. Mit Musik wollte er seinen König von der « Schwermut » befreien. Saul konnte sich ihm anfänglich nicht entziehen. Noch im Stadium des Wahnsinns hat er Bewußtsein von Davids Gnade:

> « Und wenn er mittags durch die Wiesen geht,
> Umsummen suchend Bienen ihn, so duftet
> Sein heißer Leib nach Lorbeerrosen ... »

Dieses Motiv begegnete uns schon im « Tod Georgs »: Falter umtaumeln den Saum des Sterbekleides der visionären Gestalt.

In einer Mythe, die man sich jetzt schon über David erzählt, wird gesagt, daß er in der Nacht zurücksinke in die chthonischen Gefilde:

> « Er streckt sich aus, raunt einen Zauber, und —
> Ein luftges Scheinbild bloß bleibt auf dem Lager —
> Er selbst sinkt in die Erde tief und tiefer,
> Schläft drunt den ruhevollen Erdenschlaf —
> Erst mit der Sonne hebts herauf ihn wieder
> Zurück ans Licht ! »

Wie David aber drunten und außen lebt, so lebt er auch innen, verfügt über die vereinigenden Kräfte, über die magische Unbezwinglichkeit. Er ist imstande, sein Wesen um einen Mittelpunkt zu sammeln. Er ist im Besitz der göttlichen Gnade. Nicht wie Edom « ehrt » oder « fürchtet » er Gott, opfert ihm mit « mattem, dumpfem Sinn ». David « liebt » seinen Gott, wirft sich wie ein Kind an seinen Hals und birgt sein Gesicht an seinen Vaterwangen.

> « ... Von Kindertagen an
> Hat Gott dich an sein Herz gehoben — dich
> Getragen — wie ein Hirt sein liebstes Lamm —
> Hat aller Menschen Herz dir zugewandt —
> Gehäuft auf dich von allen seinen Gnaden —. »

Wie zu Jaakob spricht alles zu ihm. Alle Menschen sind ihm zugewandt. Sogar ihre Träume beherrscht er. Auch Saul bekennt: « Im Traum noch hat er über euch Gewalt! » Elischeba, ein junges Mädchen, das rastlos seinen Abgott David mit allerlei Legenden umwebt, gesteht ihm einmal « hingegeben »: « Herr — unsern Träumen befiehlst du nachts — thronst über unserm Tag! »

David und Ruth

Ruth ist, wie Rebekah in « Jaakobs Traum », säkularisierte Mutter-Göttin. Sie ragt aus der Vergangenheit, die ist wie « Zeit der Märchen », als ein « scheu gegrüßtes, heilges Ahnenbild » in die Gegenwart herüber. Sie verkörpert das verlorene Matriarchat. Ihre Jugendgeschichte wird im Prolog zum « Jungen David » erzählt. Sie folgte ihrer Schwiegermutter Naemi aus der Landschaft

Moab nach Israel. Schon in den Bildern des Prologes treten die chthonischen Symbole in die Dominanz:

> « Es wird jäh hell. Ein hohes dichtes *Ährenfeld* steht *gold*leuchtend in Mittagsglut gegen den blauen Horizont ... Vorne, am Feldrand, Ruth in ungegürtetem *weißen* Linnengewand » usf.

Als ausschließlich elementare Naturkraft tritt sie noch deutlicher in Erscheinung in folgender Schilderung:

> « Nur manchmal, wenn die Frucht der Felder reift,
> Läßt sie — eh Abend wird — vors Tor sich tragen,
> Und durch die Frucht, die hochsteht, schreitet sie
> Allein — gehüllt in weißes Linnen, das
> Im Abendlicht wie Schnee des Hermon leuchtet.
> Im Volke raunen sie, die Halme wichen
> Zur Seite, eh sie noch ihr Fuß gestreift,
> Des Feldes scheue Vögel blieben furchtlos
> Bei ihrer Brut, und Abendfalter ruhten,
> Vom Taumelfluge müd, auf ihrer Hand. —
> So wandelt schweigend durch der Felder Segen
> Ruth — bis am blaßen Abendhimmel silbern
> Die Sichel steht — ... »

Sie ist das Abbild der ernährenden Astarte. Sie ist gütige Mutter, zu der das Volk in tiefer Ehrerbietung emporschaut.

Das Haus, das sie in Bethlehem bewohnt, ist wie Beth-El als vereinigendes Symbol zu bewerten. Sie lebt in einem « turmartigen Bau », der von einem Weinstock dicht umwachsen ist. Ähnliche Bedeutung eignet übrigens dem Hause Davids: « Auf einer Höhle, darin ein Quell, ist Davids Haus gebaut! » — Haus oder Turm ist Symbol der menschlichen Individualität. Daß das Haus auf einer Höhle errichtet ist, in der ein *Quell* entspringt, — daß der Turm umrankt von *Weinreben* ist, bedeutet, daß diese Menschen im Bezug zur Erde stehen.

Ruth hat für Davids Sippe die Bedeutung einer Mutter-Gottheit. Wie sehr sie gar der Astarte zuzeiten gleicht, beweist folgende Stelle:

> « .. Ein Sklave —
> Ein Chenaani — sah sie einstens so;
> Der schrie und fiel aufs Antlitz — also glich sie
> Der Mondesherrin, die in weißem Silber
> Zu Astharoth in heilgem Hause thront! »

Zweimal kommt David in Berührung mit seiner Urahne. Das erstemal fragt er sie um Rat, als er sich in dem Dilemma befindet, ob er dem Eide gehorchen oder seinem Volk treu bleiben soll. Mit seinem Verstande kann er diese Situation nicht meistern. Darum sucht er die Gottheit auf, steigt er gleichsam « zu den Müttern » hinunter.

Auf Davids Anruf gibt Ruth, die jüdische Pythia, einen Rat, der, einem delphischen Orakel gleich, scheinbar keine Lösung des Konfliktes zuläßt: « Sei treu! » Mit Recht fragt sich David: « Treu — wem ?... Meinem Volk ? — dem Eid ? » Den tieferen Sinn des orphischen Dunkelwortes kann er jetzt noch nicht enträtseln. Vorläufig gehorcht er seiner innern Stimme und eilt an den Jordan, um Maacha aufzusuchen.

Ganz am Schluß greift Ruth noch einmal bestimmend in sein Leben ein, als er, von der Nachricht von Maachas Tod im Innersten getroffen, die Krone ausschlagen will. Sie muß ihn ermahnen, seine Bahn zu vollenden. Sie fleht auf ihn Gottes Segen herab. In der Beschwörung der chthonischen Symbole gibt sie ihm die Leitbilder, die ihn in seiner Einsamkeit umgeben sollen. Denn als Erwählter, Gesalbter und Gekrönter ist er aus den Menschen herausgenommen. Es droht also die Entartung, der Saul anheimgefallen ist. Sie segnet ihn als Mutter, damit er weder der verstörenden Macht der Geistigkeit noch der Verwirrung der Depravation erliegen möge:

« Du wählst ihn, HERR ! — so wird ihn einst umbreiten
Deiner Erwählten große Einsamkeit !
Was um ihn war, wird langsam stumm entgleiten —
Verdämmern — schattenhaft — fremd — weltenweit — —
Mach dann sein Herz erglühn in neuem, seligem Staunen
Ob deiner Welt — laß Wolke, Blühen, Wind,
Gestirn, Getier ihm rauschen, leuchten, raunen,
Daß er nicht einsam, daß sie seinesgleichen,
Gefährten ihm — treu bis ans Ende — sind ! »

Von hier aus erhalten wir erstmals einen tiefern Einblick in Davids Läuterungsprozeß. David hatte vor dem alternden Saul, dem personifizierten Chaos, die Flucht ergriffen. Diese Flucht ist gleichbedeutend mit derjenigen Jaakobs vor Edom. Es ist ein Versuch, das « Leben » zu überspringen, der Entscheidung aus dem Wege zu gehen. Er drohte damit in der Richtung der geistigen Welthälfte zu entarten, den Gefahren der Präexistenz zu erliegen. Ähnlich wie Saul gerät auch David auf diese Weise ausgerechnet in die Schlingen der Pelischtim: Er wird ihr *Lehensmann*. Er wird zwar nicht von ihnen *getötet,* weil er auch gar nicht aus innerster Überzeugung gegen sie steht. Das geht auch hervor aus seinem Verhältnis zu Eliab, seinem älteren Bruder. *Eliab* ist eine Edomsgestalt ohne alle Dämonie und Finsternis. Er wird von David mit « ewiger Bruder » angesprochen. Er personifiziert seine « Schwermut », er vertritt seine Körperlichkeit, das Dumpfe der ungelösten Stofflichkeit. Eliab steht ganz im Dienste des diesseitigen David. Er ist « verschlossen », lebt nicht sein eigenes Leben und wirft es hin in « Davids Brand ».

Doch nun machen zu gleicher Zeit beide Weltsphären, Gott und die Unterwelt, ihre Ansprüche auf David geltend; die Philister treten in den Kampf gegen Israel, und beide hoffen auf Davids Gefolgschaft. Beiden gehört David an, den Seinen im Blute und wegen des Segens, den Fremden durch einen Vertrag. Jaakobs Blutbrüderschaft mit Edom, der Vertrag mit den unteren Mächten — hier wirkt unzweifelhaft auch Fausts Pakt mit Mephisto nach — zeigt seine fatale Kehrseite. David steht hier vor der entscheidenden Frage, die sich jeder individuellen menschlichen Existenz stellt: Wer bin ich? In welchem Verhältnis steht mein Körper zu meiner Seele? Für David freilich ist das Problem komplizierter und doch auch wieder einfacher. Komplizierter, weil er nicht sich selber gehört, weil ein Volk ihn « erträumt » und ihn « ruft »; einfacher, weil er das klare Bewußtsein seiner Sendung in sich trägt.

Wie Jaakob hatte sich David « überhoben ». Er wollte dem Kampf mit den Mächten Edoms ausweichen. Er wollte den Kampf mit den irdischen Bindungen vermeiden. Darum war er Lehensmann der Philister geworden. Er hatte sich dem Wahn hingegeben, in Hebron zum Fürsten ausgerufen werden und zur Krone kommen zu können, ohne den Kampf mit der stofflichen Macht durchgerungen zu haben. Darum hatte er sich in diesen Konflikt verstrickt. Wie Jaakob sagte: « Ich überhob mich wohl », so sagt David jetzt von sich: « Ein Mann, der sich in Hochmut überhob. » Und wie sich Jaakob des Segens begeben will, so lehnt David zweimal die Berufung zum Führer ab, zuerst das Kommando über seine Truppe, dann die Krone.

In den Szenen mit Maacha jedoch tritt David in die kritische Phase seiner Entwicklung ein.

148

David und Maacha

Die Szenen zwischen Maacha und David, in denen sich der ganze Prunk seiner dichten und klangsatten Sprache bis an die Grenzen ihrer Ausdrucksmöglichkeit entfaltete, gehören zum Ergreifendsten, was uns Beer-Hofmann geschenkt hat. Wie so viele seiner Figuren gleichsam nur gestalthaft belichtet sind, ihre Umrisse aber im Dämmer verfließen, so sinkt auch Maacha als eine Fremde in dieser Welt der Wirrungen auf alle Seiten hin ins Dunkle und Schattenhafte zurück. Maacha ist aber keine dünne Geistgestalt und etwa mit den blutleeren Frauen im « Tod Georgs » oder im « Grafen von Charolais » in eine Linie zu bringen. Sie ist aber ebensowenig eine « überirdische Erscheinung »; sie ist nur « *herrlich irdischer* » als wir. In ihr verkörpert sich alles Schöne und Beglückende, was die Erde dem Menschen zu schenken imstande ist.

David glaubt, sie habe « Vater und Mutter nur zum Schein ». Ähnlich wie eine Sage von der Geburt der indischen Weltgöttin erzählt, war sie « in einer Lilie Kelch erblüht ». Sie ist verwandt der meerentstiegenen Venus, der Aphrodite Anadyomene, der « auftauchenden Göttin ». Wir müssen in Maacha eine Art säkularisierte Frühlingsgöttin, eine Göttin der Liebe, vielleicht eine der Grazien erkennen.

Aber sie steht in kraftvollen Bezügen zur Erde. Sie ist im Geiste all jenen Gestalten Beer-Hofmanns verwandt, die « die Dinge bewegen » können:

> « ... Um sie :
> Duft, Frühwind, Summen, Falterflug und Tau !
> Uralter Erde Kräfte nährten sie :
> Verborgnes Quellen — großer Tiefe Glühn !
> Es reifte Sonne sie — Licht milder Sterne
> War über ihrem Schlummer wach — — von alldem
> Blieb noch in ihr ! Drum blüht und rauscht und weht
> Um sie Verwandtes nur — Blick, Ruf der Tiere
> Kommt zu ihr, wie zu seinesgleichen ! Freien
> Zutritt hat all dies zu ihr —. »

Die erste Begegnung Davids mit Maacha, die in einem Dialog zwischen ihm und seiner Schwester Serujah erzählt wird, erinnert uns an Bekanntes:

> « Im frühen Jahr wars in Geschur, Schnee hing
> Noch an des Hermons Hängen, und ich stand —
> Ich wußte von Maacha nicht — am Abend
> Im Tal. » —

Dann nahte ihm eine Gestalt, stieg zu ihm herab, gleich einer
Erscheinung. Wir erinnern uns der Visionen Pauls und der ersten
Begegnung des Grafen von Charolais mit Désirée.

> «... Da kams herab
> Fast noch ein Kind — vom Schatten blau umschleiert,
> Weil hinter ihm die Sonne sank — ich schied
> Die Züge kaum — den Blick nur —, über mich
> Hinaus — ging ruhig er in große Ferne ! »

Für David ist in dieser Vision das Schicksal entschieden: « Ein
Wunder brach über mich herein. » Er wollte sie besitzen. Und in
ihr will er die *Erde* besitzen.

Als sie den Blick ihm zuwandte, fühlte er, wie ihm das *Leben*,
das ihm zu entweichen drohte, zurückkehrte:

> « Da kam ihr Blick zu mir — er kam — und mit ihm
> Kam mir zurück mein Herz — schwoll — schlug und schlug —
> Lebendges Leben — jubelnd ...»

Maacha ist die jüngere Schwester Ruths. Einmal spricht David
zu Ruth:

> « Sprich, Ahne ! — Wie Maachas Stimme ist die deine —
> Kühl, silbern — Morgenluft auf Fieberschläfen ! »

Von Ruth war David zu Maacha geflohen, um von ihr Abschied
zu nehmen. In dieser Flucht steigt er gleichsam noch tiefer in die
Erde und noch tiefer hinunter zu den Müttern, dorthin, wo er sein
Urbild findet. Er sucht Zuflucht beim Irdischen. Deshalb spielt die
Szene in einer *Höhle,* und ihm, der von außen kommt, begegnet
Maacha, die aus der « Nebenhöhle », gewissermaßen aus dem innersten Innern der Erde herausgetreten ist. Sie ist die Emanation
seiner leiblichen Existenz. Sie ist sein unterbewußtes Gegenbild,
seine Anima. Im Verein mit Maacha vermag er die Grenze der
Individualität zu durchbrechen und die göttliche Zweieinheit zu
antizipieren. Mit dem Dreifuß seiner Sprache begabt, ein Zauberer
und Magier, lockt er das Urbild des Menschen an den Tag hervor:

> « Maacha — hör : Wies zwischen uns ist — so — —
> Ein-mal in tausend Jahren darf vielleicht
> Dies Wunder blühn ! — ...
> Du nimmst nur meine Hand — — und schon
> Ist rings gebannt ein Kreis — Vergängliches

Der Welt weicht weit — wir schreiten Hand in Hand —
Geschwister — und doch ahnenlos — wir beide — —
Am ersten Schöpfungstag ! »

In Maacha kommt der Mann zur Ruhe, vermag er die Spannung
seines Innern, den unheilbaren Riß seines Wesens zu überbrücken.
In ihr beschwichtigt er den Urkonflikt zwischen Frau und Mann,
zwischen Eros und Logos. Im « Schatten » ihrer Weiblichkeit
ruhend, wird er ganzer Mensch. Sie ist Ziel seiner irdischen Sehnsucht, seine « Heimat ».

Vom psychologischen Standpunkt aus erscheint es vielleicht
auffällig, daß David seine Gattin, die ihm zwei Kinder geboren
hat, nicht in die drohende Gefahr einweiht. Es wäre zu erwarten
gewesen, daß er sie von der unglücklichen Wendung der Dinge
unterrichtet hätte. Das Drama kann aber nicht mit solchem Maß
gemessen werden. Denn Maacha könnte ihm ebensowenig helfen
wie Eliab oder Ruth. Wenn David am Leben bleiben will, kann er
sich dem Dilemma nur durch Flucht entziehen. Dann aber wäre er
« untreu ». Das orphische Dunkelwort « Sei treu » aber läßt seiner
Meinung nach nur eine Lösung zu. Der irdischen Unfreiheit kann
er nur entweichen, indem er sein individuelles Leben auslöscht.
Dann ist er « treu seiner tiefsten Art ». Darum nimmt er von
Maacha Abschied. Mit diesem Abschied von Maacha durchläuft
das Drama von David die Peripetie. Nicht zufällig ereignen sich
die Szenen mit Maacha und Sil-Bel im kompositorisch mittleren
Bild. Hier entscheidet sich Davids Existenz. Er allerdings trennt
sich von Maacha in der Überzeugung, daß er dem Tode verfallen
ist. Aus den Andeutungen, die er seiner Schwester Serujah gegenüber und später bei der Übergabe des Kommandos an Joab fallen
läßt, kann geschlossen werden, daß er eine Max-Piccolomini-Kon-
sequenz zu ziehen gewillt ist. In Gottes Weltplan aber ist beschlossen, daß David bestehen bleiben muß, — mehr noch, daß er König
werden soll. In der Krone, die kein Sterblicher außer dem Gesalbten
berühren darf, liegt das Symbol der Erhabenheit über die irdischen
Bindungen und über das Leben. Um ihrer würdig zu sein, muß
sich David zuerst von seiner Verstrickung in die Gemeinschaft
und vom Vertrag mit den niedern Mächten lösen. Die Logik des
Dramas verlangt deshalb, daß das schwarze Weltreich, die nächtige
und dämonische Gottheit, ein Opfer aus Davids Händen empfängt.

Und dieses Opfer ist Maacha. Sie selbst bietet sich dem Schicksal an:

> « Wenn unabwendbar über uns jetzt einer
> die eisigen schweren schwarzen Flügel schlägt — —
> Wenn jetzt ein Opfer sein muß — ... Hier ! — sei ich es —
> Nicht er ! »

« Sich darbietend » und « in letzter Hingabe » hat damit Maacha das dräuende Unheil von dem in den Fesseln der Stofflichkeit verstrickten David abgewendet. David ist durch ihr Opfer aus dieser Verstrickung befreit. In diesem metaphysischen Tauschhandel mit dem « Dunkeln », mit den finstern Mächten, mit der vernichtenden Welt-Göttin, liegt die einzige Motivation für Maachas Tod. So starb sie nicht aus äußerer Ursache. Auf der Reise nach Geschur kam ihr der Vater entgegen:

> « . . Sie schien zu schwanken — ich sprang
> Herzu — sie wehrte ab : „Es geht vorüber !"
> Und lächelnd schritt dem Vater sie entgegen,
> Hob, da sie nah war, ihre Lippen zu
> Ihm auf — sank hin — — und war nicht mehr! »

Wie die Frau im « Tod Georgs » an der verstörenden Geistigkeit des Mannes zugrunde gegangen war, so stirbt Maacha bei der Begegnung mit dem *Vater*.

David hat Einsicht in die Gründe, die zu ihrem Tode führten. Er kann die metaphysischen Ursachen ihres Todes ermessen, und er gelangt, indem er ins Innerste gründet, zur Erkenntnis seines Schicksals.

> « ... Eliab ! — Keiner weiß es :
> Sie starb für mich ! — Sie fühlte über mir
> Des Todes Drohn — riß sich den Kranz vom Haupt —
> Schrie auf zum *Dunkel,* bot sich ihm statt meiner
> Als Opfer — .. und das Dunkel nahm es an ! »

Wenn wir uns darauf besinnen, wofür in der Verzahnung der dramatischen Ereignisse Maachas Tod gut war, dann müssen wir sagen: Für die Loslösung Davids aus dem Lehensverhältnis zu König Achisch. Wir sind gewohnt, in den Pelischtim die Vertreter der Depravation zu sehen. Kurz nach Maachas Abreise trifft deshalb der Abgeordnete des Königs Achisch von Gath mit der Botschaft ein, daß David von seinem Eid befreit ist.

Es verhält sich, zugespitzt ausgedrückt, so: Als Gegenwert für Maacha wird David aus der Hörigkeit gegenüber den Pelischtim entlassen. Oder, indem er die Königskrone auf sich zu nehmen gesonnen ist, indem er den niederen Mächten entrinnen will, muß er auch auf Maacha, das verführerische und über jeden Zweifel erhabene Geschenk der chthonischen Gottheiten, verzichten.

Es muß hier darauf hingewiesen werden, daß mit der Einsicht in die letzten metaphysischen Gründe des Todes der Maacha, die der Dichter seinem Helden spielerisch gewährt, David der Tragik ausgewichen ist. Dies erklärt sich ja aus der Tatsache, daß David weiterbestehen *muß*. Darin liegt auch die letzte, prinzipielle Unausdeutbarkeit des Dramas. Denn den Umfang von Davids Schicksal und Sinn oder Bedeutung von Maachas Tod können wir von hier aus einfach nicht deutlich genug ermessen.

Maachas Opfertod ist eine höhere Form jenes Opfers, das schon Jaakob als Tribut an die finsteren Mächte zahlen mußte. Maacha ist gewissermaßen die Personifikation des Opfers, das dort im *Lamm* verkörpert war. Man kann aber auch weitergehend eine Übereinstimmung im Symbolgehalt der Vorgänge vermuten, die sich in « Das Kind » zwischen Paul und dem toten Kind, im « Tod Georgs » zwischen Paul und der Frau, besonders aber zwischen Paul und Georg, im « Grafen von Charolais » zwischen Graf und Désirée abspielen.

Sil-Bel

Die Philister, und unter ihnen besonders der Sohn des Königs von Gath, Sil-Bel, sind die Repräsentanten der Entartung im Fleische, der Depravation. Allgemeiner sind sie als Volk dasselbe für die Israeliten, was Edom für Jaakob: die Vertreter des finstern Weltreiches. In ihrem unausgesetzten Kampf gegen Israel ist das unausgesetzte Anbranden der niederen, tierischen, chthonischen Mächte gegen das Lichtreich, der ewige Versuch des Chaos, in die Ordnung des Kosmos einzubrechen, symbolisiert. In Sil-Bel tritt dem jungen David das finstere Reich Edoms in seiner extremsten und unverhülltesten Form gegenüber. Er nimmt sich Sil-Bel zum Symbol des verworfenen Sendlings der Hölle.

Bevor Sil-Bel im Lager Davids eintrifft, wird ein Sklave eingebracht, der den Amalekitern bei ihrem Überfall auf Ziklag entlaufen war. Er ist in grausamster Weise mißhandelt worden; Nase und Ohren sind ihm abgeschnitten. In diesem furchtbar zugerichteten Menschen erkennt David das Werk der Pelischtim. In ihnen droht das Chaos in die Menschheit einzubrechen, droht die Macht der Finsternis ihre Herrschaft über das Geschlecht der Menschen auszubreiten. Mit der ganzen Kraft seiner Persönlichkeit lehnt er sich jetzt dagegen auf. Nachdem Sil-Bel sich seines Auftrages entledigt hat, reißt David den halbtoten Sklaven vom Boden auf und hält ihn « wie einen Spiegel » Sil-Bel entgegen.

> « „Gesandt" bin ich — nicht länger euch zu dulden ! —
> Von üppiger, verbuhlter Insel kamt ihr:
> Raubvolk zur See — und räubert nun zu Land !
> Auf allen Sklavenmärkten eure Ware !
> An Menschenraub euch mästend, niemals satt —
> Pfählt, kreuzigt ihr, was wider euch das Haupt hebt,
> Was euch entfliehn will — — da ! dem tut ihr so !
> Ein Mensch — ein Bruder-Antlitz wars — — und wie
> Hat mans geschändet ! »

Die letzte Spur von Sympathie mit der blutgierigen Astarte ist damit verflogen. Mit diesen Worten distanziert sich David überzeugungsmäßig völlig von der Denkweise der Philister. Damit trennt er sich endgültig vom Reich des Untern. Er droht nun selbst die Lande der Philister mit Krieg, Raub und Verwüstung zu überziehen, wenn sie nicht ablassen von Israel. Damit hat er sich entschieden. In ihm wird der Kampf der theokratischen Idee gegen die finstere Urwelt weitergehen.

All das, was sich zwischen dem Philisterfürsten, David und dem Sklaven abspielt, muß als eine überaus düstere Vision des Dichters bewertet werden. Ist doch das furchtbare symbolhafte Geschehen des mißhandelten Menschen inzwischen in denkbar grauenhaftester und blutigster Weise Wirklichkeit geworden. Sil-Bel ist der Repräsentant des modernen, verkommenen, vertierten Menschen, der alle Dämme der Sittlichkeit, der Menschenwürde, der Humanität niederreißt.

Achitophel

Eine der rätselhaftesten Gestalten des Dramas ist unzweifelhaft Achitophel. Er ist der Sohn eines als « unrein erachteten » Lohgerbers. Aus der Niederung einer sozial tiefstehenden Familie hat er sich emporgerungen durch Zähigkeit und Beharrlichkeit zu einer geachteten, wenn auch nicht beliebten Persönlichkeit. Nachdem er erkannt hat, daß Sauls Geschick abwärts rollt, versucht er sich bei David Zutritt zu verschaffen, denn « David steigt auf ». Er bringt es in Davids Dienst, trotzdem er auf allgemeine Antipathie stößt, bis zum einflußreichen Ratgeber. Wir sind versucht, in ihm eine Art Personifikation der rationalen Fähigkeiten Davids zu erkennen. In ihm ist der Charakter des jüdischen Menschen in « seinen Brüchen und ausweichenden Bügen », das Anfechtbare jenes « transportablen Geistes », jener « Mobilität und Versetzbarkeit des innern Zentrums », von dem Rilke in einem interessanten Brief spricht, dargestellt (Anm. 70). In Achitophel ist die Problematik und Fragwürdigkeit des jüdischen Menschen angedeutet, wie sie auch im « Tod Georgs », im « Grafen von Charolais » in der Figur des roten Itzig, in « Jaakobs Traum » in den Prophezeiungen Samaels zur Darstellung kommt.

Wir stellen einige der wichtigsten Charakterzüge dieser merkwürdigen und scharf gezeichneten Figur zusammen.

Achitophel hat ein gutes Gedächtnis und stets offene Augen. Er merkt sich jede Einzelheit. Er kennt das Land wie keiner. Er ist reich, klug, ehrgeizig. Er « holt » gerne die Leute aus. Für jede Schmähung hat er eine treffende Antwort bereit, die sein Gegenüber entwaffnet. Zu Davids geradem und offenem Wesen tritt er gelegentlich in schärfsten Gegensatz.

«... Eins noch — Herr Achitophel!
Um Eure Lippen schlängelt manchmal — unschön —
Sich etwas, was an Treue — Ehre — Liebe
Nicht glaubt. Aus Klugheit — wenn nicht anders — Achitophel —
Schätzt nicht gering die drei! — Glaubt mir: Sie sind!»

Auf diese leise, aber im Grunde sehr verletzende Bemerkung findet Achitophel sofort die Antwort: « Sie sind! — Nur: Kronen — macht man nicht daraus! » In dieser Bemerkung ist das leicht Korrupte dieser Gestalt sehr fein charakterisiert. Das ist auch der Fall in folgender Regieanmerkung: « Seine Art zu sprechen wechselt bewußt — nicht zu auffällig — je nach den Personen, an die er sich wendet. » (Vgl. Anm. 14.)

Noch einmal prallt Achitophel zusammen mit David. Als David vor seinen Leuten das Bild der im Abgrund siechenden Urgötter beschwört, streut Achitophel eine Bemerkung ein, die jede Mythologisierung ironisiert:

« Nichts siecht im Abgrund — in uns liegts und lauerts ! »

Man muß zugeben, daß die Zeichnung dieser Figur außerordentlich gut gelungen ist. Gerade mit der letzten Bemerkung, so knapp und kurz sie ist, hat Beer-Hofmann aus dieser weiter nicht in das Geflecht der Handlung verstrickten Figur einen Typus geschaffen. Dieser letzte Ausspruch verrät, daß wir es zu tun haben mit dem modernen, dem Rationalismus, der nüchternen Sachlichkeit ergebenen, entgotteten und materialistischen Menschen. Achitophel ist der unheilige, vor keinem Geheimnis zurückweichende, alles antastende und jedem Idealismus abholde Geist. Er ist der säkularisierte Samael.

Davids Weltschau

Der Überblick über die Ereignisse im « Jungen David » hat uns gezeigt, daß eine enge Beziehung besteht zwischen dem Vorspiel, « Jaakobs Traum », und dem « Jungen David ». In letzterem (und wohl auch in den spätern Teilen) ereignet sich das, was Jaakob im Traum voraus erlebt hat. So besteht ein inniger individueller Zusammenhang zwischen Jaakob und David. Man kann sagen: David ist in Jaakob präexistent. Oder in David tritt Jaakob in die Existenz ein. Ähnlich verhalten sich Traum und Wirklichkeit, jedoch innerhalb einer einmaligen Individualität, auch im « Tod Georgs ». Auch dort erlebt Paul alles, was er nachher in die Existenz zu tragen genötigt ist, schon im Traume. Des Dichters Gestaltungskraft reichte dort allerdings nicht weiter als bis zur rationalen und gedanklichen Verarbeitung der Trauminhalte. Die praktischen Auswirkungen werden nur angedeutet, die Verwandlung des Helden wird nur versprochen.

Sehr deutlich wird dieser Zusammenhang im Verhältnis zwischen Achitophel und Davids Verwandten. Daß wir in Achitophel einen säkularisierten Samael erkennen dürfen, ist uns schon im vorigen Abschnitt klar geworden. Achitophel steht aber in entschiedenem Gegensatz zu den Verwandten Davids, genau so, wie Samael verhaßt ist bei Gottes Cherubim. In den Verwandten, die David einmal mit « satt und selbstzufrieden » anspricht, erkennen wir nichts anderes als die säkularisierten « selig-satten » Engel in Jaakobs Traum. Im « Tod Georgs » wird diese Seelenlage des satten, selbstzufriedenen Menschen repräsentiert durch die « Beamten ». Aber schon in « Das Kind » taucht das Motiv einmal auf. Während Paul in ein Haus tritt, sieht er über sich einen in Stein gehauenen Engelskopf, der « satt und wunschlos » herniederblickt. Sogar äußerlich entsprechen sich die Engel und Davids Verwandte in auffälliger Weise. Der Repräsentant von « Gottes Kraft », Gabriel, ist analog zu setzen dem Repräsentanten von Davids Kraft, Benajah. Davids Schnelligkeit Asahel ist Uriel, Eliab ist Raphael, der schwergerüstete, finstere Joab ist der Feldherr der himmlischen Heerscharen, Michael. Dem ersten Engel entspricht Abischai, dem zweiten Barsillai, dem dritten Chuschai. Zahlreiche Assoziationen beweisen es.

Aber auch die Prophezeiungen Samaels haben sich in schrecklicher Weise erfüllt. Der Hintergrund des Geschehens, von dem sich Davids Lichtgestalt und allenfalls noch Maacha abheben, ist denkbar düster. Leid, Qual, Mord, Vergewaltigung und Schändung des Menschen, Verschleppung, Raub, Krieg, Verwüstung bilden die Folie des Stückes. Überall sind die finstern Geister der Depravation an der Herrschaft. Unablässig schildert der Dichter das Grauenhafte der Entartung, die Verworfenheit des Menschen, die Maßlosigkeit und die Auswüchse des tyrannisch wuchernden stofflichen Lebens.

David ist in Jaakob präexistent. Jetzt tritt in ihm Jaakob in die Verwirklichung ein. Auf dem realen Boden der Erde muß sich David und mit ihm Jaakob gegen die Konkretionen des niederen Daseins durchkämpfen. So ringt David gegen die Pelischtim, ringt gegen die Amalek, flieht vor Saul, bekämpft die drohende Entartung bei seinen Leuten, und aus diesem Geiste heraus will er den Tempel auf Moriah, wo im Schlund die alte Urnacht verborgen liegt, bauen. All dies sind nur die Erscheinungsformen des einen und einzigen Kampfes des Lichtgottes gegen die chthonische Welt, des hellen jungen Gottes gegen die finster-dämonische Astharoth, des patriarchalischen Weltgeistes gegen den matriarchalischen Weltgeist.

David beginnt diesen Kampf im vollen Bewußtsein seiner Weltsendung. Er unterscheidet sich gegenüber allen andern Helden Beer-Hofmanns überhaupt durch ein größeres Maß sittlicher Kraft und durch die klare Erkenntnis seiner historischen Aufgabe. David hat eine festumrissene Idee von der Welt. Im « Jungen David » sehen wir ihn zwar zuerst noch der dunkeln Weltseite verhaftet. Aber er begegnet uns als Kämpfender.

In seinem Unterfangen, die niedere Welthälfte auszukreisen, entspricht er auch weitgehend dem Repräsentanten des Bürgertums, dem «Grafen von Charolais». Aber wie der Graf — trotz des ahasverischen Wesens — sozial von oben stammt, gleichsam also vom geistigen Reich her, so kommt David von unten; denn er war Bauer. Er steigt wie der junge helle Gott unmittelbar aus dem finstern Schlund empor. Und sein Sieg wird nur möglich, weil er « den Weg unten » gegangen ist, weil er sich von unten her durchringt zum oberen Reich des Lichtes. David verwirklicht auch nur das, was Saul begonnen, woran er aber scheiterte, weil er nicht Ernst gemacht hatte mit der Überwindung des untern Reiches.

Was David bezweckt, wird klar aus jener Diskussion zwischen ihm und seinen Leuten, in deren Verlauf er das ganze Programm seines Daseins verkündigt. David weilt in Bethlehem. Seine Leute haben sich zur Ruhe gelegt. Bevor sie einschlafen, entspinnt sich ein Gespräch. Von ungefähr kommt die Rede auf die demnächst stattfindende Krönung in Hebron. Für Davids Leute ist diese Krönung nur der erste Schritt zu einer ungeheuren Machtentfaltung: « Eine Krone — ellenhoch wie Babels Krone — reicher als Mizrajims Könige, ein Taubenschlag von Frauen, Verschnittne aus Mohrenland, Pferde aus Thogarma, Jagd, Geparden. » All das soll David besitzen, damit auch sie teil daran haben. David aber verhöhnt sie, indem er noch übertreibt: «Zwerge — Pfauen — Affen!» Seine Leute sind verletzt. Ihr Vorwurf lautet gleich, wie einmal derjenige der Juden gegenüber Jesus von Nazareth lauten wird: « Du willst uns zahm und schwach! » David vertritt eine ganz andere Auffassung von Ziel und Zweck seiner Sendung.

> « Wißt ihr nicht, wer ihr wart und wer ihr seid? !
> Hirten und Bauern — Freie — wart ihr hier —
> Bis nach Mizrajim euch Geschick verschlug !
> Am eignen Leib ward euch dort ein-gegeißelt :
> Not, Fremde, Fron und Schmach — damit ihr wüßtet
> Ums wehe Herz des Fremden und des Knechts...»

Dann strahlt Wunder um Wunder auf für das Volk, das nun wieder in die Heimat zurückkehren kann:

«... Sonne, Mond stehn still — — damit ihr —
Nun heimgekehrt — die alte Weise pfeift,
Die rings — seit je — all eure Nachbarn pfiffen !
(Den Platz zornig durchmessend. In höhnendem Auflachen :)
„Die Grenzen weiten" und „Tribut" erpressen —
„Fuß auf den Nacken setzen" — „starker Herr sein" —
An Prunk besaufen sich — die Brunst sich kitzeln — —
Pfui ! — Sklaven träumen so !
(Sich aufreckend :) Was sich im Tiefsten
Herr weiß und frei, träumt — noch in Ketten — anders ! »

Die Bedeutung seiner Sendung offenbart sich für ihn im Mythus von Moriah. Es ist die Schöpfungssage, die schon Idnibaal seinem Herrn Jaakob erzählte. In der Kluft beim Felsen Moriah, eben dort, wo einst der Herr das blutige Astarte-Opfer durch sein Gesetz abschaffte und an seine Stelle das unblutige, symbolische Opfer setzte, liegen « grause », von « jungen Göttern hinabgestürzte Urgötter ». Diese durchtobten die Welt einst in « Gier und Brunst und Haß ». In dem Lied wird verheißen, daß das Dunkle und Überwundene einst wiederkommen wird. David aber ist entschlossen, das drunten Lauernde mit all seiner Kraft niederzuhalten. Darum baut er einen Tempel, einen Turm an der Stätte, wo es gefangen ruht.

Den Felsen, der auf dem Nacken der Urnacht ruht, will er so schwer machen, daß er nicht versetzt werden kann.

« Noch schwerer schaff ich ihn —
(Wort um Wort wuchtig hinsetzend :) Quader auf Quader
Türm ich darauf —. »

Auf dem Felsen aber soll des HERREN Haus entstehen. Heilige Priester, dem Geiste und dem Wort verpflichtet, sollen als Hüter des Abgrundes ihres Amtes walten.

In seinem Bewußtsein, mythischer Kräfte Repräsentation zu sein, wird David bekanntlich angefochten von Achitophel:

« Nichts siecht im Abgrund — in uns liegts und lauerts ! »

An diesem Einwurf wird uns klar, daß der Gestalt Davids nicht nur historisch-sagenhafte, sondern aktuell-gegenwärtige Bedeutung zukommt. Denn im bloß menschlichen Bereich, in der modernen Sphäre, wo keine Geister mehr vermitteln zwischen Himmel und Erde, hat der Mythus einen anderen Sinn. Das weiß auch David:

« Ich weiß es ! Ja : Trieb — dumpf, unbändig, wild —
Treibt, wirbelt dieses Lebens Rad — doch drüber — —
Leuchtet Gestirn — und schreitet nach Geboten ! »

In die Sprache Achitophels, des wissenschaftlich-kritischen Geistes, übersetzt, heißt das: Wenn der Mensch die Schranken, die ihm nach unten durch das Gebot der Sittlichkeit gesetzt sind, durchbricht, wenn sich der Mensch zum tierisch-dämonischen Wesen erniedrigt, drohen die Barbarei und das Chaos sich über die Welt auszubreiten. Um diesen Durchbruch der dämonischen Kräfte im Menschen zu verhindern, will David den Tempel der Sittlichkeit, der Religion, der Weisheit, der Ordnung aufrichten. Darum beruht Davids ethische Weltanschauung auf zwei sittlichen Grundpfeilern, die auf die Bindungskräfte des Menschen abzielen : « Treu » und « Glauben ». Das eine heftet ihn fest an den Menschen. Das eine ist Dienst, Hingabe, Mitleid. Das andere bindet ihn an der Welt Schicksal und an Gott. Es ist Wort, Sehnsucht, Hoffnung.

Davids Lebensziel ist daher durchaus praktischer Natur. Es ist immanent und bezieht sich auf Daseinsform und Lebenshaltung des Menschen. Wie Jaakob einsehen lernte im Traum, daß « unten sein Weg weiter führt », so weiß auch David, daß er nur « erwählt » ist, wenn er seine alltäglich-gegenwärtige Pflicht zu erfüllen bereit ist.

> Erwählt bist du ... « nur, solang du
> Zu tausend schweren Pflichten selbst dich wählst —
> Bereit, dich hinzugeben, wenn es ruft — —
> So-lang : „Erwählt" — — und keinen Atem länger ! »

Davids Konsequenz lautet also: Nur dadurch dringt der Mensch « über sich selbst hinaus », nur darin liegt Erlösung aus der Tragik im Erdenwallen des Menschen, daß er sich durch die kleine Mühsal des Alltags, in treuer Pflichterfüllung durch die «tausend schweren Pflichten» durchringt.

David wendet sich aber auch gegen das satte, selbstgenügsame Hindämmern in der Zeit, das schlaffe, gleichgültige Sich-gehen-Lassen :

> « Nicht kalt, nicht sicher seid, nicht welt-zufrieden —
> Bangt, ringt, laßt immer neu hinein euch reißen
> In Gottes Braus — sein heilges Sturmeswehen — —. »

Darum soll über den gewöhnlichen Trott von ewig wechselnden Tagen und Nächten, vom ewig sich Gleichbleibenden, ein anderes sich erheben: die *Ahnung*. Denn Ahnung, Sehnsucht und Traum bauen die Leiter zu Gott empor.

«... Ich will euch dorten —
Wo „stark“ und „schwach“ wie Schatten sind des Rauchs,
„Macht“, „Ruhm“ leer schellt ! — Erfaßt es doch : Zu euch
Kam Wort, das über aller Tage Tun
Und über aller Nächte Traum — ein Drittes —
Ein wunderbares seliges Ahnen wölbt — —. »

Daß sich über Tag und Nacht die Ahnung wölben soll, ist eines
der Leitbilder des Dichters (vgl. S. 181/182 und Anm. 78). Es taucht
als Motiv schon auf in der breitstörmenden Prosa des « Tod
Georgs »:

> « Aber so sehr über das Leben seiner Tage und Nächte erhöht, wie
> Musik über einsame Töne, war ein drittes Leben — das seiner
> Ahnungen; schwerlos über den beiden Leben schwebend, und doch
> wieder in sie eingesprengt, wie edles Erz in schlichtes Gestein; in
> Träumen manchmal nahend und stark genug, aus Alltäglichem zu
> reden... »   (213.)

Das Unwandelbare, der eigentlich feste Besitz des Innen, das
Göttliche, mit dem der Mensch sich hinaufschwingt zu Gottes
ewigem Reich, ist das *Wort*. Wort ist eine Festung, die den Menschen gegen jede Entartung zu feien imstande ist.

> « *Un-ein-nehm-bar ist Wort!*
> ... Daran will ich euch schmieden — ...
> Wort strahlte euch — und will nun allen leuchten —
> Wort — ausgesandt zu froher Botschaft allem Elend —
> Wort — neuen Himmel schaffend, neue Erde —,
> *Licht, fernsten Inseln, fernster Zeit gewährt* — —
> Flammt, lodert mit ihm, — und vergeßt zu fragen,
> Ob ihr im Brand nicht auch euch selbst verzehrt ! »

An David scheint also wahr und wirklich zu werden, was schon
der Engel dem träumenden Jaakob verkündete:

> « Du — erwählt vom Herren
> Zum Zeugen Seiner Wunder — wirst sie künden ..
> Und Länder, Inseln, alle Fernen hören ! ...
> *Sei Licht der Völker!* Blinder Augen öffne !
> Gefangene führ’ aus Finsternis und Haft ... »

Der erste Teil der Historie ist die Konkretisierung der Verheißungen Samuels an Jaakob. Aus einer finsteren Welt erhebt sich
die Lichtgestalt Davids mit dem Anspruch, in die chaotische Welt
eine neue, bessere Ordnung zu bringen. Im großen gesehen, zieht
der « Junge David » die Konsequenz, die auch Jaakob gezogen
hat. Er beschreibt den Weg, der « unten » weiterführt, er ringt sich
durch die niederen Bindungen zum Licht der Freiheit empor, die
in der Krone symbolisiert ist. Darum darf sich, nachdem alle an-

dern Bindungen mit den irdischen Mächten, diejenige mit Saul, mit den Philistern, mit Maacha, gelöst sind, David die Krone aufsetzen. Der junge David aber gibt erst ein Versprechen ab. Die folgenden, noch nicht erschienenen Teile der « Historie » hätten erweisen müssen, ob er das Versprechen einlösen kann, vor allem, ob er der Entartung nicht verfällt.

Ästhetische Würdigung

In künstlerischer Hinsicht ist der « Junge David » Beer-Hofmanns bedeutendstes Werk. Angesichts der Wucht, der ungebrochenen Kraft, mit der dieses Drama auf uns einwirkt, scheint es müßig, auf seine bühnentechnische Problematik hinzuweisen. Dennoch, auch dieser erste Teil der Trilogie bleibt wahrscheinlich vor allem Lesedrama. Damit ist — im Gegensatz zu den früheren Werken — nicht gesagt, daß ihm ähnliche Kunstfehler anhaften. Aber der Zug ins Maßlose, Überdimensionale, den wir schon am « Grafen von Charolais » feststellten, führt auch hier zur Überladenheit im Detail und zu einer weit, vielleicht zu weit ausspannenden Konzeption des Ganzen. Schon die Tatsache, daß jedes Bild sein eigenes Personenverzeichnis benötigt, zeigt, daß wir es eher mit einem Zyklus von sieben Einaktern — Beer-Hofmann nennt sie bezeichnenderweise auch « Bilder » — zu tun haben als mit einem dramatischen Ganzen. Die Masse der Agierenden — es sind ihrer über achtzig namentlich aufgezählt — ist typisch für die Grundhaltung des Dichters, die auch hier nicht rein dramatisch, sondern in einem bestimmteren Sinne zugleich episch ist. Dennoch muß man zugestehen: Trotz des überfließenden Reichtums an individuellen Zügen weicht der Dichter nie von der großen Linie ab, kreist die Dichtung um einen elementaren dramatischen Konflikt, der auf das schärfste hervortritt. Zudem täuscht das Buch durch die Unmasse von Regieanmerkungen in seinem Umfang. Es wird rund halb soviel gesprochen, als es tatsächlich Seiten zählt. Damit soll immerhin dem oft gegen Beer-Hofmann erhobenen Vorwurf, sein Werk sei unaufführbar, entgegengetreten werden.

Auch in sprachlicher Hinsicht bedeutet der « Junge David » eine Meisterleistung. Es kann sich in diesem kurzen Abschnitt nur darum handeln, einige der wichtigsten Eigenheiten zusammenzustellen. Eine stilistische Interpretation müßte Gegenstand einer selbständigen Untersuchung bilden. Die Diktion ist gegenüber dem « Grafen von Charolais » und « Jaakobs Traum » knapper, verhaltener und doch auch wieder zugriffiger, prägnanter geworden. In den dramatisch relevanten Partien des Werkes ist die Sprechweise realistisch, allem Deklamatorischen, Rhetorischen fremd. Die Dialoge sind häufig durchbrochen, greifen ineinander über. In den Volksszenen (drittes und siebentes Bild) sprechen mehrere Gruppen gleichzeitig. Die Dichtung weist keine einzige tote Stelle auf. Von dem « Talmudischen » des Vorspiels ist nichts mehr zu verspüren. Der Hauptgestalt ist der göttliche Nimbus genommen: « Ein Mensch ! — Seht her ! » sagt der Prolog im « Vorspiel zu König David » mit verzichtendem Lächeln. Hier atmen lebendige Menschen. Hier ringen menschliche Leidenschaft, menschliche Niedertracht, menschliche Größe miteinander. Im Vergleich zu den bluterfüllten Gestalten dieses Dramas bleiben diejenigen des Vorspieles Schemen, von Edom und seinen Frauen vielleicht abgesehen.

« Der junge David » ist in Blankversen geschrieben. Aber die Dynamik des Geschehens sprengt unausgesetzt den metrischen Rahmen. In Wirklichkeit verlangen die Sprecheinheiten einen viel längeren Atem. Außerdem hat das Schema der fünffüßigen Iamben bei den häufig durchbrochenen Dialogen mit ihren zahlreichen Einwürfen, Zwischenrufen, Fragen, hingeworfenen Satzfragmenten keinen deutlichen Sinn. Es ist rhythmisch nicht notwendig. Der Unterschied zu Hebbel etwa ist charakteristisch. Dessen Verse sind viel dünner, schlanker, ja oft beinahe eckig. Die Sprache besticht durch ihre logischen Qualitäten. Bei Beer-Hofmann verschwimmen die Konturen. Er muß zusammenpressen, seine Verse sind prallvoll. Schreibungen wie « solln, wolln, schüttre » usw. beweisen es. Hebbel *baut* Blankverse, ergänzt sie nötigenfalls mit Füllwörtern, Beer-Hofmann *schreibt* sie nur. Jede Satzeinheit empfängt ihren Rhythmus aus sich und sträubt sich gegen die Skandierung. Mit Sorgfalt ist jede Periode, ihrem rhythmischen Charakter entsprechend, ausgefeilt, die Satzmelodie komponiert. Ein Vorzug, den wir weder dem « Grafen von Charolais » noch « Jaakobs Traum » mit solcher Unumwundenheit zusprechen könnten.

Während ein Kleist oder Hebbel durch ihren hypotaktischen Stil auffallen, liebt Beer-Hofmann die Parataxe. Typisch sind die zahlreichen Parallelismen. So beschwört Maacha dreifach David, das Glück nicht auszusprechen:

> « Schweig — sprichs nicht aus — man solls nicht hören ! »

Ähnliche Beispiele sind:

> « Bangt, ringt, laßt immer neu hinein euch reißen ... »
> « Nicht kalt, nicht sicher seid, nicht welt-zufrieden ... »

Auch sonst fällt die Dreigliedrigkeit des Ausdrucks öfters auf, so etwa in folgenden Beispielen:

> « Leuchtendes neues nächtiges Gestirn »,
> « Die eisigen schweren schwarzen Flügel »,
> « Gewölk, das dunkel, dumpf, gewitternd am Himmel quoll. »

Der Sprechstil ist nicht durchaus einheitlich. Zwei verschiedene Grundhaltungen stehen nebeneinander.

Den dramatisch stärksten Partien eignet ein kraftvoller Lapidarstil. Die Sprache ist knapp, dem Leben abgelauscht, an der Umgangssprache genährt. Es wird in halben oder kurzen, sich rasch folgenden Sätzen gesprochen. Triviale, der Sprache des Alltags entnommene Wendungen sind oft vertreten: « Dem Sil-Bel gab er es gut », « Ich hab es satt bis da (die Hand an den Hals werfend) », « Von daher blies der Wind » (in übertragenem Sinn) usw.

Der andern Haltung erwächst eine hymnische, tönende Sprache, die von der Bibel beeinflußt sein könnte. Sie gemahnt, um einen Ausdruck von Beer-Hofmann zu verwenden, im « Tonfall ein wenig an feierliche Formeln und Litaneien ». Hier sind die Sätze meist lang, gefüllt mit schweren, vollklingenden Wörtern und Wortgruppen, jedoch meistens parataktisch gebildet. Assonanzen, Binnenreime und ähnliche poetische Mittel begegnen häufig. Dabei fällt es auf, daß der Schwerton oft in der Mitte eines Satzes liegt. Wo dies nicht ohne weiteres deutlich ist oder wo der Satzhauptton nicht mit einem Vershauptton zusammenfällt, hilft der Dichter, wie häufig Schiller, durch Sperrdruck nach:

> « Könnt ich noch *ein-mal* dein Gewitterantlitz aufhelln ... »
> « Ich *brauch* das nicht ... »
> « ...   Dann komm —
> zu mir, daß ich dich *einmal* doch noch sehe — »

Auf eine ähnliche Uneinheitlichkeit in der Sprachgebung haben wir schon beim « Tod Georgs » hingewiesen (S. 76 und Anm. 46). Wir haben dort auf die Beziehungen zum Impressionismus aufmerksam gemacht. Mit der Überwindung der geistigen Voraussetzungen der impressionistischen Dekadenz ist natürlich auch der impressionistische Stil überwunden. Auch wenn man die « Historie von König David » nunmehr als durchaus einmalige, persönliche Schöpfung ansprechen muß, kann man doch viele Üebereinstimmungen mit der zeitgenössischen Literatur feststellen. Zahlreiche Fäden laufen auch von hier zu Werken anderer Dichter der verschiedensten Richtungen. Am auffälligsten ist aber doch, wie nahe Beer-Hofmann jetzt dem *Expressionismus* steht. Einige Andeutungen müssen auch hier genügen.

Schon der barocke Ausgangspunkt ist ein Kennzeichen für diese Verwandtschaft mit dem Expressionismus (vgl. W. Duwe, « Deutsche Dichtung des 20. Jahrhunderts », Zürich, 1936, S. 36 und 46); dann der Drang, das ganze All auszuschreiten, die kosmischen Visionen, überhaupt die Allbeseelung, die an den expressionistischen Pantheismus erinnert, jedoch nicht mit ihm identisch ist; die Verweisung der Helden auf den Weg, der durch Leid und Mühsal, durch « Dreck und Unsinn » (Hesse) zur Erlösung führt; und damit im Zusammenhang der gnostische Rückhalt (Duwe, a. a. O., S. 227); die Befreiung des Knechtes Idnibaal und überhaupt die Hinweise auf soziale Spannungen; die auffällige Tendenz zum Gesamtkunstwerk (Duwe, S. 36), die filmischen Züge und die Massenszenen; Binnenreim, Assonanz und Dreigliedrigkeit des Ausdrucks (besonders auffällig etwa bei Georg Kaiser; vgl. Duwe, S. 45 und 162). All das zeigt deutlich Beer-Hofmanns Neigung zum Expressionismus. Namen wie Werfel, Hesse, Georg Kaiser, R. J. Sorge (« König David », 1916) müßten öfter beigezogen werden. Symbolische Übereinstimmungen bekräftigen den Befund, wie im fünften Teil dargelegt werden soll.

Die Wirkung bleibt dem « Jungen David » auf der Bühne wie auch in der Lektüre gesichert. Sein Geheimnis beruht darauf, daß der Dichter seine Gestalten vor seinem geistigen Auge handeln sieht und sprechen hört in einer Deutlichkeit und Unmittelbarkeit, die durchaus einmalig ist und selbst bei unsern größten Dramatikern nur selten begegnet. Es ist, als schlüpfte der Dichter, gleichsam in geheimer Selbstaufteilung, in jede seiner Gestalten, um deren innerstes Wesen zu erspüren. Diese Fähigkeit beruht viel-

leicht auf Sublimierung jener Rasseeigenschaft, von der gesagt
wurde, daß der jüdische Mensch im Verkehr mit den Menschen
mit einem Teil seines Selbstes beim Zuschauer verweilen kann.
(Vgl. Anm. 14.)

In psychologischer Hinsicht hat Beer-Hofmann im « Jungen
David » Großes geleistet. Das beweist die Kunst, mit der die Regieanmerkungen gesetzt sind. Selten verfehlt der Dichter das richtige
Wort, selten entgeht ihm eine bezeichnende Gebärde, die die Worte
seiner Figur begleiten oder unterstreichen muß, stets trifft er
die überzeugendste und richtigste Reaktion, die von einer Person
in einer bestimmten Situation zu erwarten ist. Wir können uns
solche wirklichkeitsnahe, an Größe und Bescheidenheit zugleich
ausgezeichnete Kunst nur aus jener geheimnisvollen Kraft der Ein-
verwandlung, jener mystischen Gabe des Miterlebens, die dem
großen Dichter im allgemeinen und den Künstlern vom Schlage
Beer-Hofmanns in besonders ausgeprägter Weise eigentümlich ist,
entstanden denken.

Das « Vorspiel auf dem Theater » ist das letzte Stück, das
Beer-Hofmann zu seiner « Historie von König David » veröffentlicht hat. Es leitet vom « Jungen David » zu « König David », dem
zweiten Hauptteil, über. Ähnlich wie Goethes « Vorspiel auf dem
Theater », stellt es außerdem eine Auseinandersetzung des Dichters mit dem Theater dar. In dieser Hinsicht eignet dem Stück ein
nicht unwesentlicher Bekenntniswert.

Mit einigen allgemeineren Bemerkungen wird zuerst die Situa-
tion umrissen und die Voraussetzung geschaffen für den zweiten
Teil. Zwanzig Jahre sind seit der Krönung in Hebron verstrichen.
David hat den Jebusitern die Stadt Jerusalem abgerungen.

Auch von Kriegen abwechslungsweise gegen Amalek, gegen
Edom und die Pelischtim ist die Rede. So lange dauerte Davids
Kampf um die Aufrichtung der Theokratie. Die Krönung dieses
Kampfes gegen das untere Reich, gegen die unausgesetzt anbran-
denden Kräfte der Zerstörung und der Auflösung, gegen die
Repräsentanten des Chaos bildet die Eroberung Jerusalems, des
Felsens Moriah, auf dem durch das Eingreifen des Lichtgottes der
entscheidende Einbruch in die Gynaikokratie erfolgt war. Dort hat
David, getreu der Verkündigung seines Programms, den Altar
errichtet und der heiligen Lade eine Heimstätte erstellt. Jetzt wird
dort die Bergfeste, die Davids-Burg, erbaut. Nach der Überwindung der äußeren Welt, der Welt des Chaos, kann sich nun David,
der den Geist der Menschheit repräsentiert, in den gesicherten
Bezirk des Innen, den Turm, zurückziehen. Aber die Persönlichkeit des Königs hat eine typische Wandlung durchgemacht, die sie
auf eine Linie stellt mit dem Vorgänger auf dem Throne, Saul.
Unter dem Eishauch turmsicherer Geistigkeit droht der König zu
erstarren und zu versteinern. Eine Reihe von Symbolen deutet auf
diese neue Gefahr der Entartung hin. Er wird in einer « Sänfte »
getragen, « prunkgepanzerte Leibwächter » umgeben ihn, er hält
ein « umgittertes Frauenhaus ». David lebt nach dem Brauch, er

167

muß tun, « wie rings die Könige tun ». Sein Haar — ehemals wind-
durchwogt und golden — ist zu « feierlicher Locken Prunk er-
starrt », seine Stirn ist « hart, zu Sturm geballt, ... wie die Schauls
einst war ».

Vereinzelt fallen Andeutungen über Gestalten wie Asahel, Joab,
Uriah usw., ohne daß Wesentliches in Erfahrung zu bringen wäre.
Man könnte sich fragen, ob nicht daraus und aus der Geschichte
Davids im Alten Testament, 2. Sam. 1—25 bis 1. Kön. 2, 13, der
Fortgang des Dramas zu erraten wäre. Dazu ist zu sagen, daß der
Stoff, selbst bei peinlichster Beachtung der Überlieferung, so viel
Spielraum zu individueller Gestaltung übrigläßt, daß wir über
unfruchtbare Deuteleien nicht hinauskämen.

Mit Bestimmtheit kann einzig vorausgesagt werden, daß Jaakobs Traum in Erfüllung geht. Denn das religiöse Grundgefühl
Beer-Hofmanns schwankt zwischen zwei Polen, zwischen Gott-
gläubigkeit und Gottverlassenheit. In dieser Hinsicht ist der
Grundakkord des Stückes resigniert. Der um Gott kreisende, sich
zu Gott drängende Mensch erhält keine Antwort auf seine Fragen,
keine Responsion auf sein leidenschaftliches Bemühen um Gott-
erkenntnis. Auch aus der Passion Christi, auf die der Dichter anspielt, greift er nur den Augenblick der höchsten seelischen Not,
der tiefsten Verzweiflung heraus: « Mein Gott, mein Gott, warum
hast du mich verlassen ?! »

Der geistige Raum des Vorspiels ist im Vergleich zu seiner
dünnen, zwischen Film und Mysterienspiel schwankenden Form
erstaunlich groß. Denn äußerst aufschlußreich ist auch die Auseinandersetzung mit Problemen des Theaters und der dichterischen
Sendung überhaupt. Zu diesem Zwecke treten ein Knabe und eine
Frau auf, und Männerstimmen aus dem Zuschauerraum fallen dem
Prolog ins Wort.

Der Knabe wirft ein: « Zu wenig *zeigt* man hier! » Soviel, was
man in einem Drama von David zu sehen hoffte, ist nirgends Gestalt geworden. So « fehlt » das Bild des harfenspielenden David,
so fehlt der Kampf des Knaben gegen den Riesen Goliath, so fehlen die fabelhaften Siege gegen die Philister, die Heirat mit des
Königs Tochter Michal, die Freundschaft mit dem königlichen
Sohn Jehonathan, die Verfolgungen durch Saul vor der Flucht

nach Gath. Der Prolog, der niemand anders als der Dichter selber ist, gibt zu verstehen, daß es ihn nicht lockt, « vieler Bilder bunten Reigen zu zeigen ». Er will nicht abhängig sein vom Nur-Stofflichen, vom Nur-Bildhaften. Sein Ehrgeiz geht dahin, etwas zu schaffen, was unabhängig vom bunten Wechsel Bestand hat. Er will allein aus der Kraft des schöpferischen *Wortes* heraus gestalten (Anm. 71).

In seinem Glauben an die Kraft des *Wortes* unterscheidet sich der auf das Normative, auf das Absolute zielende Dichter grundsätzlich von seinen Wiener Zeitgenossen. Am interessantesten ist der Gegensatz zu Schnitzler. Für Schnitzler ist gerade dies das einzige, was den Menschen verhindert, zur Wahrheit zu gelangen:

> « Der Wahrheit Tempel ragt an heil'gem Ort. —
> Da dröhnt es aus dem Dunkel : Weiche fort !
> Hier wird kein Sterblicher sich Einlaß zwingen,
> Ein Riese hält am Tore Wacht : Das *Wort*. »
> («Buch der Sprüche und Bedenken», S. 15.)

Immer wieder ist von den « fließenden Grenzen des Wortes » die Rede. Es ist die « Ausflucht », die « Flucht ins System aus der friedlosen Vielfältigkeit der Einzelfälle ». Oder in der Hirtenflöte steht der Satz:

> « Dein Geist war erwürgt im kalten Krallengriff von Worten, darum vermeintest du des Lebens ungeheure Fülle, das Hin- und Widerspiel von Millionen Kräften im hohlen Spiegel einer Formel einzufangen. »
> (Erz. Schr. II, 383.)

Aber auch Stefan Zweig spricht mehrmals von der « Zweischneidigkeit und Vieldeutigkeit eines einzelnen Wortes » (z. B. « Amok », 1924, S. 126). (Anm. 72.)

Beer-Hofmann bemüht sich, dem Phänomen der Sprache gerechter zu werden. Das Paradoxon, daß ausgerechnet das Wort den Zutritt zur Wahrheit versperren soll, kann er nicht unterschreiben. Dagegen gibt es einen Bezirk der Sprache, der allerdings der Erkenntnis und der Wahrheit hinderlich ist. Es ist die Sprache des Alltags, wo sich beinahe jedes Wort von seiner Grundbedeutung entfernt hat. So gibt es für den Dichter « Worte des Spiels » und « Worte des Lebens »; Worte, die zum täglichen Gebrauch von Mund zu Mund gehen, und Worte der Magie; münzengleiche Umgangsworte und Urworte. Auch in folgendem Satz ist von jenen Worten die Rede, aus denen sich das unmittelbare Leben ver-

flüchtigt hat, die wie « feststehende, festgefügte, überkommene
Formeln klingen » (« Das Kind », 14; « Tod Georgs », 147):

> « Worte waren — wie ein dünnes, kühlendes Gewebe —∙ über das
> heiße Antlitz des Lebens geworfen; von ihm wieder weggeweht,
> bewahrten sie noch wie durch ein Wunder seine Form. »
>
> (« Tod Georgs », 156.)

Der Gegensatz tritt im « Tod Georgs » auch an jener Stelle
hervor, wo der Dichter von einem Knaben erzählt, der Geschichten
von uralten Helden vorliest:

> « Wenn er sprach, meinte er das Antlitz seiner Worte zu sehen, die
> der mühevolle Dienst des Alltags verzerrt und kraftlos und niedrig
> gemacht. Aber tot und verklärt und entrückt allem unedlen Dienen
> war die Sprache, in der von jenen Helden geschrieben stand; sie
> redete nicht von Geschehenem, sie war *Magie*, die es herauf-
> beschwor. » (41.)

Im « Jungen David » ist das Wort letzte Bürgschaft menschlicher Existenz: « Uneinnehmbar ist Wort. » Mit der Fähigkeit zur
Sprache hebt sich der Mensch über die Stofflichkeit, aber auch
über die Grenzen seiner Individualität empor. Das Wort verbindet
Mensch mit Mensch. Es erzeugt Gemeinschaft. Es ist schöpferisch;
so heißt es im « Vorspiel »:

> « Aus Wort — aus *Wort allein* — muß ausgehn alle Kraft,
> Die Wolke, Wetter, Licht und Finster schafft !
> Wort muß euch zwingen, selber Fels zu türmen,
> Meer zu erschaun, Flut, Wogen, Branden, Stürmen —
> Wort mit euch ganz allein, in tiefer Einsamkeit
> Spricht : „Werde !" — und um euch wird Raum, wird Zeit !
> Niemanden brauchend, nackt, auf sich allein gestellt,
> Muß Wort neu schaffen Schein des Scheines dieser Welt ! »

Wort ist « Form », die das « Chaos » bändigt. Chaos aber ist
Leben. Mit dem Wort « bespricht » der Mensch, ihm voran der
Dichter, die chaotische Vielfalt des Lebens und fügt sie zum sinn-
vollen Ganzen. Im Wort, der Tatgebärde des Logos-Gottes, wird
das Chaos zum Kosmos. (Diese Bestimmungen stehen in dem
kurzen, aber überaus aufschlußreichen Aufsatz « Form — Chaos »;
vgl. S. 179.)

Wort ist das Medium des Dichters. Aus ihm muß das Werk entstehen. Mit dem Werk *dient* er den Menschen. Es ist ihm aber verwehrt, zu fragen, ob sein Geschaffenes *gefällt*. Damit distanziert
er sich vom sogenannten Ästhetizismus oder vom Standpunkt eines
selbstgefälligen « l'art pour l'art ».

« *Herr* bin ich, der als *Herr* dient — nicht als Knecht !
Mein Wort ist nichts, als meines Herzens Schlagen,
Und euer Herz zu gleichem Puls zu zwingen —
Ist Amt — ist *Dienst* —. »

Der Dichter ist der Seher, der König und Magier. Ihm ist auf-
gegeben, das innen Angeschaute ins Außen zu übertragen, die
Menschen zu beherrschen, ihr Herz « zu gleichem Puls zu zwingen », sie zu stimmen, in Schwingung zu versetzen, daß sie sich
entfalten und sich öffnen dem Guten und Schönen. Dem Dichter
ist aber auch aufgetragen, den Bannfluch über die niederen Kräfte
des Seins auszusprechen; in der Nacht als Lichtträger, als Prometheus, zu wirken; im Winter, in der Zeit der Erstarrung und des
Niederstiegs, das « Böse zu bannen ». Dies alles ist sein *Amt,* wie
es für die Frau ein Amt ist, dem Kreislauf des Lebens dienstbar zu
werden. Der Dichter ist göttlicher Gesandter, Priester am Abgrund,
Hüter des Schlundes. Er bringt « Gesetz und Verstand in das Chaos
des Geschehens ». Wenn man sich alle diese Zusammenhänge
gegenwärtig behält, bekommt ein Satz aus der Goethe-Rede
stärkste Leuchtkraft:

> « Um diese Zeit des Winters schreibt der fromme Bauer mit unge-
> füger Arbeitshand die Initialen der « Heiligen drei Könige und
> Magier » an die Tür seines Hauses, daß ihre Namen alles Böse
> von seiner Schwelle bannen mögen. »

Der Satz ist in seinem Sinngehalt nicht auszuschöpfen. Man
muß nur unter « Magier » den Dichter — freilich den großen Dichter vom Format Goethes —, unter « Bauer » etwa Volk und Nation,
und unter « Winter » den allgemeinen Niedergang verstehen.

Das Vorspiel zu « König David » läßt uns im unklaren über das
Stück selbst. Über den inhaltlichen Fortgang des Dramas lassen
sich nur Vermutungen aussprechen. Mehr als stoffliche Fragen aber
müßte uns interessieren, was wir in weltanschaulicher Hinsicht
vom zweiten und dritten Teil der Historie zu erwarten hätten. Wie
steht der alternde David vor uns ? Soll in ihm jene konstruktive
Vereinigung der Gegensätze, jener Ausgleich von Materie und
Geist erreicht werden, von dem auch Richard Specht in einem Aufsatz über « Jaakobs Traum » spricht? « Man ahnt: Wenn diese Zwie-
spältigkeit jemals eins werden kann, wenn Erdenkraft und Him-
melssehnsucht sich vermählen und in einem Menschen Gestalt gewinnen mögen, wird die Menschheit am Ziel sein. Der Pendelschlag

von der einen zur andern Art schwingt durch die Jahrhunderte. Jedesmal, wenn sie sich das Gleichgewicht halten, gibt es große Zeiten; jedesmal, wenn eine von ihnen zur Tyrannei kommt, ist unser Geschlecht bedroht. Wir erleben es heute wieder. » (« Der Merker », 1919.) Soll die Historie weitergehen im Sinne einer Erfüllung jenes ankündigenden Bekenntnisses des jungen David ? Soll er zuletzt vor uns stehen als spätere, unter besseren Auspizien gestaltete erlösende Heilandspersönlichkeit, die Hofmannsthal in seinem « Turm » nicht glaubhaft machen konnte ? Oder wird auch die Historie, ähnlich wie die düstere Bühnenfassung des « Turmes », ausklingen in Resignation und Verzicht ? Soll die Historie nur Weltschau sein, nüchtern, realistisch — illusionslose Schau von Wesen und Sein der Welt, von Aufschwung aus Dunst und Düster zu heller Klarheit, und wiederum Zurücksinken in Finsternis und Entartung ? Soll auch die Historie nicht trösten, nicht ankündigen, nicht umbauen helfen, kein Leitbild gestalten können, sondern soll sie ausmünden in einen pessimistischen Schluß, in Verzicht auf den Glauben an ein « besseres, reineres » Geschlecht ? Ist der Dichter imstande, das gegebene Versprechen einzulösen; oder wird er zuletzt scheitern, geheilt von allzu idealistischer Zukunftshoffnung, geläutert an einer ungeheuren Erfahrung, verbittert durch die Trübsal eines « müdenttäuschten Alters » ?

Es hängt aber unseres Erachtens viel davon ab, wie gerade dieses Werk zu Ende gehen sollte. Es ist von brennender Aktualität. Bewegte doch der Dichter, wie schon gesagt worden ist, « unablässig die Welt in sich »; sind doch schon « Jaakobs Traum » und « Der junge David » Werke, die an Tiefe der Gedanken, an mythenbildender Kraft und an Wucht des Gefühls ihresgleichen suchen in der neuern dramatischen Literatur.

Vierter Teil

Verse und Reden

> *« Aber ich sage dir : es gibt ein Auge,*
> *vor dem ist heute wie gestern und*
> *morgen wie heute. Darum kann die Zu-*
> *kunft erforscht werden, und es steht*
> *die Sibylle neben Salomo und der*
> *Sterndeuter neben dem Propheten. »*
> *(Hofmannsthal.)*

I. « VERSE » (1941)

Der Band « Verse » enthält 23 Gedichte, deren Entstehungszeit sich über einen Zeitraum von mehr als 40 Jahren verteilt. Ganz verschiedenartige Zeugnisse sind hier auf engem Raum vereinigt: Lieder, Fragmente zur « Historie », Gelegenheitsstücke, eine Übersetzung. Nach ihrem Wert sind die Gedichte verschieden zu beurteilen. Neben vollendet schönen, lyrisch ansprechenden Versen finden wir häufig solche, die uns durchaus belanglos und nichtssagend anmuten.

In unserer Besprechung befassen wir uns hauptsächlich mit den für den Dichter typischen Themen und Motiven. Sprachliche oder stilistische Einzelinterpretationen, so verlockend sie bei einigen ausgewählten Gedichten sein müßten, würden uns doch von der Hauptlinie unserer Betrachtung zu weit wegführen.

Eine Reihe der Gedichte kreist um die Probleme der Dekadenz. Diese Gruppe ist zahlen- und wertmäßig im Übergewicht. Das Gedicht, das in seinem Gefühlswert am meisten dekadent empfunden scheint, heißt « *Der einsame Weg* » (1905). Es ist Arthur Schnitzler gewidmet und trägt als Überschrift den Titel eines seiner Dramen. Es besteht aus fünf Strophen, deren jede in leichter Variation denselben Gedanken ausspricht: « Alle Wege münden in die Einsamkeit; alles läßt uns mit uns allein; der Weg wird einsam;

keines will sich zu mir finden; auch vorher waren, unerkannt, um mich nur Einsamkeiten. » Das Gedicht fällt, im Vergleich mit den übrigen Versen, auf durch das ruhige Gleichmaß seines Rhythmus. Mit dem regelmäßigen Wechsel von Hebung und Senkung, mit den scharfen, mitleidlos-hellen e-Lauten, mit seinem resignierten, fatalistischen Grundton erhält dieses « Ritornell » der Einsamkeit etwas beinahe Peinliches und Quälendes.

Das Problem des Alterns, mit dem sich jeder Dichter jener Generation auseinandersetzen mußte, wird behandelt in dem Gedicht « *Altern* » (1906). Es ist hauptsächlich eine Aufforderung an sich selbst und an die Menschen der Zeit, das Altern nicht als Unglück aufzufassen, sondern es als notwendigen Prozeß im Kreislauf der Natur zu betrachten.

> « *Graute* dir nicht vor dem Baum, der
> *Immer* nur in Blüte stände...? »

Wie in der Blüte « die Sehnsucht nach des Sommers heißem Reifen » schläft, wie in ihr der Wille kreist, « daß die Blüte Frucht auch werde », so wohnt im Menschen die Sehnsucht, über sich selbst hinaus sich fortzusetzen, fruchtbar zu werden. Nur der dekadente, unfruchtbare, lebenlose Mensch fürchtet sich vor dem Altern. Denn auf dieser Stufe hat er die Möglichkeit eines Anschlusses an das Leben endgültig verpaßt.

Das Leitbild des « Lebens über sich selbst hinaus » begegnet uns auch in dem 1897 entstandenen « *Du bist mir gegeben* ». Der Mann spricht zur Frau: « Wir waren uns gegeben, daß Leben aus uns blüh —.» In diesem Gedicht tritt auch der Schicksalsgedanke, wie wir ihn aus dem « Grafen von Charolais » kennen, auf: « Nicht ich, nicht du, wir wolltens — es hat es so gewollt. » Derselbe Gedanke liegt auch dem sehr späten, kurzen Gedicht « *Echo* » (1937) zugrunde. Wenn dem Menschen aus der Ferne ein « Geheiß » entgegendröhnt, wähnt er, es sei das Echo seines Willens. Darauf antwortet « Es »:

> « Dein „Wille"? — Wunschtraum — Wort, eitel, voll Überschwang !
> Du riefst nur, was zu rufen, dich dein Schicksal zwang ! »

Das bekannteste Gedicht dieser Periode und wohl auch das schönste überhaupt, ist das « *Schlaflied für Mirjam* » (1897) (Anm. 73).

Schlaf mein Kind — schlaf, es ist spät!
Sieh wie die Sonne zur Ruhe dort geht,
Hinter den Bergen stirbt sie im Rot.
Du — du weißt nichts von Sonne und Tod,
Wendest die Augen zum Licht und zum Schein —
Schlaf, es sind soviel Sonnen noch dein,
Schlaf mein Kind — mein Kind, schlaf ein!

Schlaf mein Kind — der Abendwind weht.
Weiß man, woher er kommt, wohin er geht?
Dunkel, verborgen die Wege hier sind,
Dir, und auch mir, und uns allen, mein Kind!
Blinde — so gehn wir und gehen allein,
Keiner kann Keinem Gefährte hier sein —
Schlaf mein Kind — mein Kind, schlaf ein!

Schlaf mein Kind und horch nicht auf mich!
Sinn hat's für mich nur, und Schall ist's für dich.
Schall nur, wie Windeswehn, Wassergerinn,
Worte — vielleicht eines Lebens Gewinn!
Was ich gewonnen, gräbt *mit* mir man ein,
Keiner kann Keinem ein Erbe hier sein —
Schlaf mein Kind — mein Kind, schlaf ein!

Schläfst du, Mirjam? — Mirjam, mein Kind,
Ufer nur sind wir, und tief in uns rinnt
Blut von Gewesenen — zu Kommenden rollt's
Blut unsrer Väter, voll Unruh und Stolz.
In uns sind *Alle*. Wer fühlt sich allein?
Du bist ihr Leben — ihr Leben ist dein — —
Mirjam, mein Leben, mein Kind — schlaf ein!

Das Geheimnis dieses Gedichtes liegt in seiner Unmittelbarkeit und Schlichtheit. In der Thematik unterscheidet es sich auf den ersten Blick nicht wesentlich von dem späteren « Der einsame Weg ». Ein alternder Mann spricht zu seinem Kind, singt es in leisen, verdämmernden Worten in Schlaf. Für ihn selbst aber ist es ein Gesang auf den Tod hin.

Eine verhaltene Schwermut durchzittert diese Verse, vorab die drei ersten Strophen; doch alles ist viel zarter als im « Einsamen Weg ». Es wird viel mehr angetönt als gesagt: « Es ist spät »; « Die Sonne stirbt im Rot »; « Der Abendwind weht ». Es ist die Zeit vor Anbruch der Nacht, die vergehende, versinkende Zeit. Die Wege auf Erden sind « dunkel und verborgen ». Wir auf der Welt sind Blinde und gehen allein. Wir sind « einsam »:

« Keiner kann Keinem Gefährte hier sein — »
« Keiner kann Keinem ein Erbe hier sein. »

Was der Alternde erlebt und erfahren hat, kann er aussprechen in Worten, die « einen Sinn » haben. Was er dagegen auf diese Weise gewonnen hat, gräbt man auch mit ihm ein. Was für ihn « eines Lebens Gewinn » ist, bedeutet nichts für das Kind. Was für ihn allenfalls « *Sinn* » hat, bleibt für das Kind nur « *Schall* ». Aus diesen Worten spricht die Warnung, die Erfahrung des Alters nicht vorauszunehmen. Das Kind darf von « Sonne » und « Tod » nichts wissen. Schlafend, ohne Bewußtsein, muß es das Leben hinnehmen wie ein Geschenk. Es muß im Durchgang durch die Unzahl Tage, die ihm bevorstehen, selbst sein Wissen von Sonne und Tod sich erkämpfen. In diesen Worten verbirgt sich der sanfte, aber entschiedene Verzicht auf die Priorität des Geistigen, wir der Präexistenz abgeschworen. Das Gedicht fällt auf durch seinen versöhnlichen, tröstlichen Klang. Es schließt nicht pessimistisch, sondern, ähnlich wie der « Tod Georgs », mit der Verheißung der Gemeinschaft. Es ist das Schlaflied des in sich selbst zur Ruhe gelangten heimatlosen jüdischen Dichters. Denn vom Gewesenen zu den Kommenden ist ein Band geschlungen: das Blut. So ist der Mensch nur ein « Ufer ». « *In* uns sind *Alle*. Wer fühlt sich allein? » — In diesem Wiegenlied, das in zauberhaft einlullendem Rhythmus gehalten ist, geriet dem Dichter wohl das einzigemal ein Stück von rein lyrischem Klang. Hier ist noch nicht das Bildungserlebnis Ausgangspunkt der Empfindung wie in « Der einsame Weg » oder in « Altern », die beide nach 1905 entstanden sind, zu einer Zeit also, wo der Dichter bereits das eigentlich Fragwürdige der dekadenten Existenz in sich überwunden hatte.

Das « Schlaflied für Mirjam » bietet äußerlich ein Bild großer Regelmäßigkeit und Gleichförmigkeit: Jede Zeile beginnt und endet auf eine betonte Silbe. Je die letzten drei Zeilen jeder Strophe reimen auf die Lautreihe *-ein*. Auch vielen andern Reimpaaren eignet eine hohe Ähnlichkeit, manchen geradezu eine Assonanz an diese beherrschende Lautqualität: «geht—weht, Kind—rinnt, Gewinn—Gerinn, dich—mich ». Das einzige Verspaar, das auch inhaltlich einen belebenden Zug in das Ganze bringt, fällt bezeichnenderweise außerhalb diese Reihe: « Stolz—rollt's ». Desgleichen weist die rhythmische Kadenz in jeder Strophe dieselbe Kurve auf. Der Aufforderung zum Schlaf: « Schlaf mein Kind — schlaf, es ist spät ... », folgt die Belebung in reicherem daktylischem Tonfall, die am Schluß wieder ausklingt in das ruhige, trochäische: « Schlaf mein Kind — mein Kind schlaf ein! » Jede Zeile ist in sich geschlossen, jedes Enjambement fehlt. Ein nicht faßbares Geheimnis schwebt um diese zauberhaft leicht, in vollendetem Wohlklang dahinfließenden Verse.

Gleichfalls in dieser ersten Schaffensperiode entstand ein Gedicht, das später in die « Historie » eingegangen ist: « *Maachas Lied* » (1906). Es beweist, daß Beer-Hofmann um das Jahr 1906 der Gefühlslage, die aus den damals entstandenen Gedichten « Der einsame Weg » und « Altern » spricht, innerlich schon entrückt war. « Maachas Lied » zählen wir, wie das Schlaflied, zu den herrlichsten Dichtungen, die dem Dichter gelungen sind. Die Leitbilder des aufsteigenden Lebens erstrahlen noch einmal in stärkster Leuchtkraft. « Maachas Lied » ist das eigentliche Hohelied des aufsteigenden Lebens, der Dithyrambus der höhern Menschlichkeit.

Die Grundvorstellung des Gedichtes liegt in der befruchtenden Kraft des vom Berge zu Tal strömenden Wassers. Dieselbe Vorstellung liegt schon dem 1898 entstandenen « *Strom vom Berge* » zugrunde: Junge Quellen springen « weiß schäumend » zu Tal, « umschmiegen das Land » und wiegen so ihren Drang zur Ruhe; der Schluß aber ist unverkennbar dekadent. Die befruchtenden Wasser « lahmen träge seichtem Enden zu ». In dieser Zeile ist das stagnierende, unfruchtbare Verströmen des dekadenten Geistes kennzeichnend symbolisiert. In « Maachas Lied » dagegen verlautet nichts mehr von « seichtem Enden ». Da ist alles Erfüllung. Das leitende Symbol ist « Schnee ». Schnee ist gefangenes Leben, abgekühltes Wasser, wie anderseits « glühende Dämpfe » die höchste Entfaltung des Lebens bedeuten. In « Maachas Lied » ist der Übergang von Schnee zu Wasser symbolisch für die Auflösung der Erstarrung. Das abgekühlte Leben taut auf. Das Wasser tritt in das Stadium der Fruchtbarkeit: « Schnee du, vom Hermon, treibts dich zu Tale ? » « Schnee vom Hermon » ist gleichbedeutend mit «Frühling vom Berge », der herniedersteigt, der die Wurzeln tränkt, durch den Ölbaum quillt und den Wein schwellt. In der Vorstellungsreihe: Schnee, Wasser, Traube, Wein, Glühn unsrer Wange. wird die Assoziation an die volksfestlichen Mysterien geweckt. « Glühn unsrer Wangen » ist göttlicher Enthusiasmus, in dem das neue Leben wird, in dem der Mensch außer sich gerät, in dem er über sich selbst hinausdringt. Maacha ist eine Bacchantin, ihr Lied ist eine Verherrlichung des dionysischen Lebens.

Das Natursymbol, das in « Maachas Lied » gestaltet worden ist, zieht sich in einer Reihe von Abwandlungen durch das Werk Beer-Hofmanns. Der von der Höhe niederströmende Quell ist im Symbolgehalt gleichzusetzen den Visionen und Sehnsuchtsträumen des dekadenten Menschen. Das Motiv erscheint zweimal im « Tod Georgs », in der Vision zu Beginn der Erzählung und im Traum, wo Paul die Frau kennen lernt. Ferner begegnete es uns im « Grafen von Charolais » und im « Jungen David ». Eine Abwandlung dieses Motivs finden wir auch in Jaakobs Himmelsleiter. Als Wasser, das vom Berg zu Tal strömt, taucht es außer in diesen beiden Gedichten an mancher Stelle auf, so besonders auffällig in der Mozart-Rede: « Von hohen Bergen rinnt ein Wasser zu tiefen Tälern hinab. Einem Gletschersee entstürzt es, wildstürmende Wasser ... werfen sich ihm zu ... »

Das Gedicht ist gebaut aus vier Strophen, deren erste drei aus zusammen sieben Fragen bestehen. Bis zur dritten Strophe gehört je ein Verspaar zusammen. Dann wird das Tempo rascher. Die dritte und vierte Zeile der dritten Strophe bilden je einen Satz für sich. Der Dichter steht im Zentrum und spricht zuerst den Quell an. In der dritten Strophe ist die Verwandlung des fruchtbaren Wassers in Stoff bereits geschehen. So wendet sich der Dichter an den « Ölbaum » und an den « Wein ». Das Gedicht steigert sich bis zur dritten Strophe, um dann in der vierten im einfachen Aussagesatz den Höhepunkt zu erreichen. Dreimal wiederholt sich das « bald »: « Bald wirst du Traube — — Trank bald — ein Glühn unsrer Wangen bald sein! » Damit kommt eine Note der Ungeduld der gespannten Erwartung hinein. Rhythmisch erhält das Gedicht seinen eigenen Reiz durch die aufsteigende Linie der Belebung und Intensivierung. Die einzelnen Zeilen bestehen fast durchgehend aus einem Daktylus und einem Trochäus. Die letzte Zeile jeder Strophe bildet einen Choriambus, der in allen vier Strophen reimt.

178

Reichtum in Klang und Rhythmus ist die hauptsächliche Eigenart dieses Gedichtes.

Eine Reihe von Versen, die hauptsächlich in die Zeit nach 1930 fallen, setzen sich mit dem Problem des Künstlers auseinander. Zu ihnen gehören « Mit einem kleinen silbernen Spiegel », « Der Künstler spricht », « Einer Photographin ins Stammbuch » und « Der Beschwörer ».

In dem Gedicht « *Der Beschwörer* » spricht der Dichter. Er stellt sich damit selbst dem Seher und Magier an die Seite.

« Magier » ist der Mensch, der durch das Wort, durch die die äußere unendliche Vielfalt auf ein mitteilbares Zeichen oder Symbol verkürzende Formel, das Chaos ordnet, dem Leben « Form » gibt. In dem Aufsatz « Form—Chaos » hat Beer-Hofmann mit aller wünschenswerten Deutlichkeit selbst bestimmt, was in Andeutungen in zahlreichen Dichtungen auftaucht (vgl. S. 170). Formgebung ist danach Namengebung. Namengebung ist etwas Dämonisches. Wer die Dinge « benennt », neu benennt, ist Schöpfer. Und dann kommt jene Stelle über den Dichter :

> « Man sagt „Schöpfer" und müßte „Zauberer", „Magier" sagen. Denn des Dichters dunkles, unheimliches Tun ist immer: magischer „Besprecher" des Chaos zu sein, so daß es einen Augenblick lang seiner tödlichen Macht vergessend — von der Stimme des Beschwörers gebannt — lauschend innehalten, im Rhythmus der Zaubersprüche des Dichters flutend, leuchtend aufrauschen muß — um erst, aus des Beschwörers Gewalt wieder entlassen, finster, furchtbar, uferlos dahinwogen zu dürfen, wie vorher.
> Und daß Einer — und sei es nur für Augenblicke — als Herr des Chaos sich erweist, für eine Spanne Zeit, den Alp der Ur-Angst, von armen bangenden Menschenherzen zu nehmen vermag — ist magische Tat, groß genug, um vor dem Magier Menschen auf die Knie zu zwingen. »   (« Neue Rundschau », S. 42.)

Durch alle diese Gedichte zieht sich aber merkwürdigerweise, wenn auch oft nur ein Schatten davon spürbar ist, ein skeptischer Grundton: Der Dichter zweifelt an sich und seiner Sendung. Man könnte sich hier an einen Vers aus dem « Grafen von Charolais » erinnert fühlen :

> « ... Gar Weniges hält stand, wenn
> Weisheit und Alter nüchtern es betrachten. »

Einmal fragt sich der Dichter über den Sinn seines Werkes : « Wer weiß, ob es vermag, viel von der Welt zu sagen ? » Seine Antwort ist pessimistisch: « Am Ende sagts doch nur, wie einst

mein Herz geschlagen ! » Im « Beschwörer » heißt es sogar : « Ein
Leben ward für verhallenden Gesang von Schatten hingegeben! »
Den gleichen Gedanken äußert der Dichter im « Vorspiel zu König
David ». Auch dort ist ja der Prolog identisch mit dem Dichter.
Er bekennt « fast reuevoll », daß er alles « in diese Flamme », in
die Flamme seiner Kunst warf. Und dies war « vielleicht frevler
Opferbrand ». Diese Reaktion ist vielleicht nicht nur Ausdruck des
« müdenttäuschten Alters », sondern mit der allgemeinkulturellen
Lage in Zusammenhang zu bringen. Diese Resignation bei Beer-
Hofmann (und viele andere müßten hier außerdem genannt werden), der alle Ideale und Hoffnungen im Laufe der letzten Jahrzehnte zusammenbrechen sah, ist begreiflich. Denn wir leben tatsächlich in einer Zeit, die auf die Dichter nicht mehr hören will
und an sie nicht mehr zu glauben scheint. (Im « Vorspiel » ist es
übrigens die *Frau,* die ihm Vorwürfe macht. In ihr erhebt das
Leben Einspruch gegen die völlige Flucht des Dichters in die
Kunst. Man könnte hier an eine Stelle in Hesses « Morgenland-
fahrt » denken, wo der Dichter von Ninon spricht, die auf Fatme,
die Traumprinzessin, eifersüchtig ist; Zürich, o. J., S. 28.)

Drei andere Gedichte aus dieser Reihe treten durch ihre Bedeutung hervor. Die « *Herakleitische Paraphrase* » wurde inspiriert
durch einen Ausspruch Heraklits :

> « Der Herr des das Orakel ist in Delphi,
> weder sagt er, weder verbirgt er — doch
> deutet er an. »
> DER DICHTER :
> Er sagt es nicht —
> Flutendem Fühlen wird gesagtes Wort zum Sarg!
> Er birgt es nicht —
> Das nochmals bergen, was ein Gott schon barg?
> Fluch, Segen, Rätsel das zu Danaidenfron ihn treibt,
> Unfaßbares in brüchiges Gefäß zu fassen — —
> Fragst du, was dem in Schauern stammelnd Hingegebenen bleibt?
> « Geheimstes ahnen und im Gleichnis ahnen lassen ! »

Der Dichter, Herr des Orakels, sagt nicht und birgt nicht. Das
Wort, bloßes Zeichen, geprägte Münze, tötet das Leben. «Danaiden-
fron » ist es, das Unfaßbare — Chaos, Leben — in das « brüchige
Gefäß » der künstlerischen Form fassen zu wollen. Die letzte Zeile
bestimmt die Möglichkeiten des Dichterischen: Es läßt « Geheimstes im Gleichnis ahnen ». Jedes Wort hat hier ein schweres Ge-

wicht. An einer für das Verständnis des Dichters zentralen Stelle begegnet uns wieder — wie auch in dem folgenden Gedicht — die *Ahnung*. Außerdem liegt darin ein Bekenntnis zum *Symbol*, das wichtiger ist als « brüchiges Gefäß » der Form . . .

Thematisch eng zusammen gehören die beiden spät entstandenen Stücke « Erahnte Insel » (1936) und « Abbild » (1939).

« *Erahnte Insel* », ein voll und breit dahinströmendes hymnenartiges Gebilde, schildert den dichterischen Arbeitsprozeß. Der Sinn dieser klingenden, schönen Verse ist ausgesprochen in den letzten vier Zeilen.

> « Mein Werk ! — Erahnte Insel du — an deren Küste
> Manchmal, für kurze Frist, gnädig Geschick mich warf — —
> Strand, dran mein *Wille nie* als Sieger *landen* —
> Daran — in Ohnmacht nur — ich selig *scheitern* darf ! »

Der schöpferische Prozeß gibt sich dem Dichter im Gleichnis eines Seefahrers, der in seinem Boot einer Insel zusteuert, die er aber nie unangefochten von Sturm und Wogen, « mit eingestelltem Steuer » erreichen kann, sondern an der er scheitern muß. Die Insel harrt im Meer schrankenloser unerfüllter Möglichkeit, um erst emporzutauchen, wenn ihr der Dichter naht. Klippen umstarren ihre Zufahrt, schwarzer Wetter Wirbelreigen umbraust sie. Das Boot zerspellt. Geschnürt an Trümmer, von Wogen emporgeworfen und in die Tiefe geschleudert, von salziger Lauge wundgebrannt, nur so kann er sein Ziel erreichen. Schon das ist « gnädiges Geschick ». Im Inselstrand liegt verborgen das Symbol des Hermaphroditen. Männlich zeugendes Meer schlägt an das Ufer, das die Zeichen des Weiblich-Empfangenden an sich trägt: « Sanfter Düne Sand, der zärtlich meinem Leib entgegenschwillt. » Die Vereinigung von Wasser und Erde ist ein Symbol des Schöpferischen. Das gilt auch in übertragenem, geistigem Sinn. So sagt Lou Andreas-Salomé in ihrem Rilke-Buch: « Freilich ist überhaupt alles Schöpferische nur etwas wie ein Name für die Reibung des Doppelgeschlechtlichen in uns . . . » (40.) In der schöpferischen Tätigkeit wird der Mensch gottähnlich. Er fühlt sich am Anfang der Dinge, dem Wesentlichen ist überhaupt das Odium der Zeitlichkeit und der Vergänglichkeit genommen:

> « Jungfräulich: Land, Luft, Quell ! Allerster Schöpfungstag
> Will wieder friedvoll leuchtend dich umheitern ! »

Das Gedicht ist in seinem aufschließenden Sinngehalt unausschöpflich. Geistig bedeutet die Insel soviel wie « Ahnung ». « *Ahnung* » ist das schon im « Tod Georgs » sich ankündigende Leitbild des Dichters, der sich aus der Verstrickung in das bloß Mütterliche wieder lösen, der zu einer über dem Stofflichen sich erhebenden Welt des Geistes zurückkehren will. Ahnung bedeutet Rückkehr zu einer neuen, an der Vielfalt des äußern Lebens korrigierten und gereiften Präexistenz. Das heißt: Der Mensch, der nach Selbstverwirklichung strebt, muß nach seinem Übertritt in die Existenz stets danach trachten, über dem gleichmäßigen Wechsel von Tag und Nacht, über seinem mit den diesseitigen Dingen verknüpften Dasein einen erhöhten Standort zu gewinnen, wo sich seine seelischen Kräfte entfalten können, wo er in das unendliche Reich der Ideen, des ewig wirkenden Geistes eintauchen kann. Dies ist in der Regel der Vorzug des Alters, wie wir schon beim Gerichtspräsidenten Rochfort feststellten. Die menschliche Existenz erhält auf dieser Stufe den Aspekt des wahrhaft Religiösen, der freiwilligen Bindung an die ewigen Gesetze des Kosmos, — der Gläubigkeit und der Frömmigkeit. Der gewöhnliche, nicht in jenem spezifischen Sinne schöpferische Mensch wird dabei nie weiter gelangen, als daß er — dem in Frage stehenden Symbol entsprechend formuliert — fern am Horizont den Küstensaum des rettenden Gestades dämmern sieht. Der Dichter aber, der Gesegnete, darf die Gnade beanspruchen, als diesseits Lebender die Insel, das Symbol seines Werkes, aus dem Meere unendlicher Möglichkeiten als plastisches Formgebilde emportauchen zu sehen. Aber nur dann, wenn er sich den innen waltenden Kräften willig überläßt. « Mit eingestelltem Steuer », das heißt mit seinem rechnenden Verstande, müßte er das Ziel notwendig verfehlen. Von seinem rationalen Denksystem endlich bringt er nur « Trümmer », einzelne Planken, an die geschnürt er sich knapp über Wasser hält, ans Land. Das Meer ist auch hier Leben und Chaos.

« *Abbild* » behandelt ähnliche geistige Kreise an Hand eines andern, auch aus den Gedichten Hofmannsthals bekannten Symbols. Auch in seinem hymnischen Ton gemahnt es an « Erahnte Insel ». Es besteht aus denselben langen achthebigen Zeilen, die wir eher als rhythmische Prosa denn als « Verse » bezeichnen müßten. Auch hier herrscht eine schwere, an klangvollen, erlesenen Epitheta reiche Diktion. Das Symbol der « Meermuschel » ist in seinem Bedeutungswert gleichzusetzen mit « Fisch », dem Symbol des Unerklärbaren. Die Meermuschel wurde vor Urzeiten von den Fluten des Meeres an Land geworfen. Jetzt ist sie Sinnbild gefangenen Lebens, gleichbedeutend mit Bernstein oder Stein. Sie war einst « zuckend Fleisch ». Nunmehr ist sie nur noch « Erinnerung gewesner Form », Kind der gewichenen Urwasser. Zuerst war sie, ähnlich wie der ans Ufer der Insel geschleuderte Dichter, «schmiegsamem Dünensand » eingebettet. Auch hier ein weibliches Symbol wie im vorigen Gedicht, wo dem Körper des Gestrandeten « sanfter Düne Sand zärtlich entgegenschwillt ». Die ans Land geratene Meermuschel verwittert und härtet sich zu Stein, der bloß « Abbild des Gebildes » bleibt. Der Stein liegt nun « in kargem Ackerland ». Das vom Ufer zurückflutende Wasser ist ein Symbol für den Rückgang vegetativen Lebens, für den Verlust an biologischer Energie, was ja für Beer-Hofmann von Anfang an eine Existenzfrage bedeutete. Der Stein ist eingefrorene Weisheit, versteinertes Geheimnis. Versteinerte Meermuschel auf kargem Ackerland, das bedeutet, daß das Urgeheimnis auf dem trockenen Boden nüchterner Geistigkeit unfruchtbar und wirkungslos bleiben muß. Der Wanderer im Ackerland ist der Dichter. Er stößt mit dem Fuß an den Stein, hebt ihn auf und hält ihn ans Ohr. Der Schluß des sinntiefen Gedichtes, auf das wir im Zusammenhang mit dem Fischsymbol noch einmal zu sprechen kommen, bleibt unentschieden.

> « *Mir* ist, ich *hörte* dich — es tönt um uns — doch wer mag scheiden:
> Vergänglich, ich — und du, vergangen schon, entzeitet, *frei* — —
> Wer wohl zum andern spricht — *wer* — von uns Beiden? »

Der Dichter findet sich hier einem Urgeheimnis gegenüber. Die Frage, wer in dieser Situation zuerst « spricht », rührt an die Frage der Priorität im schöpferischen Prozeß. Ist es die zeugende Idee, die aus dem Bereich der Urbilder in die Welt der Gestaltung tritt? Ist es der menschliche Genius, der die versteinerte Weisheit der Meermuschel wie die Chiffren einer « längst vergessenen Sprache » als einzig Erkennender enträtselt? Die Frage bleibt im Gedicht unbeantwortet. Uns scheint, es muß beides zugleich sein. Schließlich ist immer das Schöpferische abhängig von jenem geheimnisvollen Augenblick der Vermählung, vom Gnadenmoment der Begegnung zwischen Suchendem und Gesuchtem.

Am Schluß der Sammlung finden sich zwei Gedichte, die auf einer andern Basis stehen als die bisher besprochenen. Sie gehören trotz der Verschiedenheit des Themas zeitlich und inhaltlich zusammen. Eines der merkwürdigsten Stücke des Buches bleibt das « *Lied an den Hund Ardon — da er noch lebte* » (1938). Es ist einmal rein äußerlich das umfangreichste Gedicht, besteht es doch aus 23 Strophen. Inhaltlich schlägt diese fein beobachtete Tierstudie eine Reihe von Themen an, aus denen wir nur die wichtigsten herausgreifen. An einigen Stellen spürt der Dichter der Grenze zwischen Tier- und Menschenseele intuitiv nach. Der Mensch hat eine Gnade vor dem Tier voraus: Er darf es Tag um Tag umsorgen und darf ihm ein gütiger Gott sein. Dagegen das Tier muß nie wissen, wohin es seine Schritte tragen und welches Ende uns alle erwartet. Auch die bekannten Klagetöne über die finsteren, niederen Triebe im Menschen fehlen nicht. Das Tier besitzt eine reine, « von Menschenwirrnis nicht verstörte Seele ». Es ist stumm. Das Gedicht bietet dem Dichter zudem ein aufschließendes Symbol, um im Verhältnis zwischen Tier und Mensch ein Gleichnis zu finden für das Verhältnis des Menschen zu den objektiven Mächten.

> « ... Suchst du
> Den Weg zu mir durch ewige unsichtbare Wand? »

Der Hund, dem der Trieb zur Jagd eingeboren ist, schafft sich selbst ein Schattenwild, indem er die offenen, durchsonnten Fensterscheiben bewegt. Das ist ein Gleichnis für den Dichter :

> « Dein Tun gleicht meinem ! Körperloses lock ich
> Hervor, wie du — — rings regt sich Scheingestalt,
> Und Scheingeschick — das ich doch selbst gewoben —
> Erschüttert mich mit wirklichen Geschicks Gewalt. »

Wie das Tier dem Menschen durch Schicksalsspruch anheimgegeben ist, so ist es der Mensch auch den überirdischen Mächten gegenüber:

> « Wie *du* — auch *ich:* Dunklem anheimgegeben,
> Das — Antwort weigernd — mir die Würfel warf,
> Auch mir, im tiefsten, Treue gläubig eingeboren
> Zu dem, der mich verstoßen— martern — töten darf! »

Die Sammlung wird abgeschlossen durch das Gedicht « *Ferne Hand* » (1939). Es ist ein kosmisches Gleichnis. Die Welt wird einem Vogel verglichen, den Gott in seiner Hand geborgen hält.

184

Wenn er seine Hand öffnet, erwacht « Vogel Welt », spannt staunend viel zu große Augen auf. Er ist zum Flug nicht reif.

« Gott schließt die Hand — ein Weltentag,
Aus tausenden Jahrtausenden gereiht,
Verging, versank in Zeit — in Zeit — in Zeit! — — »

Dann öffnet sich Gottes Hand wieder. Vogel Welt flattert durch den Weltenraum. Schon hat er vergessen, « in wessen Hand er eben friedvoll schlief ». Doch eine jede Welt « träumt, verwaist, ruhlos, verirrt im Raum — von einer fernen Hand — drin einst sie schlief den Traum ». Darin liegt auch eine Anspielung auf den entgotteten, entwurzelten Menschen, der in myriadenfacher Verkürzung dieses Weltschicksal miterlebt.

Eine Anzahl von Gedichten sind bei unserer Besprechung nicht genannt worden. Es sind außer dem Vers von Hadrian « Animula Vagula Blandula » (Anm. 74) die verschiedenen Fragmente zur « Historie von König David », ein Prolog zur « Ariadne » und ein « Chorus zu Romeo und Julia ». Die beiden letztern Stücke stammen aus der Zeit, da Beer-Hofmann bei Reinhardt Regie führte. Auf den Bedeutungswert der Prologe indessen kommen wir noch zurück.

Die vorliegende Sammlung ist nach keinem deutlich erkennbaren Gesichtspunkt geordnet. Sie vereinigt vermutlich alle Gedichte Beer-Hofmanns (bis 1941), ohne Rücksicht auf Motiv oder literarischen Wert. Dadurch wird das Buch in künstlerischer Hinsicht fragwürdig. Es hat vor allem persönlichen, bibliophilen Wert.

In knappen Zügen sollen die wesentlichsten Eigenheiten dieser Gedichte zusammenfassend dargestellt sein. Es ist schon behauptet worden, Beer-Hofmann sei « mehr Lyriker » (so etwa von Mumbauer in « Die deutsche Dichtung der neuesten Zeit », S. 214). Die in diesem Band veröffentlichten Verse beweisen eigentlich das Gegenteil: Alles dichterisch Relevante trägt, mit der Ausnahme von « Maachas Lied » und « Schlaflied für Mirjam », epischen oder dramatischen Charakter. « Erahnte Insel », « Abbild » etwa sind Zwergepen; zu einem andern Teil sind die Gedichte kosmische Gleichnisse, mythische Fragmente, wo vom Lyrischen nur noch im untergeordneten Sinne die Rede sein kann.

Kein einziges Gedicht, wieder mit Ausnahme der beiden Lieder, enthüllt oder vermittelt eine ungetrübte lyrische Stimmung. Die

Verse Beer-Hofmanns sind nie Naturlyrik, sondern Gedankenlyrik. Oft entzündet sich seine Muse an künstlerisch schon Gestaltetem, so in « Animula Vagula Blandula », « Der einsame Weg », « Herakleitische Paraphrase », den Prologen. Auch der « Graf von Charolais » ist ja eine Bearbeitung! Selbst im Schlaflied findet man, wenn man will, vorgeprägtes Sprachgut, nämlich das Hölderlin-Wort « In uns sind alle ». Solche Verse aber sind nur am Schluß einer langen Kulturentwicklung möglich. Sie sind in dieser Hinsicht zu vergleichen den allerdings durchweg kostbareren Gedichten Hofmannsthals. Daß Beer-Hofmann als Lyriker hinter Hofmannsthal zurücktreten muß, hängt zusammen mit der geistigen Struktur der beiden Persönlichkeiten und kann nicht auf einen qualitativen Unterschied zurückgeführt werden. Man kann unschwer nachweisen, daß Beer-Hofmann ungebrochenes lyrisches Empfinden fremd war. Dieser Aufgabe indessen unterziehen wir uns später.

Aufschlußreich sind die Verse erst, wenn wir auch hier vom Symbolischen ausgehen. Die Bedeutung des Symbols liegt in dem rational nie ganz auflösbaren Zusammenfall von Sinn und Bild. Diese Forderung ist am reinsten erfüllt in « Maachas Lied ». Überall sonst nähert sich Beer-Hofmann dem Allegorischen, das heißt, das Bild muß, um einen Sinn hervortreten zu lassen, denkmäßig zurechtgebogen werden, die rationalen Elemente herrschen vor (vgl. die Einleitung zur Symbolik). Sinn und Bild sind nicht vollkommen angemessen. Das Gleichnis stimmt nicht. Wir exemplifizieren an dem Gedicht « Erahnte Insel ». Das Bild einer bei Annäherung aus dem Meer auftauchenden Insel, seinem Sinn nach das dichterische Werk, scheint uns stark an den Haaren herbeigezogen. Der Dichter muß auch, um das Verständnis zu ermöglichen, die Insel benennen: « Mein Werk! — Erahnte Insel du —. » Es ist durchaus bezeichnend, daß die letzten vier Zeilen durch einen Strich vom Hauptteil getrennt sind. Auch in « Der Künstler spricht » mutet uns das Bild gesucht an. Es überzeugt nicht.

« Pfeil bin ich in ewigem Fluge,
Gott entsandte mich im Spiel!
Doch um eines Pulses Welle
Vorher — gleicher Bahn und gleicher Schnelle
Hatte lächelnd Gott entsendet
Vor mir her — mein ewiges Ziel! »

Das Gleichnis will nicht recht passen für den Gedanken, daß der Künstler sein Ziel nie vollkommen erreicht. Solche Unstimmigkeiten im Symbolgebrauch finden sich in den « Versen » öfters, in den Hauptwerken seltener. In den letzteren bedeutet es überdies keinen entscheidenden Nachteil, ein Gedicht aber wird durch ein falsches oder schlechtes Bild zerstört.

Die vorgebrachten Einwände wollen nicht die Bedeutung dieser Veröffentlichung Beer-Hofmanns herabmindern. Die Ernte seines lyrischen Schaffens ist zwar dürftig. Aber ungeachtet der Problematik einzelner Gedichte, ungeachtet der Uneinheitlichkeit der ganzen Sammlung, steht doch auch hier so Herrliches, daß es dem Besten, was die gegenwärtige Zeit hervorbringt, an die Seite gestellt werden darf. Schon um des einzigen « Schlafliedes für Mirjam » willen, über das einst eine ganze Generation entzückt war, verdient es der Band « Verse », endlich auch in Europa der Öffentlichkeit zugänglich gemacht zu werden.

II. DIE REDEN

Gedenkrede auf Wolfgang Amade Mozart

Die Gedenkrede — verfaßt bei Anlaß der 150. Wiederkehr von Mozarts Geburtstag — ist eines der kostbarsten Stücke des Dichters. Er sieht in Mozart zwei Kräfte am Werk, die in hohem Maße seiner eigenen Wesensstruktur entsprechen.

Die Rede wird eingeleitet mit folgenden Sätzen:

> « Von hohen Bergen rinnt ein Wasser zu tiefen Tälern hinab. Einem Gletschersee entstürzt es, wildstürmende Wasser aus seitlichen Tälern werfen sich ihm zu, und in Sturz und Fall, von Talstufe zu Talstufe schwellender und reicher, sucht es seinen Weg. Von Horten, die tief in ringsum starrenden Bergen verborgen schlafen, tragen mündende Bäche ihm verräterische Kunde zu; und wer den Sand seiner Ufer in hohler Hand faßt, dem gleiten, mit dem Sand zugleich, durch seine Finger: dunkles Erz und rotes Kupfer, grauer Kobalt und das Gold und Silber der Rauris. »

In diesen einleitenden Sätzen ist wiederum das transzendierende Symbol des « Stroms vom Berge » enthalten. In « schwellend » ist auf die Fruchtbarkeit hingewiesen. In den « verborgen schlafenden Horten », von denen mündende Bäche verräterische Kunde bringen, ist wie in der Höhle der Maacha das Geheimnis des Lebens symbolisiert. Wer den « Sand seiner Ufer in hohler Hand faßt », der hat zugleich den Segen der obern Bezirke in seinen Händen. Sand ist hier in seiner bekannten symbolischen Bedeutung als niederes, banales Leben aufzufassen.

Das Doppelsymbol begegnet noch einmal gleich anschließend. Von oben stürmt der Bach in die Tiefe. Von der Küste des Meeres aber führt eine Straße empor:

> « Und dort wo die zwei sich treffen — der Strom von den Firnen norischer Berge, und die Straße vom Meer und vom Süden her — ist eine Stadt gelagert. Dort wird Mozart geboren ! »

Zwei Ströme treffen also in der Seele dieses Menschen als wirksame Kräfte zusammen: von oben die Gnade, die Bürgschaft irdischer Segenskräfte, von unten die Banalität und der « Sand » des nichtssagenden Lebens.

Ein rätselhafter Zufall will es, daß auch der Name der Stadt, in der Mozart geboren wurde, schon ein vereinigendes symbolisches Element birgt: *Salzburg;* Salz, « heiliges Salz », ist das Element der Erde; Burg ist menschlicher Geist. Die Rede ist an symbolischen Formen nicht auszuschöpfen. Immer wieder taucht, in den vielfältigsten Bildern versteckt, dieser Gegensatz auf:

> «Und wenn die Glocken dieser *Stadt* schweigen, rauschen ihre *Wasser* dem Knaben. »
>
> « Hellsprudelnde *Brunnen sind gebändigt,* zierliche Künste zu treiben. »

Auch das Derketosymbol begegnet: « *Triton.* » So horcht er auf « kleiner Menschen tägliche Hast und geschäftiges Mühen, vergängliche Lust und endliches Leid ». Aber was hier im Symbol des Sandes begriffen wird, ist nicht bloße Banalität, sondern selige Unbeschwertheit, göttlicher Freimut, Dasein im « Unschuldsstande der Natur ».

Beer-Hofmann findet in Mozart einen kongenialen Geist, eine menschliche Idealgestalt, wie er sie selber im Werke zu schaffen versuchte — in Georg, Philipp, Jaakob und David. Um dieses Kind ist ja früh *Musik,* jenes Element, das die Menschen zu gleichem Puls zwingt. So ist seinen « wunderbaren Fingern früh Kraft gegeben, die Welt sich aufzublättern wie ein Märchenbuch »:

> « Die Elemente sind um ihn geschart. »
>
> « Alle vergängliche Lust und Trauer der Kreatur hebt sich werbend ihm entgegen und will ewig werden in *Musik.* »

Selbst der Mythus von Moriah ist in einer Andeutung in dieses kostbare Stück, das alle Themen zugleich anschlägt, verwoben:

> « Und was rätselhaft mit eisigen Fingern im Dunkel uns umtastet — weht es aus noch nicht vergessenen Schauern einer alten *Urnacht ?* »

Wenn man erst noch die Schilderung der Werke — zwei bis drei Seiten sind es — durchgeht, glaubt man einen Augenblick staunend zu bemerken, daß das ganze so selbständig scheinende Werk Beer-Hofmanns nichts anderes ist als eine späte, aus der Korruption heraus geborene und gegen sie gerichtete, sehr bewußte Entfaltung dessen, was keimhaft schon in Mozarts Werk verborgen liegt. Alles, was in Mozarts Opern vorüberschwebt und gewissermaßen leicht dahinfließt, erhält bei Beer-Hofmann eine sehr ernste, gegenwärtige, aktuelle Bedeutung. Die mythischen Hintergründe der « Zauberflöte », der Kampf des hellen gegen das dunkle Welt-

reich, überhaupt die Aufnahme antiker und östlicher Mysterienweisheit — wer könnte die Ähnlichkeit übersehen?

«Und das Meer an Kretas Gestaden schäumt auf und droht —
brach Idomeneo sein Wort?»

Wer fühlte sich bei Idomeneo nicht an Davids tragische Situation erinnert? Oder wer denkt bei Leporello nicht unwillkürlich an
Gestalten wie Romont und Idnibaal? Und wie der gottbegnadete
Musiker «an der Grenze zweier Zeiten» stand, einer großartig
erfüllten und einer künftigen unglücklicheren, — wie ihm geschenkt
war, «das Antlitz seiner Welt, ehe es sich wandelt, allen Kommenden zu künden, und zugleich ein seliger Bote dessen zu sein, was,
hinter aller Zeiten wechselndem Antlitz, ewig sich birgt», so ist
auch Beer-Hofmann Exponent eines Überganges, kündet von der
vergehenden Zeit, steht an der Schwelle einer neuen, zerrissenen,
in den Grundfesten erschütterten Welt, und sucht doch stets nach
den ewigen Gesetzen.

Repräsentant der neuen Zeit ist ihm Beethoven, der Titan und
Kämpfer. Mozart und Beethoven, Engel und Dämon, werden zeit-
symbolisch zur Andeutung des allgemeinen Niederganges einander
gegenübergestellt. Auf des erstern «Entführung aus dem Serail»,
wo alles Geschehen wie von Sphärenmusik umspielt wird, folgt des
letztern «Fidelio», in dem Gefangene in düstern Kerkerhöfen nach
Freiheit auf zum Himmel stöhnen. Großartiges Symbol des Zeiten-
wechsels! Oder wiederum der Geist Mozarts, der sich noch im «Unschuldsstande der Natur» bewegt, gegenüber demjenigen Beethovens, der aus dem Chaos nach göttlicher Ordnung, aus der
Befleckung nach Reinheit sich sehnt:

«Noch darf des Meisters „Maurerische Trauermusik" in frommen
Weisen um den Tod von Edlen klagen — — Blut und wieder Blut
muß fließen, ehe die Straße frei wird für den „Trauermarsch auf
den Tod eines Helden"!»

Die Seele des modernen Menschen aber kann nicht mehr in
seliger Unbeschwertheit bei Mozart weilen:

«Zu sehr hat man uns gelehrt, in unseres Wesens geheimsten
Schächten zu schürfen, und wir wissen von vielzuviel Leid.»

Der Blick wendet sich von Jupiter weg zu Prometheus, dem
Lichtbringer. Mozart *bewundern* wir, des prometheischen Beethoven
Kämpfe *erleben* wir; denn seine Kämpfe sind unsere Kämpfe.

Die Mozart-Rede wurde 1906 verfaßt. Kein Mensch wußte damals von einem ersten und einem noch ungleich furchtbareren zweiten Weltkrieg. Diese kleine, bis in letzte gemeißelte Rede hat noch nichts von ihrer Aktualität eingebüßt. Beer-Hofmann sprach selten. Aber wenn er das Wort ergriff, geschah es, um unvergängliche Symbole zu beschwören.

An der Schwelle des Goethe-Jahres (1932)

Die Rundfunkrede zur Hundertjahrfeier von Goethes Tod legt Zeugnis ab von Beer-Hofmanns tiefer Verehrung für diesen Dichter. Ähnlich wie bei Hofmannsthal liegt auch hier ein « all- umfassendes und tiefpersönliches » Verhältnis vor, das bis zu den Wurzeln der dichterischen Wesenheit hinunterreicht (K. J. Naef, 342). Es ist zwar im allgemeinen billig, einige äußere Umstände kurzerhand als Belege für eine Verwandtschaft mit Goethe anzu- führen. Denn Goethe ist ein solcher Kosmos, ein Universalgeist von so umfassender Ausspannung, daß bis in die Gegenwart fast für jeden Dichter deutscher Zunge eine derartige Beziehung kon- struiert werden kann. Immerhin sind nun die Übereinstimmungen zwischen Beer-Hofmann und besonders dem alternden Goethe teil- weise recht auffällig und beruhen auf einer ausgesprochenen Gei- stesverwandtschaft. Wir begnügen uns, auf einzelne Elemente dieser Verwandtschaft andeutungsweise einzugehen.

Beer-Hofmann hat seine Liebe zu Goethe vor allem durch die oft gerühmte Zusammenziehung des « Faust » zu einem abend- füllenden Werk bekundet. Die Ursache gerade für diese Faust- bearbeitung liegt aber wohl tiefer; denn gerade im « Faust », jeden- falls in einigen wesentlichen Zügen, sah Beer-Hofmann eine Vorwegnahme seines eigenen Daseinskonflikts. Faustische Sehnsucht — jüdische Ruhelosigkeit: Die rätselhafte existentielle Verwandt- schaft ist unverkennbar. Über dieses Problem schreibt etwa Wol- fenstein in seinem Buch « Jüdisches Wesen und neue Dichtung » (Berlin 1922): « Die deutsche Ruhelosigkeit des Idealismus er- scheint wie eine Schwester der jüdischen ruhelosen Sucht nach Un- bedingtheit. Es gibt, wie den ewigen Juden, auch den ewigen Deutschen, als den vor der eignen Rastlosigkeit, vor der eignen Wandlung Fliehenden.» (46.) — «Auch der Deutsche ist unplastisch, und seine Sehnsucht nach Griechentum bestätigt es, und seine

Abneigung gegen Judentum ist wieder Unzufriedenheit mit sich selbst, freilich auch mit dem wirklichen Juden. Denn schwer wird die Wiederholung einer Eigenschaft beim anderen ertragen.» (49.) Das «faustische» Element etwa des «Grafen von Charolais» hat eine Parallele im «prometheischen» Element Jaakobs und Davids. Entsprechende Motive finden sich aber über das ganze Werk verstreut. Wir erspüren es besonders deutlich schon im Aufruf des Engels in «Jaakobs Traum» : «Sei Licht der Völker !» — Aber nicht weniger in der oft wiederholten Wendung im «Tod Georgs» : «Leuchtender, fordernder Schrei zu den Göttern.» In der Mozart-Rede (1906) wird im Zusammenhang mit Beethoven direkt auf Prometheus angespielt. Auffällig ist, daß der Ausdruck «wehevoll geballte Brauen» in der mehr als 25 Jahre später entstandenen Goethe-Rede wieder auftaucht. Nirgends wie in dem unvermittelten Auftreten solcher «Leitmotive» wird das Wesen des Dichters, der sich dem verwandelnden Einfluß der Zeit in einem beinahe schon unbegreiflichen Maße zu entziehen gewußt hat, schärfer erkennbar. So heißt es in der Goethe-Rede :

> «*Löste* es nicht die Seele des ohnmächtig Verbitterten, wenn im Spiegel ein Antlitz, gleich seinem, unter *wehevoll geballten* Brauen, den Göttern, „den Schlafenden da droben" entgegenzutrotzen sich vermaß?» —

Noch eine Anzahl von Berührungspunkten könnten genannt werden. So stehen die Klärchen-Vision und die Visionen Pauls, des Grafen, Davids in einem innern Zusammenhang (vgl. Anm. 55). Und vielleicht verhält es sich ebenso mit dem «Zug zum Osten». Gewiß weist auch die beim alternden Goethe bisweilen spürbare und bei Beer-Hofmann besonders charakteristische Unfähigkeit in der Ausgestaltung einer größeren Konzeption auf eine bedeutende Übereinstimmung. So setzen sie beide einen großen, die Welt ausmessenden Rahmen, der aber nicht in adäquatem Sinne ausgefüllt wird, sei es, weil die Konzeption überhaupt nur das Wesentliche ist, sei es, weil die irdisch beschränkten Kräfte den ins Unendliche schweifenden Geist nicht einzuholen vermochten. Und schließlich lassen das «Vorspiel auf dem Theater zu Faust» und das «Vorspiel auf dem Theater zu König David» mehr als nur äußere Ähnlichkeiten erkennen. Wie gesagt, all dies bleibt nur Andeutung einer Wesensverwandtschaft, die vermutlich tiefer in geistesgeschichtliche Zusammenhänge hineinweist.

III. DER DICHTER ALS PROLOG

Im « Vorspiel » entpuppt sich der *Prolog* als der *Dichter*. Diese Enthüllung läßt einige interessante Rückschlüsse auf das Wesen des Dichters zu.

Es fällt vor allem bei den « Versen » auf, daß Beer-Hofmann fast immer ein « Du » anspricht. Seine Gedichte sind oft Gespräche, Monologe, wo auch die stilkritische Analyse mehr Elemente des Denkens als Elemente der Empfindung feststellt. Fast nirgends verrät sich ein urspüngliches Verhältnis zur Natur. Immer ist dieses Verhältnis mittelbar, wird es erreicht auf dem Umweg über die Bildung oder aber das Geistige. Dahinter verbirgt sich durchaus ein bestimmendes Formgesetz, eine charakteristische Eigenschaft dieses Dichters. Wir sehen ihn vor dem geistigen Auge mit Vorliebe als Sprechenden, Verhandelnden, als *Prolog*. Nicht umsonst sind die Prologe in seinem Werk so zahlreich vertreten: « Prolog zur Ariadne », « Chorus zu Romeo und Julia », « Prolog zum Jungen David », « Prolog Ruth », « Vorspiel zu König David ». Das ist bei dem geringen Umfang des Werkes auffällig. Es verrät eine Bereitschaft für diese Kunstform. Darin ist vielleicht ein Symbol zu sehen für den Dichter, der sich gleichsam am Anfang fühlt, der etwas anzukündigen, etwas vorauszusehen, zu « besprechen » hat. Diese Haltung eignet ganz besonders *der* Figur, die am meisten Herzblut des Dichters aufgesogen hat : David. Ist nicht David im dritten Bild, bei der Verkündigung seines Lebenszieles nichts anderes als sein eigener Prolog ? Alle seine Leute hören ihm liegend zu und sind schon durch diese Stellung gekennzeichnet : Sie sind machtlos seinen beschwörenden Worten hingegeben. Souverän erledigt er ihre Einwürfe. In Davids Gebaren liegt unverkennbar das beinahe Herrische, das Überredende, Selbstbewußte, das dieser ganzen Persönlichkeit des Dichters an einer vielleicht versteckten, aber deswegen nicht minder wesentlichen Stelle zu eigen gewesen sein muß.

Etwas durchaus Suggestives, etwas erhaben Belehrendes, etwas Apodiktisches tritt einem hier entgegen, dem man sich nicht restlos zu entziehen vermag. Das Medium solcher Kunst ist deshalb nicht Stimmung, Atmosphäre, auch nicht epischer Fluß der Handlung, im letzten Grunde auch nicht die Sprache, vielleicht eher die theatralisch große Szene und vor allem die *Gebärde*. Es sei auch hier auf die Pantomime « Pierrot hypnotiseur » hingewiesen. Wohl nur wenige Dichter des Theaters haben wie Beer-Hofmann (vor allem im « Jungen David ») einen derart ausgefeilten, durchdachten, auf die feinsten Wirkungen abgestimmten Apparat von Regieanmerkungen. Beinahe jede Person wird, bevor sie spricht, vom Dichter an den Platz auf der Bühne gestellt, auf dem er sie haben will; sind ihr die Gebärden und Stellungen, die sie einnehmen muß, aufs genaueste vorgeschrieben. So erstreckt sich seine Macht bewußt über das geschriebene Wort hinaus bereits auf die Aufführung. Natürlich steht damit in Zusammenhang, daß Beer-Hofmann sehr lange beim Theater als Regisseur gewirkt hat. Hier wurde er auch eng vertraut mit der modernen — naturalistischen oder impressionistischen — Bühne.

Seine Kunst beruht aber nicht auf der bloß effektbetonten Gebärde. Auch sie ist nur ein Mittel, auch sie hat nur Dienststellung. Von hohler Aktivität oder leerer Theatralik kann keine Rede sein (Anm. 75). Im Gegenteil; hier muß auf die Gründlichkeit und Gewissenhaftigkeit von Beer-Hofmanns Schaffen nachdrücklich hingewiesen werden. Ein auffälliger Zug seiner Kunstübung ist deshalb, daß er seine Werke wissenschaftlich unterbaut. So fügt er den Stücken der Historie Belegstellen aus dem Alten Testament und dem « Jungen David » Anmerkungen und ein Literaturverzeichnis bei, welche von der präzisen Durcharbeitung des Stoffes Zeugnis ablegen.

Fünfter Teil

Grundzüge eines symbolischen Weltbildes

« Geheimstes ahnen und im Gleichnis
ahnen lassen. »   (Herakleit. Paraphr.)

I. DIE PROBLEMATIK DES SYMBOLISCHEN

Der Begriff des Symbols

Die äußere Wirklichkeit bietet dem Menschen eine solche Fülle von Erscheinungen, daß er sie ohne ein System von vereinfachenden Formen nicht bewältigen kann. Schon unsere Sinnesorgane sind so beschaffen, daß sie aus der unendlichen Vielfalt der Umwelt nur einen beschränkten Teil nach innen leiten. Und auch unsere geistige Tätigkeit besteht in nichts anderem als in einem fortgesetzten Aussondern und Ordnen des innen Vorhandenen. Zwei wichtige Grundkräfte stehen dem Menschen bei der geistigen Bemächtigung der Welt zur Verfügung : Die Funktion des *Abstrahierens* und die des *Symbolisierens*.

« Abstrahieren » bedeutet Rückführung ähnlicher oder übereinstimmender Erscheinungen auf einen Begriff, oder Reduktion von Begriffskonstellationen auf Ideen, auf ein Gesetzhaftes. Unter « Symbolisieren » verstehen wir umgekehrt Verwandlung geistiger Elemente in sinnhaft-anschauliche, mitteilbare. Das Symbol kann bewußt gebildet werden als Verdinglichung, Hypostase von Begriffen und Ideen. Außerdem kann der Mensch darin etwas aussprechen, was sich logisch-begrifflich nicht oder nur undeutlich ausdrücken läßt. In dieser Hinsicht ist das Symbol auch für transzendierende Inhalte geeignet. Als seinen eigentlichen Charakter halten wir somit fest, daß es ein materielles oder anschauliches mit einem geistigen Element verbindet, und daß es umgekehrt immer über sein dinglich-gegenwärtiges Dasein hinausweist in einen geistigen

195

Zusammenhang. Auf diese besondere Eigenschaft, daß das Symbol Mittelglied zwischen zwei verschiedenen Weltsphären ist, machen eine Reihe von Forschern aufmerksam. So bezeichnet es Schleiermacher als « Ineinander von Vernunft und Natur », Fechner als « versinnlichende Darstellung, insofern sie etwas Geistiges spiegelt », Hegel als «eine für die Anschauung unmittelbar vorhandene oder gegebene äußerliche Existenz, welche jedoch nicht so, wie sie unmittelbar vorliegt, ihrer selbst wegen genommen, sondern in einem weiteren und allgemeineren Sinne verstanden werden soll ». Diese Auslegung des Begriffes geht schon aus der Etymologie des Wortes «Symbol» hervor. Es bedeutet «das Zusammengeworfene», das « Zusammengesetzte » (Anm. 76).

Im allgemeinen hat kein Denker eine Definition des Symbolbegriffes gegeben, die wir vorbehaltlos übernehmen möchten. Davon überzeugt uns auch Volkelts Untersuchung « Der Symbolbegriff in der neuesten Ästhetik ». Vielleicht hängt dieser Umstand zusammen mit eben dieser charakteristischen Doppelstruktur des Symbols. Je nachdem wird seine Bedeutung nämlich abgeschwächt, entweder nach der geistigen oder nach der materiellen Seite. Besonders auffällig ist etwa die Stellung *Hegels* zum Begriff des Symbols. Für ihn muß es immer « unangemessen » sein, und es besteht darin, daß sich ein « noch nicht wahrhaft geistig, wahrhaft konkret gewordenes Inneres in eine äußere Gestalt hineinarbeitet » (Volkelt, 10). Eine entgegengesetzte Anschauung vertritt *Fechner*, den am Symbol der Assoziationscharakter interessiert. Das Symbol « erinnert » an etwas anderes.

Es ist klar, daß man mit diesen Einschränkungen dem Wesen des Symbols nicht gerecht werden kann. Die einfach logische Untersuchung wird nie ganz genügen zu einer erschöpfenden Bestimmung des Symbols. In der Tat ist sein transzendierender Charakter seine bestechendste Eigenschaft, die es unterscheidet vom einfachen Zeichen, vom Emblem, vom Symptom. Denn das Symbol ist geeignet, Dinge auszusagen, die sich dem vereinfachenden Zugriff der logischen Sprache entziehen. Aus dieser Eigenschaft erwächst ihm seine « aufschließende » Bedeutung, jene nie ganz beschreibbare Fähigkeit, über sich selbst hinauszuweisen in einen Weltzusammenhang (Anm. 77). Selbst wenn man nun den aufschließenden Charakter nicht auf den Bereich des Metaphysischen ausdehnen will, bleibt jener doch bestehen für den Bereich des menschlichen Wesens, für die tiefsten Geheimnisse der Lebensverhältnisse und Lebensgesetze, etwa für die Beziehungen zwischen Materie und Geist, zwischen Leib und Seele, — und das gerade durch seine Doppelstruktur. « Man sieht, in welch großem, weitem Zusammenhange die Symbolisierung steht. Ist doch das Verhältnis von Innerem und Äußerem, von Idee und Erscheinung das Welträtsel katexochen. » (Volkelt, 117.)

Wir können es uns nicht versagen, hier die schöne Stelle aus Bachofens « Gräbersymbolik » wiederzugeben, die über die geheimnisvolle Würde des Symbols handelt:

« Zu arm ist die menschliche Sprache, um die Fülle der Ahnungen, welche der Wechsel von Tod und Leben wach ruft, und jene höhern Hoffnungen, die der Eingeweihte besitzt, in Worte zu kleiden. Nur das Symbol und der sich ihm anschließende Mythus können diesem edlern Bedürfnisse genügen. Das Symbol erweckt Ahnung, die Sprache kann nur erklären. Das Symbol schlägt alle Saiten des menschlichen Geistes zugleich an, die Sprache ist genötigt, sich immer nur einem einzigen Gedanken hinzugeben. Bis in die geheimsten Tiefen der Seele treibt das Symbol seine Wurzel, die Sprache berührt wie ein leiser Windhauch die Oberfläche des Verständnisses. Jenes ist nach Innen, diese nach Außen gerichtet. Nur dem Symbole gelingt es, das Verschiedenste zu einem einheitlichen Gesamteindruck zu verbinden. Die Sprache reiht Einzelnes aneinander, und bringt immer nur stückweise zum Bewußtsein, was, um allgewaltig zu ergreifen, notwendig mit Einem Blicke der Seele vorgeführt werden muß. Worte machen das Unendliche endlich, Symbole entführen den Geist über die Grenzen der endlichen, werdenden, in das Reich der unendlichen, seienden Welt. Sie erregen Ahnungen, sind Zeichen des Unsagbaren, unerschöpflich wie dieses, mysteriös wie notwendig und ihrem Wesen nach jede Religion, eine stumme Rede, als solche der Ruhe des Grabes besonders entsprechend, unzugänglich dem Spotte und Zweifel, den unreifen Früchten der Weisheit. Darin ruht die geheimnisvolle Würde des Symbols ... » (48.) (Anm. 78.)

Poesie und Symbol

Zwischen Poesie und Symbol besteht eine wesentliche Ähnlichkeit, wenn man den Begriff der Poesie so faßt, daß das poetische Gebilde ein Allgemeines durch ein Besonderes, ein Abstraktes durch ein Konkretes, eine Idee durch ein Bild wiedergeben müsse. In diesem Sinne wird das Symbol «Gestaltungsprinzip» der Poesie, ja ist selbst schon wesentlich poetisch. Wir sind uns aber gewohnt, auch solche dichterische Werke, die diese Bedingung nicht erfüllen, «poetisch» zu nennen, so daß hier vom Symbolischen nur bei sehr lässigem Gebrauch des Wortes die Rede sein kann. In dieser Richtung ist deshalb auch die Schlußfolgerung Berigers einzuschränken, wonach offenbar «das Symbolische Wesen und Gestaltungsprinzip der Poesie» überhaupt sei (Lit. Wertung, S. 63). (Anm. 79.)

Die Dichtung, die nicht eigentlich symbolisch ist, blüht in solchen Zeiten, wo in irgendeiner Richtung eine Störung im Verhältnis zwischen Materiellem und Geistigem eingetreten ist. Noch bei Goethe herrscht diesbezüglich harmonische Ausgeglichenheit im großen und ganzen, weshalb auch gerade bei diesem Dichter das Symbolische den breitesten Raum einnimmt. Es liegt aber eine bemerkenswerte Gefahr in jeder Kultur, die ihren Zenit durchlaufen hat, daß eine Menge ursprünglicher symbolischer Formen gar nicht mehr als solche empfunden werden. Vielmehr — historisch gesprochen — gilt gerade für Geistesrichtungen wie Realismus, Naturalismus und in noch stärkerem Maße Psychologismus und neue Sachlichkeit, daß die symbolischen Formen derart abgegriffen, derart Gewohnheitsformen geworden sind, daß man Wort und Bild eben nur noch «realistisch», «sachlich», «psychologisch» — etwa «psychanalytisch» — empfand und wertete. Und es ist schließlich gerade für eine Zeit, in der sich der Bereich des Lebens und der Bereich des Geistes so tiefgreifend verfeindeten, symptomatisch, daß sie die organische Verbindung von Sinn und Bild nicht erreichen konnte und ebensowenig erreichen wollte. Eine neuere und allerneueste Richtung aber, heraufgerufen durch ein neues Lebensgefühl, bestrebt sich, diese Einheit wieder herzustellen. Die Bemühung beginnt schon bei der Sprache: «Das Wort, selbst als Symbol zur Welt gekommen, wird auf seine geistige und sinnliche Bedeutung hin stärker beachtet, es entfernt sich vom Gebrauch des Tages, das Anschauliche im Wortbilde, das durch lange Benutzung abgegriffen zum einfachen Zeichen geworden war, wird wieder herausgearbeitet. » (Schlesinger, 430.) Dieser Bemühung verdanken wir die großangelegte philosophische Begründung des Symbols von *Ernst Cassirer:* « Philosophie der symbolischen Formen. »

Eine literarische Richtung, die auf diese Bemühungen zurückzuführen ist — gewissermaßen eine Überkompensation davon — nennen wir *Symbolismus*. In ihm wird das Symbol seiner Dienststellung als Mittelglied zwischen Sinn und Bild enthoben und zum Zweck und Mittelpunkt der Dichtung gemacht. Es steht um seiner selbst willen. Die ganze Umwelt, Natur, Religion, Geschichte, müssen die Bilder liefern, die gleichsam einem Vorrat von jederzeit verfügbaren, geeigneten Symbolen einverleibt werden. Ohne strenge Kontrolle über den Sinn der Bilder, in der Regel nur ihrer Schönheit, Seltenheit und Erlesenheit wegen, werden die Symbole gewählt, um etwa den persönlichen seelischen Zuständen des Dichters Ausdruck zu verleihen. Gewiß haben die Symbolisten eine unendliche Fülle neuen und unverbrauchten symbolischen Materials geschaffen und manche verblaßte Sinnbilder zu neuem Leben erweckt. In dieser Art der Verwendung des Symbols liegt aber eine große Gefahr. Diese Gefahr besteht in einer Aufhebung der Einheit von geistigem und materiellem Element. Beriger umschreibt diese Gefahr als « Lockerung oder Aufhebung der Beziehung von Geschehen und Sinn. Gestalt, Geschehen, Motiv können beliebig gedeutet werden, keine Deutung erscheint zwingend.» (Lit. Wertung, S. 67.) Die einzelnen Symbole gehören nicht einem individuellen System von der Welt an, sondern werden bruchstückhaft aus den widersprechendsten Zusammenhängen gerissen. Sie entstammen keinem Weltorganismus, und mit ihnen kann auch keine Welt geschaffen werden.

Das Symbol im Werke Beer-Hofmanns

Das dichterische Verfahren Beer-Hofmanns mutet in seinem ersten Stadium, besonders im « Tod Georgs », symbolistisch an. Der oben beschriebenen Gefahr ist allerdings der Dichter nicht erlegen. Vielmehr entstammt die ganze Fülle der Symbole und symbolischen Formen, von den konventionell-allgemeinverständlichen bis zu den originell-geheimnisvollsten, einem genau und scharf durchdachten Plan von der Welt. Hier ist nicht nur das Kunstwerk im ganzen symbolisch. Auch im einzelnen, bis hinab zum dinglich-motivischen Symbol, bis zum Wort, ja oft bis in die äußere Form und Anlage der Werke, kann eine Parallelität der symbolischen Bedeutung aufgedeckt werden. Alle Elemente dieser Dichtkunst begleiten kontrapunktisch Sinn und Gedanken der Haupthandlung. Man kann den Dichter wirklich « beim Symbol nehmen ». Es ist verbindlich. Alles ist auf einen Mittelpunkt hin ausgerichtet. Alles hat «einen Sinn», und nichts steht beziehungslos. Die Symbole weisen über sich hinaus auf die Grundlinien des Weltbildes. Sie sind den Knoten im Geflechte des Ganzen vergleichbar.

Die Bedeutsamkeit der Motive hat bis zu einem gewissen Grade die kontextliche Analyse der « Novellen » und des « Tod Georgs » bewiesen. Wir müssen aber gestehen, daß die Deutung bei weitem nicht durchgreifend gewesen ist, daß eine Reihe von Motiven und Metaphern nie zur Sprache gekommen sind, die rein symbolisch sind und weitere wichtige Perspektiven auf das Weltbild eröffnen müßten. Hier ist auf eine prinzipielle Schwierigkeit in jeder Ausdeutung eines symbolischen Kunstwerkes aufmerksam zu machen, derzufolge immer wieder eine Reihe von Tatsachen durch die Maschen selbst des feinsten Netzes, das ein Interpret auswirft, schlüpfen. Das hängt zusammen mit jener schon oben besprochenen transzendierenden Eigenschaft des Symbols, über die Weinhandl — gestützt auf Goethe — sagt, daß « die Idee im Bild, selbst in allen Sprachen ausgesprochen, doch unaussprechlich bleibt » (13). Darum kann ja ein Märchen selten erschöpfend und verbindlich « gedeutet » werden. Denn die Deutung sieht sich der paradoxen Situation gegenüber, *das* wiederum in sprachlich-logisches Nacheinander auflösen zu müssen, was wegen seiner prinzipiellen Unaussprechbarkeit in der Form des Symbols sich mitteilen wollte. Mit der diskursiven Erklärung des Symbols büßt dieses wiederum an sinnlicher Plastik ein, und keine Sprache wäre imstande, das besser zu sagen, was der Dichter schon im Symbol ausgesprochen hat (Anm. 80).

Wenn wir trotzdem die wichtigsten Symbole bei Beer-Hofmann zu « deuten » versuchen, so geschieht dies, weil es der kürzeste Weg ist, auf dem wir zu einem tieferen Verständnis des Dichters und seiner Welt in ihren vergleichsweise wichtigsten Ideen vordringen. Hätte sich Beer-Hofmann, wie z. B. Goethe oder Hofmannsthal, in Aufsätzen, Essays oder Briefen theoretisch festgelegt und frei und öffentlich sich um eine gedankliche Durchdringung seines Weltbildes bemüht, dann wären wir dieses induktiven Deutungsverfahrens vielleicht überhoben, und unsere Arbeit bestünde lediglich darin, die Übereinstimmungen und Wechselwirkungen zwischen Werk und Weltbild aufzuweisen. Sobald wir unsern Blick vom Symbol jeweils auf seinen Platz in der Weltstruktur des Dichters richten, wird es sich sinnvoll erweisen, das Zumal von Sinn und Bild aufzulösen in die Diskursivität. Und zwar ist dies besonders der Fall bei zwei Kategorien von Symbolen, die häufig vertreten sind im Werke Beer-Hofmanns, bei den allegorischen und bei den mythischen Symbolen.

Mit *allegorisch* bezeichnen wir, wie Beriger, solche Symbole, deren Einheit abweicht nach der Seite des Rationalen. Beriger sagt darüber: « Zwischen symbolistischer und allegorischer Dichtung sind übrigens die Grenzen fließend, da das symbolistische Bild oft nur für die Fernstehenden undeutbar scheint, während der Dichter und die Eingeweihten einen klaren und eindeutigen Begriff damit verbinden. » (67.) Hier verfolgt unsere Deutung gewissermaßen den Zweck einer *Einweihung*. Häufig fallen darunter Bilder, die sich in speziellerem Sinne auf gegenwärtige Verhältnisse beziehen. So sind die Arbeiter, die bis zur Hüfte in der Erde stehen, viel eher allegorisch als symbolisch zu nennen.

Für die Deutung *mythischer* Symbole halten wir uns ganz an die Bestimmung Bachofens, der nach unserer Überzeugung bis heute — mit der einzigen Ausnahme Ernst Cassirers — die tiefsten Einsichten über das Wesen des Symbols niederschrieb: « Der Mythus ist die Exegese des Symbols. Er entrollt in einer Reihe äußerlich verbundener Handlungen, was jenes einheitlich in sich trägt. Dem diskursiven philosophischen Vortrage gleicht er insofern, als er, wie dieser, den Gedanken in eine Reihe zusammenhängenden Bilder zerlegt, und dann dem Beschauer überläßt, aus ihrer Verbindung den letzten Schluß zu ziehen. » (« Gräbersymbolik », 46.)

Die mythischen Grundlagen von Beer-Hofmanns Werken sind im Verlauf der Analyse mehrmals zur Sprache gekommen. Der Dichter hat in dieser Beziehung eine bedeutsame Wandlung durchgemacht. Seine frühen Werke — an erster Stelle der «Tod Georgs» — waren orientiert am semitisch-vorderasiatischen Astarte-Mythus, wie er vor allem aus Lukians Schrift « De Syria Dea » bekannt ist. Seit der Arbeit an der « Historie von König David » hält sich der Dichter ausschließlich an die mythischen Elemente der Genesis, deren patriarchalischer Geist dem matriarchalischen des Astarte-Kultes entgegengesetzt ist. Dieser Umschwung in den mythischen Grundlagen und im dazugehörigen Symbol- und Zeichengebrauch bildet die Spiegelung eines allgemeinen geistesgeschichtlichen Entwicklungsprozesses, der sich zwar vor unsern Augen abspielt und teilweise schon abgespielt hat, dessen Bedeutung wir aber in seiner vollen Tragweite gegenwärtig noch gar nicht abzusehen vermögen (Kampf gegen den Materialismus, neuidealistische Strömungen). Es wird die Aufgabe der folgenden Systematik der Symbole sein, speziell daraufhin den Sinngehalt der jeweils bevorzugten Motive und Symbole noch einmal zusammenfassend zu untersuchen (Anm. 81).

II. DIE DOMINIERENDEN SYMBOLE

Unter den « dominierenden Symbolen » verstehe ich die beiden in unzähligen Variationen nicht nur bei Beer-Hofmann, sondern in der Dichtung aller Zeiten auftretenden Leitbilder, die dem « Welträtsel katexochen », dem Dualismus Chaos und Kosmos, Leben und Geist, Außen und Innen entsprechen. An und für sich sind diese beiden Zeichen neutral. Erst der Mensch besitzt die Freiheit, ihnen je nachdem einen positiven oder negativen Wert zu verleihen, wie er denn auch imstande ist, seine Existenz einer der beiden Weltkräfte zu verschreiben. Auf diese Weise erhält ein Symbol ein Übergewicht über das andere; es tritt eine gegenseitige Abschwächung ein, deren dichterische Konkretionen wir « dialektisch » nennen.

Das Symbol des Großen Turmes

Als Symbol des Turmes dienen menschliche Bauten wie Burg, Turm, Haus, geschlossener Raum oder verdeckte Szenen in der Natur. Es repräsentiert das Starre, das dem Wechsel der Zeit Entzogene, den Vater-Gott und den Logos-Gott. Darum « Eine feste Burg ist unser Gott » im protestantischen Kirchenlied, und « Ich kreise um Gott, um den uralten Turm » in Rilkes « Stundenbuch ». Auf der Stufe des Menschen symbolisiert der Turm das Bewußtsein, das Geistige, Rationale. Er ist das männliche Zeichen, das Zeichen des Individuums, des gesicherten, gefestigten Besitzes des Innen.

Das Symbol des Turmes tritt in seine *dialektische* Konkretion, wo es auf die Menschheitsgeschichte oder auf die Kulturentwicklung projiziert erscheint. Das Symbol des Turmes dient einmal negativ zur Kennzeichnung einseitiger Hinwendung zum Geistigen und der Vernachlässigung des Lebens. Die Gefahr des Turmes wird einbegriffen im Mythus des Großen Turmes, wie wir ihn etwa kennen aus Gen. 11, 1 bis 9, als « Turmbau zu Babel ». Aus der eingeborenen Sehnsucht nach Erkenntnis, nach dem Wissen von den obern Reichen, nach Einsicht in die Geheimnisse des Weltalls baut der Mensch sich seinen Turm zu Gott und zum Himmel empor. Die ausschließlich geistige Betätigung führt aber notgedrungen zu einer Gleichgültigkeit dem Leben und den irdischen Belangen gegenüber. Mythisch endigt des Menschen Turmbau zu Gott empor in der « babylonischen Sprachverwirrung ». Damit ist das ungeheure Unterfangen, der Versuch, gottgleich zu werden, für alle Zeit in Frage gestellt. So wird der Turm zum Symbol par excellence der Dekadenz. Er versinnbildlicht die tödliche Bedrohung der menschlichen Existenz durch die verwirrende Macht des satanischen Verstandes.

Auf der andern Seite ist der Turm positives Zeichen, indem er die innere Sicherheit, die Welt des Geistes und der « Form » gegenüber der rohen, ungestalten Materie vertritt.

Das Symbol des Großen Wassers

Das Symbol des Großen Wassers kann erscheinen unter der Form des ruhenden Gewässers: Meer, See, Teich; als das fließende Element: Bach, Strom, Quelle, Regen, Tau; in den Aggregatszuständen: Dampf, Schnee, Eis; oder in der Form von Natursymbolen: Wiese, Blume und Blüte, Lebensbaum, Salz, Haare usw. (Anm. 82). In seiner transzendierenden Bedeutung repräsentiert es vorzugsweise das Fließende, das Werden. Kosmisch wird es gesehen unter dem Bild der Mutter-Göttin, die in irgendeiner Form in allen Kulturreligionen vertreten ist. Für Beer-Hofmann ist der Astarte-Kult einiger semitisch-vorderasiatischer Völker, besonders derjenige der Assyrer und der Babylonier, wichtig geworden. Astarte ist ein anderer Name für Tanais. Der Stamm dieses Wortes taucht wieder auf in Flußbezeichnungen wie Don und Donau und im Namen griechischer Quellgottheiten, der Danaiden. «Diese Sprachüberreste bezeugen alte Bindungen zwischen der Göttin-Mutter und dem Kult der Gewässer. » (Eranos 1938, S. 13.) Über die Bedeutung des Wassers schreibt Jean Przyluski ebendort: « Täglich kann der Mensch beobachten, daß Wasser die Vorbedingung jeglichen Wachstums ist. Das Wasser ist mithin notwendig mit den Kräften des Wachstums verbunden. Die Quelle erscheint daher als die geheimnisvolle und geheiligte Stätte, aus der nicht nur das Wasser, sondern auch die Vegetation selbst hervorquillt. » (38.) Es ist als das fruchtbarkeitspendende Wasser das vorherrschende Zeichen der Zeugung und der Schöpfung. Denn in ihm finden sich alle aufbauenden, lebenerhaltenden, lebenschaffenden Substanzen. Es ist das Sinnbild des materiellen Daseins, der Erde und der Natur. Im Wasser ist das Leben und die Erneuerung des Lebens symbolisiert. Es ist Zeichen der Frühlings und der Palingenesie der Natur. Es ist das beherrschende weibliche Symbol.

Das Symbol des Großen Wassers tritt in seine *dialektische* Konkretion, wo der Kult der Mutter-Göttin ausartet in eine schrankenlose Verherrlichung der materiellen Mächte der Erde. Es dient zur Kennzeichnung gänzlicher Hingegebenheit an das irdische, stoffliche Reich der Welt. Mythisch endigt diese Gefahr in der Weltkatastrophe der Überschwemmung, z. B. nach Gen. 6, 1 bis 8, 13 in der Sündflut oder im Großen Wasser des Deukalion. In der Sündflut geht das Leben an seinem eigenen Übermaß zugrunde. Das Wasser ist deshalb das Symbol par excellence der Depravation.

III. DIE DIALEKTISCHEN SYMBOLE

Unter « dialektischen Symbolen » verstehen wir Motive und Sinnbilder, die Zeugnis von der Auseinandersetzung zwischen den Weltmächten ablegen. Es handelt sich um ihre vorwiegend praktisch-gegenwärtige Bedeutung, um die Zeichen der Entartung, um die symptomatischen und diagnostischen, aber auch um die regenerierenden und aszendenten Eigenschaften. In spärlicher, aber sorgfältiger Auswahl sollen zur Erhärtung der Tatbestände solche Stellen aus verschiedenen Dichtern beigezogen werden, die auf eine ähnliche Bedeutung des betreffenden Symbols schließen lassen. Diese geistesgeschichtlichen Motivparallelen dienen aber nur zur Bestätigung gewisser Befunde hinsichtlich der Symbolqualitäten und machen nicht den Anspruch, weiterreichende Übereinstimmungen der dichterischen Wesenheiten aufzuzeigen.

Da die symbolische Bedeutung zahlreicher einzelner Stellen und Motive bei Beer-Hofmann im Laufe der kontextlichen Analyse dargelegt worden ist, werden hier von unserem Dichter nur wenige Stellen beigezogen. In einem Register sollen dann wenigstens alle besprochenen Stellen noch einmal unter dem einheitlichen Gesichtspunkt der dominierenden Symbole erfaßt werden.

Der Turm als das Symbol der Dekadenz

Den Turm haben wir als dominierendes Symbol des Ego, des Logos, der Individualität erkannt. Dieses Symbol ist wie nichts geeignet, die geistesgeschichtliche Situation zur Zeit des jungen Beer-Hofmann auszudrücken. Denn jenes war die Zeit der krassesten Form des europäischen Individualismus. Die Bildung, die überall dem unmittelbaren Empfinden und dem unproblematischen, natürlichen Dasein hindernd im Wege stand, verbunden bisweilen mit einer kategorischen Religionslosigkeit und einer völligen Entwurzelung, wurde das entscheidende Ausgangserlebnis des Menschen Beer-Hofmann. Solange er sich im Banne der Zeit fühlte,

206

empfand er Furcht vor dem konsequenten Individualismus. Die gefährliche Abwendung vom Leben bildete das Grundthema seiner frühen Werke. Sein Paul fühlte sich « ausgeschlossen vom gemeinen Los ». Er sah sich als Einzelnen, Abgelösten, der nicht teil hatte am « großen, von Urbeginn gemessenen, feierlichen Kreisen », in das alle Kreatur verschlungen ist. Beer-Hofmann ließ ihn die Gefangenschaft im Kerker der Geistigkeit erleben, und die Figuren im «Grafen von Charolais» scheiterten an den gefährlichen Auswirkungen der Präexistenz.

Die Flucht in den Turm versinnbildlicht auch die Angst vor dem Ablauf der Zeit, vor Verwandlung und Veränderung. Diese Angst eignet jedem Menschen, der in der Sekurität, in einem Lebenskreis, der gegen den Einbruch dämonischer Mächte allseitig abgeschirmt sein soll, verharrt. Die europäische Kultur des 19. Jahrhunderts weist, wenn auch mit Unterbrüchen, eine eindeutige Tendenz in der Richtung gegen ein derartiges gesichertes und eingehegtes Dasein auf. Schon während der letzten Dezennien vor dem ersten Weltkrieg aber verkündeten viele Denker und Dichter ein anderes Ideal des Menschseins. Der Ausbruch aus dem Turm wurde vorbereitet. An einem Ort wurden die Mächte des Unterbewußten beschworen; und der bahnbrechende Geist der Psychanalyse, Sigmund Freud, ließ seinen « Psychanalytischen Vorlesungen» ausgerechnet Moritz Schwinds «Traum eines Gefangenen» voransetzen. An einem andern Ort gestaltete der « Naturalist » Gerhart Hauptmann die Revolution des vierten Standes, und das Haus des Kapitalisten Dreißiger war zu schwach gebaut gegen den Einbruch der Elementarkräfte. « Gefährlich leben », hieß weiterhin eine der Losungen. Naturalismus, teilweise auch Impressionismus und « Kult des starken Lebens » (Nietzsche, Dehmel) sind die hauptsächlichsten emanzipatorischen Strömungen. In Italien verkündete D'Annunzio ebenfalls die Lehren des « niederreißenden und aufbauenden Lehrers », Nietzsches; im « Triumph des Todes» singt sich der dekadente Mensch den Schwanengesang:

« Aber anstatt dessen betrübte sich Georg Aurispas Seele und verzweifelte über ihre Einsamkeit; und sie kämpfte mit blinder Wut, wie ein Gefangener in seinem auf ewig verschlossenen Kerker, bis sie erschöpft zusammensank. Und dann schloß er sich und zog sich zusammen, wie ein empfindliches Blatt. »

Oder in Wassermanns « Alexander in Babylon » heißt es vom sterbenden Alexander, der, wie Beer-Hofmanns Saul, die erzwungene, verspätete Flucht aus dem Turm mit seinem Untergang bezahlt, indem er unter dem Zeichen der babylonischen Großen Mutter zugrunde geht (die symbolisch bedeutsamen Motive Kursiv):

> « Er starrte in das Gesicht des Jünglings, und es war ihm, als sehe er die *Flamme des Lebens* darin zucken, als töne der melodische *Gesang* des Lebens aus dem *sprechenden Mund* ... In einem *Kerker* glaubte er zu sein, dessen Wände sich langsam um ihn verengerten ... Er sprang auf und ging umher und murmelte vor sich hin und *trat hinaus in die Halle* und sah am Himmel den *Mond,* dessen untergehendes Viertel wie eine *goldene Barke* in die Weltenruhe hinabschwamm. » (161.)

Oder von « Christian Wahnschaffe » wird gesagt:

> « Er war von einem zu engen *Panzer* umschnürt, der ihn an freier Beweglichkeit hinderte. Er trachtete danach, ... den Panzer zu sprengen. » (I, 127.)

Allenthalben klopft der Mensch an die Kerkerwände. Morgenstern fragt einmal in einem seiner tiefgründigen Aphorismen:

> « Wie kommt der Mensch aus dem Gefängnis seines Ichs hinaus und gelangt zur Welt? »

Und an einer anderen Stelle ruft er aus:

> « Wände, Wände, Wände ...
> Wer die Türen fände ! ... »   (« Mensch Wanderer. »)

In Wien erreichte die Gefahr des Turmes den kritischen Höhepunkt bei den Dichtern Jung-Wiens, besonders bei Beer-Hofmann und Hofmannsthal. Wurden die beiden Dichter in ihrer Jugend noch fasziniert von den vorherrschenden Gefühlsmächten ihrer Zeit — Ästhetizismus und Symbolismus, maßlose Überschätzung historischer Bildung — ergaben sie sich zuerst noch einer narkotischen, einschläfernden und sterilen Kunst aus einem Reich des Scheinlebens, so lösen sie sich doch, wenn auch auf verschiedenen Wegen, aus diesem Verhängnis.

Schon früh herrscht bei Hofmannsthal Vorfrühlings- oder Morgenstimmung:

> « Es läuft der Frühlingswind
> Durch kahle Alleen,
> Seltsame Dinge sind
> In seinem Wehn. »   (I a, 3.)

Oder:

> « Und durch vier offne Türen ging die Luft —. »   (I a, 17.)

Von der Beharrung in unsozialer Lebensuntüchtigkeit ringt

sich der Mensch durch zur Stellungsnahme zu den brennenden Fragen der Zeit. Im « Welttheater », im « Jedermann », in der « Frau ohne Schatten » bemüht sich Hofmannsthal um Maßstäbe von unvergänglichem ethischen Wert.

Der Befreiung aus dem Turm ist gleichfalls das ganze Frühwerk Beer-Hofmanns gewidmet. Paul durchläuft eine psychische Entwicklung, an deren Ende er sich « wie aus fensterlosen, versperrten Räumen entwichen fühlte ». Er verläßt den Park und schreitet hinter *Arbeitern* ins Freie, « unbewußt in den schweren Takt ihrer Schritte verfallend ». Der Schluß des « Tods Georgs » erinnert unwillkürlich an den Schluß von Thomas Manns « Zauberberg », wo man Hans Castorp nach Abschluß seines langwierigen Reifeprozesses im Zauberberg in einem letzten Bild mitten im Getümmel der Schlacht sieht. Der *Tod* wird bei Beer-Hofmann wie bei Hofmannsthal (und in dieser Hinsicht sind auch Hans Castorps verschiedene Erlebnisse und Begegnungen mit dem Tod und mit Toten zu verstehen) Symbol der Verwandlung und also des Lebens (Arche geneseos; vgl. S. 70—72). Der geschichtliche Geist aber wird überwunden, den Paul und Samael werden tatenfrohe, gegenwartsnahe Geister als Vorbilder gegenübergestellt (Anm. 83).

Das Symbol der Befreiung aus dem Turm ist in eigenartiger Weise vorausgenommen in einem der gewaltigsten Werke der Wiener klassischen Oper, in Beethovens « Fidelio ». Florestans Kerker ist nicht bloß Symbol politischer Staatsraison. Vielmehr erscheint die als Mann verkleidete Leonore unmittelbar wie die androgyne Gottheit. Florestans Rettung mutet an wie die grandiose Vorwegnahme der Idee von der lösenden Macht der Mutter-Göttin. Daß Beer-Hofmann im « Fidelio » selbst das Symbol eines Zeitenbruches sah, geht aus einigen Sätzen seiner « Rede auf W. A. Mozart » hervor:

> « So steht der Meister — vom Schicksal gestellt — an der Grenze zweier Zeiten ... Noch dürfen seine Gefangenen hinter goldenen Gartengittern die freie Luft des Meeres schlürfen, und ihr Wächter heißt „Osmin"; es kommt die Zeit, wo ihr Leib, zwischen feuchtem Gestein, im Finstern fault, und ihr Herr wird „Pizzarro" heißen. Noch jauchzt auf Don Juans Festen ein Maskenchor ein „Lebehoch" der Freiheit; es kommt die Zeit, wo Chöre von Gefangenen in düsteren Kerkerhöfen um Freiheit auf zum Himmel stöhnen. »

Der Turm ist aber nicht nur Symbol der Dekadenz. In einer neuesten Zeit vielmehr wird er zum regenerierenden Symbol. Er soll die Einmaligkeit und Unveräußerlichkeit des Individuums darstellen. Gegenüber der Depravation bleibt dem Menschen ja nichts anderes übrig, als wiederum den Turm zu bauen, sich wiederum auf die Werte des Innen, auf die Werte des Geistes zu besinnen. Die Weltkräfte sind in ihrer Umkehrung in Widerstreit geraten. Schon Hofmannsthals mystisch-visionärer Geist macht das Symbol zum Zentrum seines gewaltigsten Werkes « Der Turm ».

In die gleiche Richtung weist etwa Paul Scheerbarts « Lesabéndio » (1913), und im « Stern der Ungeborenen » nennt Werfel den « Djebel » selbst die « modernste menschliche Ausprägung des „Baumes der Erkenntnis“, wie „der Turm zu Babel“ die älteste war » (356).

Und hierher zu stellen ist eben auch Beer-Hofmanns Davids-Drama. Das im « Vorspiel auf dem Theater » auftauchende Bild der im Bau befindlichen Davids-Burg läßt vermuten, daß das Turmmotiv eine neue und entscheidende Vertiefung hätte erfahren sollen.

Diese Entwicklung ist eigentlich schon in den früheren Werken andeutungsweise enthalten. Denn sowohl Paul in « Das Kind » als auch Paul im « Tod Georgs » befinden sich trotz der Befreiung aus dem Turm am Schluß auf dem Wege zurück zur Stadt. Der Rhythmus von Beer-Hofmanns Weltanschauung offenbart sich hier: Überwindung der starren Geistigkeit ist das erste Ziel; Durchschreiten des « Weges unten », der Welt, das zweite; das dritte aber fordert wiederum Vordringen über die Vielfalt des Lebens hinaus zum Geist, zu einer neuen, tieferen, lebensbezogenen, das Chaos gestaltenden Geistigkeit.

Heu

Blumen und Blüten gelten im allgemeinen als Symbole der Natur und ihrer Palingenesie. Schon Nork schreibt darüber: « Blumen und Blüten sind die unmittelbarsten Zeugen der Lebenskraft der Erde. Sie bezeichnen daher bei allen Völkern die höchste Lebensstufe, die Entfaltung der Kraft und Fülle.» (I, 272.) Für den Menschen, der sich dem Leben verfeindet hat, das Sinnbild einer von ihrem Nährgrund abgeschnittenen Pflanze zu verwenden,

scheint daher naheliegend. Tatsächlich begegnet im « Tod Georgs »
mehrmals das Motiv « frischgemähtes Heu » oder « vertrocknete
Gräser ». Es fällt sogar durch die beharrliche Wiederholung auf.
Das Symbol findet sich bezeichnenderweise häufig in der Dichtung
des Barocks. Es ist z. B., wie die Darstellung von Strutz beweist,
auffällig häufig bei Gryphius vertreten. Allerdings wird es dort in
einem anderen Sinnzusammenhang gebraucht: Heu, welkende
Blume, dorrendes Gras, das ist ein schlagendes Gleichnis für das
echt barocke Gefühl von der Hinfälligkeit des menschlichen Lebens.
Gryphius dichtet in der « Catharina von Georgien »:

> « Was sind wir anders als Graß, das da frühe blühet, und bald welck
> wird? . .. Was sind wir? Blumen ! »
> « Der Zorn des Allmächtigen » ist so gewaltig, daß « unsere Krafft
> vertrocknen muß, wie wenn es in dem Sommer dürre wird, daß
> unsere Zunge an dem Gaumen klebet, und wir wie eine Scherbe,
> oder gleich dem Heu auf den Dächern ausdorren. »   (Anm. 84.)

Dem entsprechen zwei Stellen bei Beer-Hofmann, die durch
ihren auffällig ähnlichen Wortlaut besonders hervorstechen. Aus
dem « Tod Georgs »: Paul ahnte, daß alles mit allem verschlungen
sei, und deshalb « sah er sein Leben nicht mehr nutzlos, rasch wie
Gras auf den Dächern dahinwelken ». Aus « Jaakobs Traum »:
« Der Herr ist ewig! Du — bist *Gras der Erde!* » Die Erinnerung
an die Kurzfristigkeit und Vergänglichkeit des Daseins klingt auf
in der Anrede des Engels: « Bald Faulendes . . . ! »

Es ist eine bekannte Tatsache, daß es sich hier um mehr als
um bloß zufällig gleiche Verwendung eines an sich naheliegenden
dichterischen Motivs handelt. Dies ist wieder eine der zahlreichen
Verbindungslinien, die sich vom Barock zu den Wiener Dichtern der
Jahrhundertwende ziehen (vgl. Anm. 4).

Wasser als Symbol der Depravation

Das unerschöpfliche, entwicklungsgeschichtlich fruchtbarste
Thema der neueren Literatur ist das Verhältnis des Menschen zu
den Mächten der Natur und der Materie. Das Nichtgewachsensein,
das Nichtgenügen dem Leben gegenüber wird symbolisiert im Bilde
des Menschen, der das fließende Element scheut. Hier muß ein
Dichter erwähnt werden, dem die symbolische Scheu vor dem Was-

ser, bzw. die charakteristische Unfähigkeit, zum fließenden Element vorzudringen, als genaues Gleichnis seiner eigenen individuellen und geistesgeschichtlichen Situation gegolten hat: Gottfried Keller.

Das Bild tritt dominierend in Erscheinung in dem Gedicht «Winternacht» und besonders plastisch in einer Stelle der ersten Fassung des «Grünen Heinrich». In beiden Stellen ist die Situation des Menschen, der sich dem Leben wirklich und dem Wasser bildlich nicht verbinden kann, gezeichnet. In «Winternacht» (I, 79) steht der Dichter auf dem vereisten See. Unter dem «dünnen Glas, das die schwarze Tiefe» von ihm trennt, tastet die Nixe «mit ersticktem Jammer» an der harten Decke hin und her. Die aus dem *Wasser* steigende, von *Mond*licht überrieselte Judith aber tritt wie die leibhaftige Astharoth in Erscheinung. Von unerreichter Symbolkraft ist besonders jene erwähnte, später gestrichene Stelle, wo sie nackt Heinrich entgegengeht:

> «Jetzt trat sie aus dem schief über das Flüßchen fallenden Schlagschatten und erschien plötzlich im Mondlichte; zugleich erreichte sie bald das Ufer und stieg immer höher aus dem Wasser und dieses rauschte jetzt glänzend von ihren Hüften und Knieen zurück ... Auf den Schultern, auf den Brüsten und auf den Hüften schimmerte das Wasser, aber noch mehr leuchteten ihre Augen, die sie schweigend auf mich gerichtet hielt. Jetzt hob sie die Arme und bewegte sich gegen mich; aber ich, von einem heißkalten Schauer und Respekt durchrieselt, ging mit jedem Schritt, den sie vorwärts tat, wie ein Krebs einen Schritt rückwärts, aber sie nicht aus den Augen verlierend.» (III, 87/88.) (Anm. 85.)

Die «Nix im Grundquell», die unter das Eis gebannte Loreley, ist die in ein romantisch-nordisches Kleid verhüllte orphische, vom Logos-Gott verdrängte Mutter-Gottheit. Die Mutter-Göttin ist aber auch die *cerealische,* fruchtbarkeitbringende. Deshalb wird sie mit Vorliebe gesehen als Wesen, das mit Früchten der Erde überschüttet ist. Auch Kellers Judith wird so geschildert:

> «Ich geriet in einen prächtigen großen Baumgarten, dessen Bäume alle voll der schönsten reifen Früchte hingen ... Plötzlich sah ich Judith mir entgegenkommen, welche einen großen Korb mit Äpfeln gefüllt in beiden Händen vor sich her trug, daß von der kräftigen Last die Korbweiden leise knarrten.» (III, S. 37.) (Anm. 86.)

Bei Beer-Hofmann taucht die cerealische Mutter-Göttin mehrmals auf, so im «Tod Georgs» (vgl. S. 52/53) oder in der Gestalt Ruths, die durch die Kornfelder schreitet.

Bisher erschien uns das Wirken der Muttergottheit immer in regenerierendem Sinne. Das ist auch der Fall bei den Symbolen « Dampf » und « schmelzender Schnee ». *Dampf,* der « aus der *Kluft* aufsteigt », und « *Schnee* vom Hermon », der den « Ölbaum tränkt » und « bald ein Glühn unsrer Wangen » sein wird, das sind Zeichen rein aufbauenden Charakters. Jedoch ist schon im « Tod Georgs » der Symbolwert des Wassers bisweilen ambivalent. Wir denken an jene mehrmals wiederholte Stelle, wo es von der Frau heißt, daß ihr Haupt als der « *Flut ihrer dunkeln Haare* schwamm wie das einer *Ertrunkenen*». Als Frau untersteht sie der Astharoth. Sie ertrinkt daher im Wasser, weil sie, wie Saul, dem Leben nicht gewachsen ist (vgl. S. 56). Das « ernährende » Wasser ist hier schon « vernichtendes » Wasser.

Zwei Gleichnisse anderer Dichter seien hier erwähnt. Das eine findet sich in Stefan Georges Gedicht « Die Maske » (aus dem « Teppich des Lebens », 1899). Die « leichte Schar aus scherzendem Jahrhundert » ist dem wilden Taumel der Fastnacht hingegeben. Sie ist gleichzusetzen der sittenlosen Gesellschaft der Vorkriegszeit. Eine einzelne Maske verläßt die Gesellschaft, neigt sich über einen Teich und versinkt im kühlen Wasser. Sie hatte gesehen, « daß nicht mehr viel am Aschermittwoch fehle ». — Das andere liegt einer frühen Erzählung Gerhart Hauptmanns zugrunde, « Fasching » (1887), wo sich die über den vereisten See vom Tanz heimkehrende Familie Kielblock in eine offene Stelle verirrt und ertrinkt.

Das Gleichnis ist in beiden Fällen nicht voll auszuschöpfen: Erliegt nun die Maske in Georges Gedicht individueller Lebensunfähigkeit oder ist sie bereits ein symbolisches Opfer der depravierten Gesellschaft? Sie ist vermutlich letzteres, wenn man an andere prophetische Gedichte Georges denkt. Bedeutsam ist, wie wir gleich feststellen, das Motiv der Maskierung, der Verwischung der einmaligen Individualität — ihres Spiegels jedenfalls, des menschlichen Antlitzes.

Die fatalen Auswirkungen der Depravation in der Realität werden geschildert in einer Szene des « Jungen David », die von geradezu unheimlicher Aktualität unwittert ist. Davids Mannschaft hat einen Sklaven gefunden, der von den Amalek auf grausamste

Art mißhandelt worden ist. Es ist durchaus symbolisch, daß das typische Verbrechen in einem Gebiet stattfand, wo es « zuviel Wasser » gibt und wo zuzeiten das ganze Gebiet in Sumpf verwandelt ist. Unüberhörbar klingt das Urerlebnis der *Sündflut* an. Dem mißhandelten Sklaven wurden Nase und Ohren abgeschnitten. Man hat ihm also das *Antlitz* verstümmelt, welches der Spiegel und Ausdruck der Individualität ist. Während die Dekadenz in eine unbotmäßige Überzüchtung des Individuums mündet, entartet die Depravation in das Gegenteil. In diesem Bild ist die furchtbarste, konsequenteste Form der Depravation angedeutet — jene Art des Zerfalls, die ein Geschlecht zur Herrschaft bringt, das in seiner Vernichtungswut selbst vor der Würde des Menschen und seinem gottähnlichen Antlitz nicht halt macht und ihn unter das Tier hinab erniedrigt. Ganz von ferne schwingt diese Vorstellung schon mit im « Tod Georgs », wo es heißt, daß die im Schaufenster des Spielwarenladens ausgestellten *Masken*gesichter « gedunsen wie die der *Ertrunkenen* » erscheinen, sowie im « Grafen von Charolais », wo die widernatürlich oder widergesetzlich Liebenden *verlarvt* auftreten.

Eine außerordentlich interessante Parallele zu der eben skizzierten Symbolqualität der « Maskierung » bildet Georg Kaisers Drama « Die Lederköpfe » (1928). Den Krieg als Symbol des Chaos und den Soldaten als Repräsentanten der Depravation haben wir bereits kennengelernt. Diese Symbolzusammenhänge stehen hinter Kaisers « Lederköpfen » wie übrigens auch hinter der Kriegsdichtung « Seeschlacht» von Reinhard Goering, wo die Soldaten durch das Anziehen der Gasmasken ihre Individualität vollends verlieren.

Daß hier überall an die Urvorstellung der Sündflut gedacht werden muß, geht auch aus der Anmerkung zu der genannten Stelle im « Jungen David » hervor, in der Beer-Hofmann auf den Sintflutbericht von Ninive hinweist (« Der Junge David », S. 275). Die urweltliche Wasserkatastrophe liegt zahllosen Motiven dieses Dichters zugrunde, wovon wir noch drei der auffälligeren nennen wollen.

« Der Tod Georgs »: Bau des Tempels; « Ungeheure Blöcke schoben sich dann übereinander, wie von den verrinnenden Wassern *sagenhafter Fluten* zurückgelassen ... ».

« Jaakobs Traum »: Rebekah fleht in beschwörenden Worten zu Gott, daß Edom den fliehenden Jaakob nicht erreichen möge: « Die Wasser türm' auf zu Schwall und *Fluten,* die ihn schrecken!» — Um die Menschen in ihrer Verworfenheit zu strafen, rief der Herr « *Flut,* die verschlingt », zur Helferin auf (Anm. 87).

Sand

Schon beim « Tod Georgs » ist uns die Stelle aufgefallen, wo Paul am See steht und nacheinander eine Handvoll Wasser und eine Handvoll Sand durch die Finger rieseln läßt (s. S. 60). Ein ähnliches Motiv begegnet übrigens auch in den ersten Sätzen der Mozart-Rede (vgl. Zitat S. 188). Es scheint selbstverständlich, daß « Wasser » hier wieder « Leben » bedeutet, denn wie ihm das Wasser durch die Finger rinnt, so entgleitet ihm das Leben, das er nicht meistert und nicht bezwingt. Es ist auffällig, daß das genau gleiche Bild auch in Wassermanns « Alexander in Babylon » auftaucht:

Alexander ... « nahm eine *Handvoll Wasser* und ließ es herablaufen, daß es wie eine Kette mit Geschmeide im *Mond*licht glühte. Er begriff, daß es unmöglich war, dies Unerklärliche, *Leben* genannt, nach eigenem Willen festzuhalten, wie es unmöglich war, daß seine Finger das Wasser hielten. » (149.)

Bei Beer-Hofmann läßt Paul auch « Sand » durch die Finger gleiten. Wir haben bereits versucht, auch dieses Motiv mit einem Symbolwert zu verbinden. (s. S. 62): *Sand,* gewissermaßen von Wasser nicht befruchtete Erde, versinnbildlicht wohl unterwertiges, materielles Dasein. Die sich selbst überlassene Materie bedeutet für das menschliche Leben und die Kultur eine große Gefahr. Doch ist « Sand » noch nicht Sinnbild der großen Lasterhaftigkeit, der Sündflut. Er ist bloß Sinnbild des Alltäglich-Gewöhnlichen, des unfruchtbaren, banalen, nichtssagenden Lebens. Auffällig sind daher die Attribute, die dem mehrmals auftauchenden Motiv eignen:

« Der Tod Georgs »: « Mit *Sand* beladene Lastzüge », die « mit betäubendem Rasseln » dahinrollen; « *versandete* Auen »; « *Sand* der flachen Ufer »; « Schicksale verrinnen im *Sand* ... » usw.

Sand ist ein Sinnbild für den « seichten » Menschen. « Seicht » sind jene Menschen, die

« lebten und geschäftig ihr Leben mit großgezerrten kleinen Freuden und lächerlichem Jammer füllten und noch viel Zeit hatten ...»

(« Tod Georgs ».)

Die Daseinsform, auf die hier der Dichter offenbar anspielt, ist etwa zu vergleichen derjenigen, die wir in Georgs Gedicht « Lämmer » symbolisiert sehen:

Ihr keiner ferngeahnten schätze spürer !
Lämmer ein wenig leer und eitle herzen . . .
Lämmer der wohlumfriedigten zisternen . . .
Lämmer der schreckenlosen fernen ! »

(« Teppich des Lebens », 45.)

Gundolf schreibt über das Gedicht: « „Lämmer“, eines der rätselhaftesten Gedichte, gibt die Luft der völlig ungeregten, geheimnislos gutartigen Ahnen und Erben, die fern von den Ursprüngen, Tiefen, Verhängnissen im fertigen Geheg hindämmern und sich behagen. Aus der Bildungsgeschichte kennen wir diese Volkslage als Epigonentum und Biedermeierei. » (187.) Beer-Hofmann drückt sich auch im « Tod Georgs » noch deutlicher aus, wenn er spricht von den Beamten, auf deren Gesichtern « breit ein *seichtes* Behagen » lag. Ihre « zufriedene Versöhnlichkeit des Sattseins » besteht darin, daß ihre «stündlichen Wünsche stündlich befriedigt» werden. Wer müßte sich hier nicht erinnert fühlen an die Gestalt des Papageno in der « Zauberflöte » ? Auch seine Wünsche erfüllen sich stündlich, auch er hat nichts zu verantworten und nichts abzusehen. Auch er besitzt keine weittragenden Pläne und keine schweren Probleme. Und von eindrücklicher Symbolkraft ist es deshalb immer, wenn sich bei der Hungerklage Papagenos plötzlich ein Tischchen aus der Höhe herniedersenkt, auf dem die besten Gerichte eßbereit zu finden sind. Desgleichen, wenn sich die alte Papagena mit einemmal als niedliches junges Weibchen entpuppt. Papageno repräsentiert die Volkslage der « Lämmer ». In weniger harmlosem Sinne entsprechen ihm im «Jungen David» die Ältesten von Jabesch. Um die Überwindung dieses Zustandes der Befriedigung und Sattheit bemüht sich der Dichter nicht weniger als um die Kultureinseitigkeiten, Dekadenz und Depravation. Diese bilden die Ecken rechts und links, Sattheit und Zufriedenheit die untere eines Quadrates, das auf einer Spitze steht. Darum spricht der *Seher* Gad die Ältesten von Jabesch mit diesen Worten an:

« Aus eurer Tage Taumelbrodem tretet
Heraus — holt Atem tief — — einmal seid wahr ! »

Das Werk Beer-Hofmanns gestaltet den uralten mythischen Kampf zwischen feindlichen, finsteren und lichten, friedlichen Mächten. Diese Auseinandersetzung auf Leben und Tod verfolgten wir schon beim Bruderkampf zwischen Jaakob und Edom. Sie galten uns als die Repräsentanten des gnostischen Dualismus.

Über den Gegensatz von Hell und Dunkel schreibt Bachofen in der « Gräbersymbolik der Alten »: « Der Wechsel der hellen und der dunkeln Farbe drückt den steten Übergang von Finsternis zum Licht, von Tod zum Leben aus. » (9.) Ferner über die halb schwarz, halb weiß gefärbten Mysterieneier: « Aus den beiden Hälften des Eis sind Himmel und Erde hervorgegangen (20). In dieser Entfaltung wird die schwarze Hälfte zur Erde, die weiße zum Himmel, jene zur weiblich-stofflichen, diese zur männlich-unkörperlichen Potenz. Aber wie sie einst ineinander geruht, so sehnen sie sich jetzt in ihrer Scheidung nach steter Wiedervereinigung. „Von daher ist die Liebe der Menschen zueinander angeboren, um die ursprüngliche Natur wiederherzustellen, aus Zweien Eins zu machen und die menschliche Natur zu heilen.“ (Zitat aus Platons Symposion.) In dieser Sehnsucht der beiden Eihälften nach Wiedervereinigung wurzelt die Entstehung aller Dinge, und der damit anhebende Strom des Werdens, welchem der gleichstarke des Vergehens ewig entgegenfließt ... So ist also das Ei in jeder Beziehung die Arche geneseos (der Schöpfungsbeginn). » (22.)

Der Konflikt Jaakobs mit Edom ist also nur die mythologisierte Idee der Arche geneseos, jener Urvorstellung, daß alles neue Leben auf dem Boden des Todes aufsprießt. Diese Idee hat im Weltbild Beer-Hofmanns zentrale Bedeutung. Immer wieder taucht das Motiv auf: die seelische Erneuerung Pauls nach dem Tode Georgs — das Lamm in « Jaakobs Traum », von dem Jaakob erzählt, daß der Mutter « gequälter Leib es auswarf », als sie vom Hufschlag eines Pferdes tödlich getroffen wurde — Ruth, die sorgt, daß der Saum der Ahnengräber « bunt umblüht » ist, der Tod des Lammes selbst, der Tod Maachas; das sind nur wenige ausgewählte Beispiele, wo die Vorstellung der Arche geneseos hineinspielt.

Cassirer sieht im Gegensatz «Hell—Dunkel» ein «latentes Motiv für den religiösen Aufbau des Kosmos»: « Die Entfaltung des mythischen Raumgefühls geht überall von dem Gegensatz von *Tag* und *Nacht*, von *Licht* und *Dunkel* aus. Die beherrschende Macht, die dieser Gegensatz über das mythisch-religiöse Bewußtsein ausübt, läßt sich bis in die höchstentwickelten Kulturreligionen verfolgen. » (II, 122.) In Grillparzers « Bruderzwist in Habsburg » spricht Rudolf über Gottes Schöpfung :

> « Des Menschen Innres wie die Außenwelt
> Hat er geteilt in Tag und dunkle Nacht. »
>
> (ed. Sauer, I/6, S. 305)

Als ein sehr schönes entsprechendes Beispiel kann auch hier wieder die «Zauberflöte» angeführt werden, wo die lichten Mächte, geleitet vom Oberpriester des Tempels der Weisheit, Sarastro, gegen die dunklen Mächte der Königin der Nacht kämpfen. Die Auseinandersetzung ist, wie man die Antinomien auch wählen mag, im großen und ganzen immer dieselbe : Apollinisches gegen chthonisches, solares gegen lunares, geistiges gegen stoffliches, patriarchalisches gegen matriarchalisches Reich. Und immer und « überall dieselbe Erhebung von der Erde zum Himmel, von dem Stoffe zur Unstofflichkeit, von der Mutter zum Vater, überall jenes orphische Prinzip, das in der Richtung von Unten nach Oben eine sukzessive Läuterung des Lebens annimmt... » (« Mutterrecht », Basel, II. Aufl., 1897, Vorrede XVIII.)

IV. VEREINIGENDE SYMBOLE

In den « vereinigenden Symbolen » treten die unter feindlichen Zeichen gegeneinanderstehenden Weltmächte in aufbauender Funktion zusammen. In ihnen kristallisiert sich das heraus, was sich dem Dichter als Garantie einer aufsteigenden Kultur und einer « besseren, reineren » Zukunft in seiner Anschauung ergibt. Es ist auch hier nicht möglich, einen genau umrissenen, z. B. ethischen oder sozialen Plan mitzuteilen. Wo wir das Werk des Dichters auch aufschlagen: Er läßt sich nur bei ganz allgemeinen Aussagen oder Maximen behaften, die, aus dem inneren Zusammenhang der symbolischen Struktur des Weltbildes herausgebrochen, nichts Wesentliches aussagen. Aus Sätzen wie « Sei treu », « Auf Treu und Glauben steht die Welt », « Es ist dem Menschen besser zu sterben als zu leben » und ähnlichen Maximen läßt sich noch keine Welt aufbauen. Man würde dem unablässig um die Aufrichtung eines Mythus bemühten Dichter nicht gerecht, wollte man etwa die Idee der Fatalität, der « gerechten Lose », oder andere, z. B. moralisch-sittliche Auffassungen als die wesentlichen Errungenschaften dieses Werkes festhalten. In dieser Hinsicht müßten wir die Früchte dieses Lebenswerkes kärglich nennen. Es scheint aber eine verhängnisvolle Eigenheit Beer-Hofmanns zu sein, daß Beiläufigkeiten, « Fremdes », bei ihm so offen und breit zutage liegen, daß sie nicht selten den Zugang zu den Tiefen und Abgründigkeiten dieser Dichtungen erschweren.

Das dominierende vereinigende Symbol

Verbindungen von Turm- und Wassersymbolen ziehen sich durch das ganze Werk des Dichters. Häufig wird darin transzendierend versinnbildlicht, wie eine der beiden Weltkräfte die andere in ihrer Wirksamkeit zu beeinträchtigen sucht. In solchen Fällen haben wir es mit Ausgestaltungen des dialektischen Symbols zu tun. An andern Stellen werden die bis anhin getrennt oder dialektisch gesehenen Symbole zu einem Bild vereinigt, das den Konflikt der feindlichen Weltmächte in harmonische Ausgeglichenheit auflöst. In diesen Stellen erstrahlt das Grundthema, die zentrale Erkenntnis dieses dichterischen Genius, gleichsam sein Orgelpunkt, in voller Stärke. Alles andere erscheint dann nur wie Durchführung dieses einen umfassenden Themas. Schon in der Novelle « Das Kind » klingt es einmal auf. Das erotisierte, in weiblich-naturgebundene Landschaft und männlich-phallische Turm- und Fabrikbauten sich harmonisch gliedernde Bild stellt — in einer stark psychanalytisch empfundenen Ausgestaltung — das Symbol des Hermaphroditen dar. Im « Tod Georgs » wird geschildert, wie der Tempel der Astarte — übrigens durchaus der Überlieferung entsprechend — unmittelbar neben der Kluft, die den Zugang zur Erde eröffnet, sich gegen Himmel reckt. Auch hier besteht die charakteristische Eigentümlichkeit des Motivs darin, daß gebautes, vom menschlichen Geist geplantes Werk mit einem vorherrschenden weiblichen Zeichen zusammengestellt wird. In « Jaakobs Traum » tritt das Motiv noch deutlicher in Erscheinung. Jaakob beschwört in dem Dialog mit Idnibaal das Bild der Stadt und des Tempels, die sich über einer Klippe an der Küste des Meeres erheben. Immer deutlicher und beherrschender tritt das Motiv in der Folge im «Jungen David» hervor: Ruths Turm, der von Weinreben umrankt ist; Davids Haus, das über eine Höhle gebaut ist, in der ein Quell entspringt; das sind durchaus dominierende vereinigende Symbole. Davids ganze Existenz, der Sinn seiner Sendung aber besteht darin, daß er die Vereinigung der Weltkräfte verwirklicht. Darum baut er über dem Schlund von Moriah, in dem sich die « grause Urnacht » birgt, seine Burg, und dieser Vorgang ist wiederum symbolisch aufzufassen.

Der Sinngehalt des vereinigenden dominierenden Symbols ist nach dem bisher Ausgeführten unschwer zu erraten. Es vertritt transzendierend den Kosmos, die Schöpfung des Logos- und Lichtgottes, mythisch den androgynen, seelisch den sich voll verwirklichenden Menschen, den Menschen, der auf der Erde und im Bereich des Geistes beheimatet ist.

Man muß hier an eine bedeutende Stelle in Grillparzers « Hero und Leander » denken. Der Oberpriester spricht zu Hero:

> «... Und wie der Turm,
> In dessen Innern sich dein Wohnsitz wölbt,
> Am Ufer steht des Meers, getrennt, allein,
> Durch Gänge nur mit unserm Haus verbunden —
> Auf festen Mauern senkt er sich hinab,
> Bis wo die See an seinen Füßen brandet,
> Indes sein Haupt die Wolken Nachbar nennt,
> Weitschauend über Meer und Luft und Land —
> So wirst du fürder stehn, getrennt, vereint,
> Den Menschen wie den Himmlischen verbündet;
> Dein selber Herr und somit auch der Andern,
> Ein doppel-lebend, auserkornes Wesen,
> Und glücklich sein.»   (ed. A. Sauer, Wien, I/4, S. 131/132.)

Der menschliche Sinngehalt des vereinigenden Symbols kann nicht plastischer ausgesprochen sein als in der Zeile: «*Doppel-lebend, auserkornes Wesen, den Menschen wie den Himmlischen verbündet.*» (Vgl. hierzu Anm. 90.)

Man kann hier auch an einen Aphorismus in Christian Morgensterns «Stufen» (Berlin, 1932) denken:

> «Ich möchte am liebsten auf einem Turm wohnen. Täglich im Leben drunten ein Bad nehmen, untertauchen, und dann wieder hinaufsteigen in sein Luginsland, sein au-dessus de la vie.»   (18.)

Insel

Insel ist das Symbol der Vereinigung von empfangender Erde und befruchtendem Wasser (Anm. 88). Es ist ein uraltes Sinnbild der Schöpfung, des aus dem Chaos auftauchenden Kosmos. Etymologisch scheint dem Wort «Insel» lateinisch «sal» zugrunde zu liegen. «Salz» ist im mosaischen Kultus Bundeszeichen zwischen Gott und Israel (s. Schlesinger, S. 299). Als «Salz der Erde», «heiliges Salz», begegnete es uns in der Mozart-Rede. Über das Inselsymbol schreibt auch der Mythologe Nork: «Das schwimmende Eiland war ein Bild der aus den Wassern auftauchenden Erde. Später wurde jedes aus der Oberfläche des Meeres hervorragende Feste ein Bild der Weltschöpfung... Die schwimmenden Inseln sind Sinnbilder der Urerde und Geburtsstätten der Götter. Wasser ist nicht bloß erzeugendes, sondern auch auflösendes und als vereinend mit den Göttern verbindendes Element.» (II, S. 294.)

Das Motiv der Insel taucht im Werke Beer-Hofmanns unzählige Male auf. Nur einige der wichtigsten Repräsentationen seien genannt:

« Der Tod Georgs »: Der Knabe sitzt im Schatten der *Mutter* wie auf einer *Insel*, und der Astarte-Altar im See des Tempelvorhofes ist ebenfalls eine *Insel*.

«Jaakobs Traum»: Das von Nebeln umwallte Beth-El erscheint wie ein *Eiland*. Für Jaakob, der ja überhaupt fast nur in vereinigenden Symbolen spricht, ist außerdem die ganze Welt von Wasser umgeben und nichts anderes als eine *Insel*.

Insel gehört als regenerierendes Motiv dem Grundbestand unverbrauchbarer Symbole an. Aus der zeitgenössischen Literatur sei etwa jene bekannte Stelle aus Carossas « Arzt Gion » angeführt, wo der Dichter vom « geistigen Sein eines tätigen, bewußten Mannes in dieser Zeit» spricht, das einer «belagerten Festung» gleicht. Wie man eine große Fläche abgeschundener Haut nicht dadurch heilt, daß man einfach einen Lappen fremder Haut aufklebt, sondern nur einzelne Fleckchen, so kann auch « in dieser Zeit» das ganze Reich bloß von einzelnen Inseln aus genesen. Carossa hat den ganz verwirklichten Menschen im Auge. Er prägt für ihn die Formel « *tätig-bewußt* ». Der Schluß der Stelle aber lautet:

> « Viele ganz kleine, ganz dünne Fleckchen nur streuen wir da und dort auf und befestigen sie; von diesen heilen die meisten an, bald verbreitern sie sich und senden strahlenartig Zellenzüge aus, die sich ineinander verweben; so stellt sich von lauter kleinen *Inseln* aus das Ganze wieder her. Auf ähnliche Weise dienen jene vielen kleinen Festungen der Seele dem ganzen Reich, auch wenn sie einander nicht kennen; der heilige Geist der Menschheit weiß von ihnen und bedient sich ihrer, wie er will. »   (Leipzig, 1939, S. 53.)

Erwähnt sei hier auch die Insel des Kapitäns in Wiecherts « Einfachem Leben ». Das Bild tritt ferner überraschend auf in einem Capriccio aus Jüngers « Abenteuerlichem Herz ». Einige Bücher Jüngers sind überhaupt des Symbolischen voll. Der Dichter befindet sich in dem Stück « Der Fischhändler » auf den Azoren. Er weilt in den Gärten, « in denen das Auge die Blumen einer *neuen Welt* erblickt ». Die Sinnrichtung des Symbols ist unverkennbar. Es geht auf dieser Insel nicht um irgendwelche äußeren Belange, sondern um den « Gesang des Menschen », um sein « zugleich laut sich brüstendes und sein flüsterndes, flehendes Lied ». (Zürich, o. J., 221.) Ergiebig wäre zudem ein Vergleich mit Gerhart Hauptmanns Erzählung « Die Insel der Großen Mutter oder Das Wunder von Ile des Dames » (Berlin, 1924).

Dem Symbol der Insel verwandt ist das des *Berges*. Wenn man sich des Satzes von Morgenstern: « Wir leben doch alle auf dem Meeresgrund (auf dem Grund des Luftmeeres) » («Stufen», 43) oder desjenigen von Hofmannsthal: « Wir bewegen uns im... Element des Lebens... wie die Tiere am Meeresgrund... » (Briefe I, 155) erinnert, oder wenn man an Beer-Hofmanns oder auch Hofmannsthals Überzeugung von der Kontinuität des Raumes denkt, dann scheint es naheliegend, auch den Berg als vereinigendes Symbol anzusehen. Besonders in der Symbolik von Beth-El ist der Berg mit dem Inselsymbol vermischt. Während er in der Dekadenz ähnlich wie « Turm » rein negatives Geistzeichen ist, wird er später Symbol der Vermittlung zwischen Irdisch und Überirdisch. Jean Przyluski äußert sich über « Berg » als Wohnstätte der Großen Göttin wie folgt: «... Die Berghöhe ist zu gleicher Zeit von den Wassern des Regens und der Quellen genetzt. Damit ist ein recht allgemeines Sinnbild zur Darstellung der befruchtenden Wirkung durch himmlische und irdische Wasser gegeben. Dieses Sinnbild ist der Berg; er erscheint wie ein Bindeglied zwischen Himmel und Erde. » (Eranos 1938, S. 17.)

Musik

In unzähligen Dichtungen ist in irgendeinem Sinne von Musik die Rede. Sie bildet das einfachste und eines der wirkungsvollsten Mittel, um ein Geschehen stimmungsmäßig zu umrahmen, um Atmosphäre zu verbreiten. Bei Beer-Hofmann kommt auch diesem Motiv aufschließender, symbolischer Charakter zu. Musik ist die orphische Kunst und dem dionysischen Symbol, Wasser, dem strömenden Element, verwandt. Daher *singt* Maacha das Lied « Schnee du, vom Hermon », dessen dionysischen Charakter wir oben feststellten: « Schnee du, vom Hermon... bald wirst du Traube — — Trank bald — ein Glühn unsrer Wangen bald sein! » Die Musik ist ein Lebenssymbol. Sie entsteht in der Gemeinschaft und zeugt Gemeinschaft. Sie umschließt alles Einzelne und hebt es auf. Sie darf aber nicht verwechselt werden mit der Verwischung der einmaligen Individualität, die unter der Herrschaft der Depravation vor sich geht, der Maskierung. Sie ist ein Symbol des Kosmos, sie bändigt die chaotischen Elemente, die Geräusche, durch die Ordnung, durch die Harmonie. Wir betrachten sie als Geschenk der obern Regionen. Daher kennen wir den Ausdruck «Sphären-musik», was transzendierend soviel bedeutet wie göttlich be-schwingte, schwerelose Musik. Auch Beer-Hofmann schwebten sphärische Einlagen zur «Historie von König David» vor: Chor der Engel, Sang der Ahnen. Die verhältnismäßig wenigen Äuße-rungen über das Wesen der Musik deuten doch alle in auffälliger Weise in die gleiche Richtung.

In ihrer «gottgewollten Überlegenheit» ist sie fähig, «alle Sehnsucht aus dem Innern süß emporzusaugen». Sie ist das Ele-ment, das «die Dinge bewegt» und die Menschen «zu gleichem Puls zwingt». Die Hauptgestalten Philipp, Jaakob und David sind im-mer irgendwie mit Musik verbunden. Auch der Wirt im «Grafen von Charolais» war früher «Sänger». Und die innigen Beziehun-gen des jungen David zur Musik liegen auf der Hand. Er ist der Sänger und Harfenspieler. Es ist durchaus bezeichnend, daß er sich von Maacha das Lied «Schnee du, vom Hermon» singen läßt. Er fühlt sich aller Kreatur verschwistert. Und ebenso bezeichnend ist es anderseits, wenn er am Schluß — nach Maachas Tod — gequält aufschreit: «Jubelt nicht!» — Oder wenn er beim aufklingenden Harfenspiel ein beschwörendes «Nicht!» ausspricht. Hier fühlt er sich im letzten Grunde bereits «aus den Menschen herausgenom-men». — Die Sänger und Harfenspieler sind unter seinen Leuten zahlreich vertreten:

«Wie toll! Wenns um Musik geht — vergißt es alles!»

Gestalten wie Philipp sind häufig. Eine von ihnen ist unver-kennbar Paolo Malatesta in d'Annunzios «Francesca da Rimini». Auch er tritt stets von Musikern begleitet auf. Ähnlich — nur um einige Nuancen lockerer — ist Florindo in Hofmannsthals «Cristi-nas Heimreise» einzuschätzen. Auch er will zur Liebeswerbung die Musik beiziehen: «Musik brauche ich...» Man kann hier auch an einen Satz aus dem «Triumph des Todes» denken. Es ist die Rede vom «Todeseroten» Demetrius Aurispa, der ein Verehrer der Musik war:

« Sicherlich hat ihn die Musik in das Mysterium des Todes einge-
weiht; sie zeigte ihm ein nächtiges Wunderreich jenseits des Lebens. Die Harmonie, über der Zeit und dem Raume stehend, ließ ihn
wie eine Glückseligkeit die Möglichkeit durchblicken, sich von Zeit
und Raum zu befreien, *sich von dem individuellen Willen loszu-
lösen,* der ihn in den Kerker der an einen engen Ort festgebannten
Persönlichkeit zwängte und ihn beständig im Zwange der tierischen
Elemente seiner körperlichen Beschaffenheit hielt.» (486.)

Die Bedeutung der Musik für Hermann Hesse wird in der
bereits zitierten Abhandlung von Plümacher, « Versuch einer met.
Grundlegung lit.-wiss. Grundbegriffe, m. e. Anwendung a. d. Kunstwerk Hesses» (vgl. Anm. 37), mehrmals erwähnt und überdies auch
durch Stellen aus Hugo Balls Buch über Hesse gestützt. Eine Stelle
über den Musikerroman « Gertrud » lautet: « Im Roman vertritt
die Musik die Welt der Seele... Musik reißt den Menschen in alle
Tiefen der Seele, in Himmel und Hölle, und sie verwischt die Grenzen aller Welten.» (52.) Hugo Ball sagt ferner: « Der Mutterzauber
ist eine Macht gleich der Musik...» (129.) Daß das Mutterrecht
sich in der Form einer « Hegemonie der Musik » äußern kann, ist
eine allbekannte Feststellung im « Steppenwolf » (168).

Es darf hier nicht übersehen werden, daß selbst in der Mythologie mehrmals eine musikhervorbringende Göttin auftaucht, so
beispielsweise in Indien (Eranos, 1938, S. 285), aber auch Here in
Hierapolis (Clemen-Lukian, XLIV). Dieser Umstand endlich ver-
anlaßt uns, auf das Motiv der Bändigung wilder Tiere (Symbol der
entfesselten Stofflichkeit) durch Musik hinzuweisen. Den «heiligen
Tieren, von denen alle Wildheit gewichen ist » (« Tod Georgs »)
entsprechen die Tiere, die von Taminos « Zauberflöte » her-
beigelockt werden. Ihnen gleicht vor allem auch der Löwe in
Goethes « Novelle », der vom singenden Kinde beschwichtigt wird.

Feuer

Dem Symbol der Musik verwandt ist das des *Feuers.* Es steht
seinerseits wieder in starkem, sinngemäßem Zusammenhang mit
dem Symbol « Licht ». Als Licht bewahrt es vor dem Dunkel, in
dem die unreinen Geister wohnen (Schlesinger, 275). Man muß
aber die dialektischen Ausgestaltungen dieses Symbols wahrneh-
men. Als « glimmende Kohle », überhaupt als brennender Stoff,
dient es gern als Symbol der Leidenschaft, wie z. B. im « Grafen

von Charolais» in der Verführungsszene. So wird es als Sinnbild der entflammenden Leidenschaft auch in Grillparzers «Hero und Leander», in Wagners «Tristan und Isolde» oder in d'Annunzios «Francesca da Rimini», wie natürlich in zahllosen andern Werken, verwendet. Als Blitz, als «Feuer», die aus finstern Wolken fahren, ist es göttliches Feuer, Geistsymbol (Sauls Tod). In strenger Kontrapunktik werden die beiden Arten des Feuers — brennender und sich verzehrender Stoff und «flamma non urens» (Bachofen) gegeneinander ausgespielt. Nur bisweilen tritt es als vereinigendes Symbol in Dominanz. So im «Jungen David», wo der goldene Kronreif in einem Kranz von glühenden Kohlen liegt.

Fisch als das Symbol der Symbole

Das Fischsymbol ist außerordentlich verbreitet. In unzähligen Variationen zieht es sich durch die Religionen und Mythen aller Zeiten und Völker. Man darf aber wohl sagen, daß es zugleich auch zu den rätselhaftesten Sinnbildern gehört, die der menschliche Geist im Lauf der Jahrtausende ausgebildet hat. Das beweist die bedeutendste Arbeit, die über ein einzelnes Symbol je geschrieben wurde: Dölger, «IXΘYS» (5 Bände, Rom, 1910, Münster in Westfalen, 1922 bis 1943).

Bei Beer-Hofmann gelangen zwei Aspekte des Symbols zur Geltung. «Fisch» ist einerseits ein bevorzugtes Kultzeichen der Astarte (Dölger, II, 75 f.). Es ist Symbol der Zeugung und Fruchtbarkeit. In der phönikischen Mythologie wurde sogar die Mutter-Gottheit, die Derketo von Askalon, als Wesen gedacht, das aus einem weiblichen Oberkörper und einem Fischleib gebildet war. In der Brunnenfigur im «Tod Georgs» sind wir dem Motiv begegnet. Diese rein stoffliche Bedeutung stellt wahrscheinlich den Ausgangspunkt für andere Symbolqualitäten dar. In Religionssystemen, die bereits feiner differenzieren zwischen Leib und Seele, wird es auf geistige Werte übertragen. So muß es oft aufgefaßt werden als innerlich wirksame Kraft, als Lebenselement, vielleicht als Entelechie, als Krafteinheit, oder besonders als weiterführende Erkenntnis, als wesentliche Einsicht. Dölger zitiert einen Forscher, der den Fisch mit dem ewig offenen Auge des Göttlichen in Verbindung bringt : « Man soll Fische am Sabbat genießen, weil sie keine Augenlider haben und dadurch die göttliche Vorsehung veranschaulichen... Welches Geschöpf kann als Sinnbild dienen für das „Weiße Haupt" (= Gott) ?... Der Fisch des Meeres, der weder Lider noch Wimper an den Augen hat, der nicht schläft und nicht einen Schutz braucht für seine Augen. » (II, 542, Anm. 4.) Das Fischsymbol kann somit auch mit dem « magischen Auge » in Verbindung gebracht werden. Aus Dölgers Untersuchungen lassen sich noch andere ebenso auffällige Zusammenhänge herauslesen. Im ersten Band ist die Rede von drei Jünglingen, die in jugendlichem Alter aus der Welt schieden. Deren Grabinschrift «IXΘYS» erscheint wieder « als das heilige Zeichen der Hoffnung auf Erlösung und als Schutz des Grabes gegen die Nachstellung der Dämonen » (I, 203). Das Erstaunliche aber liegt darin, daß diese drei Jünglinge mit den « drei *Magiern* » in Verbindung gebracht werden.

Zusammenfassend dürfte dem Fischsymbol bei Beer-Hofmann ungefähr folgende Bedeutungsstufe zugeschrieben werden : Es versinnbildlicht das Welträtsel katexochen; es ist vielleicht der Sphinx gleichzuordnen. Es repräsentiert die Antinomie von Idee und Erscheinung, von Mensch und Universum, von Innen und Außen, kurz, es ist das Symbol der Symbole.

Wir versuchen dem häufig und bedeutsam auftretenden Motiv nachzugehen. Im « Tod Georgs » leben im See des Tempelhofes rotglänzende Fische, die « wie Blutstropfen » schimmern.

« Blut » ist hier wie sonst im « Tod Georgs » und im « Schlaflied für Mirjam » das Symbol der Zeitlosigkeit, der zeitlosen Gegenwärtigkeit alles Seienden (vgl. S. 75).

Nur die Priester können die Fische mit fremdklingenden Namen einer « längst vergessenen Sprache » aufrufen. Damit ist gesagt, daß nur der kindlich-natürliche Mensch, der Mensch im « Unschuldsstande der Natur », der Magier, das Wesen des Seins zu ergründen vermag. Es handelt sich um eine Urahnung, um eine Urerkenntnis, oder, wie Hofmannsthal in einem thematisch verwandten Gedicht sagt, um das « Weltgeheimnis ». Es handelt sich um die mystische Einsicht in die tieferen Zusammenhänge des Daseins. Wir führen zwei Zeugen an. Alfred Schuler :

« Sie wissen alle, daß der Fisch *Seelensymbol* ist noch bis hinein
in die Tage des Christentums. » (207.)

Das geht etwa aus einem Sinnspruch des Czepko hervor:

> « Du schwebst, als wie ein *Fisch* im Wasser, ganz in Gott ... »
>
> (Silesius, « Cherubin. Wandersmann », Zürich 1946, S. 12.)

Und Ernst Jünger sagt in einer scharfsinnigen Bemerkung im
« Abenteuerlichen Herzen »:

> « Die männliche Bahn wird wie die des *fliegenden Fisches* gesehen;
> aus den Elementen auftauchend, spielt sie für kurze Zeit im farbi-
> gen Licht und kehrt in die Tiefe zurück. » (110.)

Der Fisch ist Symbol der im Muttergrund eingetauchten Seele.
Seit aber der Mensch, infolge der männlich-rationalen Auffassung
der Welt, infolge der patriarchalischen Einstellung zum Dasein,
oben lebt und in unentwegter Bemühung seinen Turm zu Gott
baut, hat er die Ursprache verloren, hat er sich der Einsicht in das
« Weltgeheimnis » begeben. Heute ist es nurmehr « Fossil », es ist
Edelstein im Kerker eines Kiesels, es ist Kristall, es ist Bernstein
und es ist « Meermuschel, gewichener Urwasser Kind » (« Abbild »).
Der Mensch ist den Urgeheimnissen entfremdet, er steht auf der
harten Erde rationaler Erkenntnis, er steht auf dem Eise, darunter
die Nix « mit ersticktem Jammer » hin und her schwimmt. Der
Dichter aber bannt es mit der « isolierenden Kraft des Stils »
künstlerisch aus sich heraus, gibt es preis der Allgemeinheit, ist
der Stille, der innern Sammlung entrückt. Nur selten, im Gnadenzustand der mystisch-erhöhten Einsicht, hat der Dichter Zugang
zum Weltgeheimnis. Er ist der « Bettler ». So entspricht den zwei
Zeilen Hofmannsthals:

> « So tritt des Bettlers Fuß den Kies
> Der eines Edelsteins Verlies ... » (I a, 10)

diejenige aus Beer-Hofmanns « Abbild »:

> « Zu Stein sich härtend, dran mein Fuß nun stößt in kargem Acker-
> land ! » (44.)

C. J. Burckhardt sagt über die Bedeutung des Geheimnisses bei
Hofmannsthal:

> « Geheimnis, Arkanum, Zauberformel für etwas Unaussprechliches,
> worauf es Bezug hatte, Formel für die Rettung des Erinnerns, des
> weisen Wissens; wobei aber nicht etwa eine formale Kultur, nicht
> eine autonome Kultur des Bildungsprozesses gemeint ist, sondern
> eine durch die Religion mit den Himmelskräften verbundene, ge-
> weihte Einsicht als edler Zustand der Sitte und der bewußten

Werte, ja als ein Abglanz der Gnade — wobei niemand besser als Hofmannsthal wußte, daß der Umkreis metaphysischer Entscheidungen voller Schrecken ist. » («Erinnerungen», 22.)

Der Fisch ist in der modernen Literatur ein bevorzugtes Symbol für Erkenntnis oder geheimnisvolle Einsicht. Symbol der innern Erkenntnis, «Seelensymbol», ist Fisch auch bei Schnitzler, wo wir die nachstehende interessante Bemerkung aus dem «Buch der Sprüche und Bedenken» anführen müssen :

> « Manche seelische Erlebnisse gehen beinahe durchaus im Unterbewußtsein vor sich, — zeitweise nur gleich Tauchern, die unter dem Wasser schwammen, steigen sie zur Oberfläche herauf, sehen sich verwundert rings im Lichte des Bewußtseins um, tauchen wieder hinab und verschwinden für immer. » (137.)

Auch Arno Holz dichtet im «Phantasus» :

> « Purpurne *Fische*
> Schwimmen durch mein dunkles Wasser. » (Berlin, 1919, S. 356.)

An dieser Stelle muß noch einmal der «Fischhändler» von Ernst Jünger erwähnt werden. Dieses Gleichnis des modernen deutschen Dichters ist, wie alles echt Symbolische, unausschöpflich. Der Fischhändler geht mit seiner Last von schon erstarrten Fischen, «die am Mittag niemand verlangt» — denn im Zeitalter nur rationaler Erkenntnis will niemand das innere Geheimnis besitzen — gaßauf, gaßab. Der Dichter aber geht immer hinter ihm her, daß er «wie sein Schatten» wird. So folgt er ihm, mit einer «lauschenden Gier», bis er spürt, daß es auf dieser verlorenen Insel nicht um den Verkauf von Fischen, sondern um den «Gesang des Menschen» geht. Der Dichter und Magier ist der Fischhändler.

Die tödliche Bedrohung des Lebens durch den Geist wurde in einer dramatischen Szene von stärkster Gleichniskraft gestaltet von Georg Kaiser im «Geretteten Alkibiades» (1920). Der Geistmensch Sokrates stiftet durch seine dialektischen Fragen auf dem Fischmarkt solche Verwirrung an, daß die Fischweiber in Streit geraten und sich die Fische anwerfen. Ähnliche Problemkreise streift Georg Kaiser in einem seiner symbolträchtigsten Werke, der «Koralle» (1917). Die «Koralle» berührt sich mit dem Fischsymbol. Es heißt in der Dichtung, wir seien «losgebrochene Stücke vom dämmernden Korallenbaum — mit einer Wunde vom ersten Tag an ». Damit spielt der Dichter auf das Problem der Individuation an.

Nicht weniger eindrücklich ist etwa aus dem Umkreis der Expressionisten Alfred Brusts Legende «Vom singenden Fisch» (in dem Bande «Spiele», 1920), in welchem die Seele des Heilands fortlebt.

Aus Wassermanns «Alexander in Babylon» ist hier die Chaldäerin Liblitu anzuführen, die im Besitze dunkler Kräfte steht:

> Ihr Blick «brach unter den schweren Lidern hervor und verkroch sich wieder darunter, so wie ein geheimnisvolles Wesen aus den Fluten des Meeres aufsteigt, mit kühler Lust die dumpfe Welt betrachtet und ruhesuchend wieder untertaucht.» (51.)

Immer ist der «Fisch» ein Symbol des Geheimnisvollen. So auch bei Hermann Hesse, von dem wir drei Stellen zitieren.

Aus dem «Hermann Lauscher»:

> «Oh, diese Seele, dieses schöne, dunkle, heimatliche, gefährliche Meer! während ich ihre schillernde Oberfläche unermüdlich prüfe, liebkose, befrage und bestürme, spielt sie zuweilen immer wieder wie zum Hohn ein fremdfarbiges Rätsel aus bodenloser Tiefe vor mir aus, Muscheln, die von unermeßlichen, fremden Räumen reden, wie ein Stück uralten Schmuckes vereinzelte, unsichere Ahnungen einer versunkenen Vorzeit beschwört.» (207.)

Aus «Narziß und Goldmund»:

> «Von Fischen träumte er zuweilen, die schwammen schwarz und silbern auf ihn zu, kühl und glatt, schwammen in ihn hinein, durch ihn hindurch, kamen wie Boten mit holden Glücksnachrichten aus einer schöneren Wirklichkeit, schwanden schwänzelnd und schattenhaft, waren dahin, hatten statt Botschaft neue Geheimnisse gebracht ...» (76.)
>
> «Manchmal auch mochte es ein Schlammfisch sein, eine feiste Trüsche oder ein Rotauge, das sich da unten umdrehte und einen Augenblick auf den hellen Bauchflossen und Schuppen einen Lichtstrahl auffing — niemals konnte man genau erkennen, was es eigentlich sei, immer aber war es zauberhaft schön und verlockend, dies kurze gedämpfte Aufblinken versunkener Goldschätze im nassen schwarzen Grunde. So wie dies kleine Wassergeheimnis, schien ihm, waren alle echten Geheimnisse, alle wirklichen, echten Bilder der Seele: sie hatten keinen Umriß, sie hatten keine Form, sie ließen sie nur wie eine ferne schöne Möglichkeit ahnen, sie waren verschleiert und vieldeutig.» (Zürich, 1930, S. 227/28.)

V. DER ANDROGYNE MENSCH

Die Stufen des kosmischen Prozesses

Das Weltbild Beer-Hofmanns wird weitgehend bestimmt durch die Idee von der zeitlosen Gegenwärtigkeit alles Seienden oder Gewesenen.

Der Gedanke, daß alles immer gegenwärtig ist, entstammt dem mystisch-präexistentialen Zeitgefühl, das keine Schranken zwischen Innen und Außen, zwischen Gewesen und Gegenwärtig anerkennt. Der Dichter sieht vor sich eine zeitliche Säule, die bis zum Anbeginn der Dinge hinunterreicht, und an der alles stets gleichzeitig vorhanden ist. Der menschliche Geist verschafft sich Bewußtsein, wessen er sich bemächtigen will. Seine Sprache redet deshalb nicht von Gewesenem, sondern sie ist « *Magie*, die es heraufbeschwört ». Im gleichzeitigen Überblicken einer weitgespannten Vorzeit drängte sich sein eigenes Dasein zum « Nu » zusammen, und ihm wie Gott « sind wie ein einziger Tag viel hundert Jahr » (« Verse »). Hofmannsthal sagt :

« Alles, indem es ist, war schon da. »   (III a, 164.)

Oder in einem seiner Briefe steht der aufschlußreiche Satz :

« Wie im, Märchen die Frösche zu den Königen reden, dürfen wir auch zu allen reden, alle Elemente sind uns offen, und wir sind Tod und Leben, sind Ahnen und Kinder, sind unsere Ahnen und Kinder im eigentlichsten Sinn, ein Fleisch und Blut mit ihnen. So kann nichts kommen, nichts gewesen sein, was nicht in uns wäre. »

(Briefe I, 156.)

Franz Werfel unterscheidet im « Stern der Ungeborenen » Heterochronie und Isochronie. Die letztere, die Gleichzeitigkeit alles Seienden, ist die « herrlichste Form der Zeit », da sie « in jedem ihrer Teile den ganzen Weltlauf enthält ». Auf der Isochronie oder « geistigen Zeit beruhen die drei Kräfte, die den Menschen erst zum Menschen erheben : Die Erinnerung, die *Ahnung* und der Glaube an das Unbeweisbare ... » (545/46) (Anm. 89).

Der Glaube an die Isochronie, die Werfel die Konzeption dieses Romanes, Dichtern wie Meyrink oder Scheerbart ihre Visionen und

Thomas Mann sein altbiblisches Romanwerk ermöglichte, spricht auch aus mehreren Äußerungen Beer-Hofmanns.

In den « Versen » besonders begegnen wir einigen Anspielungen von erstaunlicher Unbefangenheit, die auf das oben skizzierte Zeitgefühl schließen lassen :

> « Gewesenes — Verwestes — wird und lebt. »
> « Blüte — Frucht — und *wieder* Samen !
> *Was* ist Anfang, *was* ist Ende?...
> Raum, wie Zeit: Gespinst, Gespenster,
> Die die Sinne *um* dich woben !...
> *Alle* kreisen. »
> « Daß diese Falten ineinander sanken — —
> Nur Stunden sind's, daß hier Beth-El noch war !
> Doch der mich schuf — — vor ihm, wie vor dem HERREN,
> Sind wie ein einziger Tag viel hundert Jahr. »
> « Ufer nur sind wir, und tief in uns rinnt
> Blut von Gewesenen — zu Kommenden rollt's,
> Blut unsrer Väter, voll Unruh und Stolz.
> *In* uns sind *Alle*... »

Bezeichnend ist in dieser Hinsicht auch die Beschwörung im « Vorspiel zu König David »: David selbst erlebt aufs neue den Schein seiner Erdentage. Oder bei Davids Geburt singen die « Ahnen ».

Alles, was ist und was geschieht, ist aber nur die Spiegelung eines einzigen kosmischen Grundprozesses. Dieser Grundprozeß wiederholt sich unzählige Male auf der Welt, so daß man von einer « formalen Wiederkehr » zu sprechen versucht ist. Diese formale Wiederkunft darf freilich nicht in Zusammenhang gebracht werden mit der Reinkarnation im Sinne der indisch-brahmanischen Seelenwanderung, — trotz des Verhältnisses von Präexistenz und Existenz zwischen Jaakob und David. Denn die « Seele » ist, kulturell und individuell, einmalig und unauslöschlich. Gerade die bei den Wienern so häufig gepflegte und so hoch entwickelte Kunst der « Atmosphäre » beweist das. Zyklisch wiederkehrend sind nur die Formen, die Spannungsverhältnisse im Dasein.

Dieses Spannungsverhältnis wiederholt sich in den drei realen zeitprojektiven Potenzen, dem kosmischen Prozeß, dem Kulturprozeß, der individuellen menschlichen Entwicklung.

Diesen drei Stufen entspricht schon im « Tod Georgs » die « *Animula Vagula Blandula* », als kosmisches Residuum des Menschen, das *Blut*, als Element der irdischen Begegnung von Chaos und bändigender Ordnung, Sinnbild der Zeitlosigkeit, und endlich die *Persönlichkeit,* der Individualwert der vergänglichen Hülle, das von « Gespinst und Gespenstern » (Zeit und Raum) umgaukelte Persönliche, zeitlich und räumlich Erlebbare (vgl. S. 74).

Alle mythischen Elemente im Werke Beer-Hofmanns weisen auf den *kosmischen Grundprozeß.* Wohl anerkennt der dualistisch empfindende Dichter ein Absolutes, ein oberstes Wesen, einen Schöpfer-Gott, aus dem alles Seiende hervorgetreten ist. Aber alle Mythisierungen deuten doch darauf hin, daß dieses Letzte, um das wir uns denkend bemühen, und das nur in leeren formalen Zuordnungen gesetzhafter Art bestimmbar ist, selbst wieder als einem Schöpfungsprinzip unterworfen gedacht werden muß. « Dem Gesetz, das Gott sich selbst schuf, muß Gott Treue halten ! » Wie also im menschlichen Wesen ein geistig-erkennendes Element ununterbrochen gegen ein stofflich-triebhaftes Element ankämpft, so wird analog auch Gott ein feindliches Prinzip gegenübergesetzt. Dieses Gegenprinzip können wir bezeichnen mit « Finsternis », « Nacht », « Urwirre ». Der Schöpfungsprozeß wird also begriffen etwa in der Antinomie Chaos—Kosmos, in dem Kampf des kosmischen Prinzips gegen das Chaos, im Sieg des Gesetzes und der Ordnung über die ungestaltige Urzeit. Der Schöpfungsakt wird symbolisiert im « Mythus von Moriah ». Die dumpfe, stofflich ungeschiedene Urwelt, « Flut und Finsternis », wird durch das schöpferische Wort, den Eid, das Gesetz des « hellen » Gottes, überwunden.

Dem Zyklus der Weltzeit entspricht der *Zyklus der Kulturwerdung.* Die Kultur beginnt mit dem Eintritt des Menschen in die Welt. Mit der Kraft seines Geistes erhebt sich Gottes « Ebenbild » über die bloße, rohe Materie und gestaltet sie nach seinem Willen. Eine Kultur bildet sich heraus. Die Kultur führt aber mit der Zeit notwendig und unausweichlich zum Turmbau. Aus matriarchalisch-aszendentem Früh- und Zuerstsein entwickelt sie sich zu patriarchalischem Spät- und Zuletztsein. Wenn eine Kultur ihre Möglichkeiten erschöpft hat, tritt sie abwechslungsweise in verschiedene Stadien der Entartung. Die Überbetonung des Geistigen führt zur Dekadenz. Nachher tritt die nicht mehr einbezogene Gegenseite — psychanalytisch gesprochen das Unbewußte, mythologisch gesprochen das Chthonisch-Unterweltliche — immer stärker an die Oberfläche und gelangt unversehens zur Herrschaft. Die ungeheuren Vorbilder dieses Geschehens sind sagenhafte Wasserkatastrophen — der Untergang des Erdteils Atlantis, die Sündflut der Genesis —, nach neuerer Denkweise auch große Krankheiten, etwa im Mittelalter die Pest (z. B. in Gotthelfs «Schwarzer Spinne» in bürgerlich-realistischer Sichtrichtung großartig nachgestaltet). Beer-Hofmann hat in seinem Werk versucht, in dieser Hinsicht die gegenwärtige Entwicklung — seit dem Ende des letzten Jahrhunderts — mit mythischen Maßstäben zu messen und dichterisch zu formen.

In myriadenfacher Verkürzung wiederholen sich der kosmische Prozeß und der skizzierte Kulturverlauf in jeder *individuellen menschlichen Existenz.* Nach der Zeit der Geborgenheit im Mutterleib erfolgt der Austritt in die Welt. Das Kind erhält allmählich Bewußtsein von Raum und Zeit und lernt sich der Sprache bedienen, die alle menschliche Erfahrung seit urdenklichen Zeiten registriert. Wer diese Quelle erschließt, setzt sich spielerisch-magisch in den Besitz von Kräften und Erkenntnissen (Präexistenz), die wahrhaft nur in ständigem Ringen, durch persönliche Erfahrungen und Erlebnisse, ein bleibendes Gut werden können. Es muß der Übertritt aus der Präexistenz in die Existenz, in das tätige, reale Leben erfolgen. Erst im mühseligen Kampf mit den irdischen Gegebenheiten kann der Mensch über die Verstrickung in die materielle Welt neuerdings vordringen in den geistigen Bereich. Am Grunde liegt dann das Überwundene und «Besiegte», von der menschlichen Seelenkraft normalerweise Darniedergehaltene. Es strebt aber stets danach, die « Fesseln zu zerreißen », wovon die Entartungsphänomene der Depravation zeugen. Diese haben im einzelnen Menschen ihren Ausgangspunkt. Darum sagt Achitophel im «Jungen David»:

> « *Nichts* siecht im Abgrund — *in* uns liegts und lauerts ! »

In ähnlicher Weise spricht übrigens Kaiser Rudolf in Grillparzers « Ein Bruderzwist in Habsburg » von den mythischen Mächten im Menschen. Erst wird das mythische Tier der Tiefe geschildert:

> «... Bis endlich aus der untersten der Tiefen
> Ein Scheusal aufsteigt, gräßlich anzusehn
> Mit breiten Schultern, weitgespaltnem Mund,
> Nach allem lüstern und durch nichts zu füllen. »

234

Doch kurz darauf heißt es:

« Ich sage dir : nicht Szythen und Chazaren,
Die einst den Glanz getilgt der alten Welt,
Bedrohen unsre Zeit, nicht fremde Völker :
Aus eignem Schoß ringt los sich der Barbar ... »

(ed. A. Sauer, I/6, S. 245/246.)

So wird für den Dichter das Schicksal einer Gruppe seiner Gestalten typisch für die Gefahr des untätigen Beharrens im bloß Geistigen. Eine andere Gruppe repräsentiert die in die Existenz übergetretenen, jedoch nicht über diese Stufe hinausdringenden Menschen. Eine dritte, vorbildliche Gruppe dagegen bringt die Kräfte in sich zum harmonischen Ausgleich.

Der kosmische Dualismus wird auf der menschlichen Stufe oft durch die Auseinandersetzung zwischen den Geschlechtern symbolisiert. Die Kräfte des Geistes liegen vorwiegend auf der Seite des Mannes. So wird er zum Vertreter des hellen Weltreiches. Er setzt über das zyklisch Wiederkehrende hinaus das Einmalige, Unverwechselbare, dem Einfluß der Zeit Entzogene, das Werk, das Gestaltete. Stofflichkeit und Lebensnähe sind vor allem auf der weiblichen Seite vorhanden. Die Frau wird Vertreterin des materiellen Weltreiches. Aber « Geist » und « Stoff » sind nur Grenzbegriffe. Geist, der sich nicht am Stofflichen entzündet, — Stoff, der nicht ein Vorstellendes oder Erkennendes aus sich gebiert, — das sind leere Abstraktionen. So kann auch immer nur etwas entstehen, wenn beide Weltpotenzen sich durchdringen. Aus diesem Grunde gelangt auch der Mensch immer nur in seiner Gegenseite zur vollkommenen Entfaltung, zur Selbstverwirklichung. Erst in der Doppelheit wird der Mensch ganzer Mensch, wird er zum «civis humanus», wird er gottähnlich. Denn auch der Schöpfer des Seienden lebt nur, weil sein Gegenprinzip ist. Es muß transzendierend aufgefaßt werden, wenn Jaakob sagt:

« ... Nur weil
Du, Edom bist — darf ich, Jaakob sein ! »

Der Mann wird nur am Gegengeschlecht vollwertig, wird nur im Ringen mit der Materie er selbst. Untätiges Verharren im Bereich des Geistes führt zur Dekadenz. Die Frau bleibt ohne die Männlichkeit im bloß Stofflichen stecken; dumpfes Hindämmern wäre ihr Schicksal.

Zur Terminologie der Einseitigkeit und der Vereinigung
(Der normative Dichter)

Die Dichtungen Beer-Hofmanns kreisen um das Rätsel «Mensch». Die Probleme der Kultur und deren mythische Hintergründe sind nur Gleichnisse des Menschen auf höheren Stufen. Die im dichterischen Bilde festgehaltenen Einseitigkeiten spiegeln nur Abweichungen des Menschen von der eigenen Mitte, — von der Mitte zwischen Erdgebundenheit und Geistigkeit. In der Folge seien ergänzend einige unsere Unterscheidungen auf der menschlichen Stufe direkt berührende Vorgänge oder Eigenschaften zusammengestellt.

Dekadente Menschen leben «nebeneinander» und «lieben nicht» oder nur sich selbst (doppeltes Individuum, Selbstbespiegelung: Narziß). Die Menschen der *Depravation* leben « gegeneinander » und « denken nicht » (Verlust des Individuums: Maske). Die Menschen, die sich ihrer *Mitte* bewußt sind, leben « füreinander » und « geben sich hin ». Sie « leben über sich selbst hinaus ». Über *dekadente* Vernachlässigung, Vergeßlichkeit, Lebensuntauglichkeit (Verweiblichung des Mannes, « schattenlose Frau ») und *depravierte* Zuchtlosigkeit, Korruption, Mißachtung des Geistes (Emanzipation, Brutalität) erhebt sich die Forderung der « Treue » gegen sich selber, der Achtung, Ehrfurcht und Scheu vor den oberen und unteren Mächten, damit die Anerkennung des mythischen Grundtypus, der ewigen und unverbrüchlichen Daseinsgesetze (Anm. 90).

Über geistig-dialektische *Zweifel* und dumpfe *Trieb*haftigkeit des Blutes erhebt sich die *Sehnsucht;* über *Spiel* (Saul und das Kind Meribaal) und *Traum* (Paul und Hierapolis; Jaakob und Samael) die *Arbeit;* über *Tag* (bloß rationales Verknüpfen von Tatsachen: Saul in seinem Verhältnis zu David) und *Nacht* (zügellos schweifende Phantasie der Leute Davids) die *Ahnung;* über dem äußeren *Zeichen* (« Alltagswort ») und « *bunter Bilder Reigen* » das *Wort, Gleichnis* und *Symbol;* über Oberflächlichkeit, Verharren in der *Präexistenz,* «Flucht in die Marionettenstarre der Kategorien » (Schnitzler) («Blick ins Weite»); Grillparzer, «Bruderzwist: «O daß die Männer nur ins Weite streben!») einerseits und *Verharren im Stofflichen* und zyklische Wiederholung des ewig Gleichartigen,

Mangel an « individuellen Werten, an männlichen Leitbildern und -gestalten » (Eranos, 1938, S. 211—216!) anderseits der Grundsatz des *Per aspera ad astra.* Darin liegt das letzte Geheimnis. Es ist in folgenden Formulierungen beschlossen:

« Der Tod Georgs » :
> « Der Blick wandert über alles Nahe, bis er auf den „Bergen"
> oder in der „Ferne" ruht. »   (S. 48, 60, 150.)

« Jaakobs Traum » :
> « Durch Leid und Sturm — du Knabe — ring' dich aufwärts ... »
> « Erwählt von Dir und doch ... Kind dieser Erde ! » (Vgl. S. 127.)

« Der Junge David » :
> Erwählt bist du ... « *nur,* solang *du*
> Zu tausend schweren Pflichten *selbst* dich wählst —
> Bereit, dich hinzugeben ... »   (Vgl. S. 160.)

« Chor der Engel » :
> « Zweifel, Traum und Qual
> Bau'n die Himmelsleiter
> Auf — zu Gottes Saal ! »   (Vgl. S. 136.)

Das « per aspera ad astra » darf natürlich nicht grob sinnlich aufgefaßt werden. Schon in « Das Kind » und im « Tod Georgs » werden zwar die Helden dem Leben gewonnen. Das ist der Sinn der mythisch-religionsgeschichtlichen Symbole. Aber sie werden nicht Arbeiter oder Bauern, wie man vielleicht erwarten könnte. Man sieht Paul im « Tod Georgs » wohl, hinter Arbeitern gehend, «in den schweren Takt ihrer Schritte verfallen». Aber man sieht ihn doch nicht so als Arbeiter, wie man etwa Hans Castorp am Schluß des « Zauberberges » im Getümmel der Schlacht sieht. Er befindet sich — wie Paul in « Das Kind » — vielmehr wiederum auf dem Wege zur *Stadt,* wie auch der Blick der Frau zuletzt auf den *Bergen* ruht. Paul gleitet sogar auf « festgebetteten Schienen » seinem Ziele zu. Der *Schienenstrang* muß in Beziehung gebracht werden zur *Himmelsleiter.* Auf ihr schreitet der Begnadete, wenn er mit den Sendlingen der Urnacht gerungen, in die Höhe, zu Gottes *Saal.* Auf dem Wege zur Stadt befindet sich gewissermaßen auch David — soweit wir das Drama verfolgen können. Nur das « Zeitdrama » vom « Grafen von Charolais » geht hier eigene Wege.

Aus allem ersehen wir, daß es dem Dichter von allem Anfang an um Vereinigung und Ausgleich der Weltkräfte im einzelnen Menschen zu tun ist, daß er dieses Ziel auch beharrlich im Auge behält, daß aber der Geist das höhere Prinzip bleibt und bleiben muß. Darum kann man ihn einen « normativen Dichter » nennen. Th. Spoerri hat nämlich im «Präludium zur Poesie» Beer-Hofmann unter die Kategorie des « normativen Menschen » eingereiht. Wir ziehen hier mit großem Nutzen die Tafel « Die Welt in normativer Beleuchtung » (S. 323) bei, in der Spoerri drei Begriffspaare — Unbegrenztheit und Grenze, Einheit und Vielheit, Freiheit und Gesetz — als Beispiele der Antinomie « dynamisch : statisch » in ihren Auswirkungen im Chaos und im Kosmos beleuchtet:

Das Dynamische im Chaos :	im Kosmos	Das Statische im Chaos :
Unbegrenztheit als Formzertrümmerung		*Grenze* als kerkerhafte Schranke
Unbegrenztheit als unendliche Möglichkeit der Form		*Grenze* als natürliche Schranke, als formhafter Umriß
Einheit als Vermengung aller Substanzen		*Vielheit* als Unstimmigkeit, Zerrissenheit
Einheit als Verbundensein mit der Mitte		*Vielheit* als schöpferische Mannigfaltigkeit
Freiheit als dämonische Willkür		*Gesetz* als sinnlose Gebundenheit
Freiheit als Selbstverwirklichung		*Gesetz* als göttliche Ordnung

Der Androgynismus

Beer-Hofmanns Weltbild ist normativ. Die Norm ist der Mensch, nicht Mann oder Weib, nicht Geist oder Materie, sondern beides. Über Mann und Weib steht der doppelgeschlechtige, der androgyne oder gynandrische Mensch. Im Menschen spiegelt sich der Kosmos, wie umgekehrt in Franz Werfels « Stern der Ungeborenen » der Kosmos anthropomorph wird. Auf die Frage: « Welche Gestalt hat das Universum? » antwortet der Hochschwebende dem Sternenwanderer aus dem 20. Jahrhundert:

« Das Ganze ist mit sich selbst verheiratet. » (376/378.)

238

Und auf die Unterfrage, ob es denn nicht zwei Ganze geben müsse, ein männliches und ein weibliches, entgegnet der Großchronosoph:

«Das Ganze ist mit sich selbst verheiratet.» (376/378.)

Alfred Kubins geniale Visionen in « Die andere Seite » aber schließen mit dem Satz:

«Der Demiurg ist ein Zwitter.»

In der mythischen « Idealgestalt des Hermaphroditen » verkörpert sich die ewige Sehnsucht des Menschen nach Ausgleich der geistigen und materiellen, der erkennenden und schöpferischen Kräfte, des Männlichen und Weiblichen. C. G. Jung sagt darüber: « Die Urvorstellung » des Hermaphroditen « ist zum Symbol der konstruktiven Vereinigung von Gegensätzen geworden, zu einem eigentlichen *„vereinigenden Symbol"* ... Das zwiegeschlechtige Urwesen wird im Laufe der Kulturentwicklung zum Symbol der Einheit der Persönlichkeit, des *Selbstes,* in welchem der Konflikt der Gegensätze zur Ruhe kommt. Das Urwesen wird auf diesem Wege zum fernen *Ziel* der Selbstverwirklichung menschlichen Wesens, indem es von Anfang an schon eine Projektion der unbewußten Ganzheit war. Die menschliche Ganzheit besteht nämlich aus einer Vereinigung der bewußten und der unbewußten Persönlichkeit. » (« Einführung in das Wesen der Mythologie », S. 135—137.)

Auch Klages spricht im Zusammenhang mit dem Lebenswerk Alfred Schulers über die « Hälftenhaftigkeit des dem Ursprung entsunkenen Menschen und über den unausschöpfbaren Wissensgehalt des Bildes vom zugleich zeugenden und empfangenden Wesen ... »: « Der uranfängliche Mensch der Gnostiker sowie der „leuchtende", „verklärte", „telesmatische" Mensch Schulers müsse entweder ungeschlechtlich oder zwiegeschlechtlich sein, oder sei als an beiden Potenzen wesentlich teilhabend zu denken ... » (59, 95.)

In Mythus und Religion ist der Androgynismus dementsprechend häufig vertreten. So ist in fast allen orientalischen Religionen die Große Göttin androgyn (Eranos, 1938, S. 27). Der kosmische Prozeß, der in der Überwindung des Chaos durch Gesetz und Ordnung und durch das Prinzip der Gestaltung besteht, wird im Mythus durch die Entwicklung des Gottes zum Androgynen wiedergegeben. « In den großen Zivilisationen haben meist patriarchalische Institutionen die sehr alten Spuren des Matriarchats über-

deckt und zum Verschwinden gebracht, so daß die alte Vorherrschaft der Göttin-Mutter auch auf religiösem Gebiet der Allmacht
eines Gott-Vaters das Feld räumt. Doch ist diese Verdrängung des
einen Geschlechtes durch das andere nur Teilerscheinung eines
allgemeineren Vorganges, des Hinübergleitens von der Göttin zur
Androgyne und schließlich zu einem Gott, der immer mehr geschlechtlos wird. » (Eranos, 1938, S. 43.)

Mythische Abbilder der androgynen Gottheit sind auch bei
Beer-Hofmann vertreten. So ist die Göttin, in deren Stirn ein Stein
eingelassen ist, der « nachts leuchtet », als vereinigendes Symbol
aufzufassen. Astarte ist die Große Mutter, aber in ihrer Stirn ruht
das « magische Auge ». Das « magische Auge » ist das Symbol der
Erkenntnis. Es verleiht unbeschränkte geistige Macht über alles
Gezeugte, über alles Irdische. Darum ist der Fisch mit dem ewig
offenen Auge auch ein Symbol Gottes. Und im « Stern der Ungeborenen » ist der Djebel, die Hochburg der astromentalen Kultur,
ein Auge:

> « Der Djebel ist Gäas Auge. »   (627.)

Der Inbegriff der von Werfel in dieser Dichtung beschworenen
fernen und unendlich entwickelten Kultur ist das *Isochronion*, das
an die Stirn gelegt wird und das « atomare Bewußtsein des Erden-
menschen in das Allbewußtsein des Himmelsmenschen einzuschal-
ten » imstande ist (634).

Vermutlich läßt sich auch Eva Sorels Diamant « Ignifer », den
sie im Haar trägt und der das Sinnbild ihrer Herrschaft über die
Menschen ist (Wassermann, « Christian Wahnschaffe »), mit dem
« magischen Auge », dem Edelstein im Haupte der Astarte in Beziehung bringen. In der glücklichsten Phase ihres Lebens hat sie
übrigens deutlich hermaphroditische Züge:

> « Sie steht an der Grenze des Geschlechts, die Zweideutige, Zwei-
> gestaltige ... »   (118.)

Beer-Hofmann gibt aber im « Tod Georgs » eine womöglich
noch auffälligere Assoziation zu Astarte. Das Bild der Großen Göttin trägt auf ihrem Haupte die *Mauerkrone* (50). Dieses Motiv ist
nicht Beer-Hofmanns Erfindung. Denn nach der Überlieferung trug
die Göttin Rhee auf dem Kopf einen *Turm* (« De Syria Dea », XV).

240

Doppelgeschlechtig sind auch die Priestergestalten, die *Gallen,* die dem Dienste der Göttin geweiht sind (vgl. S. 53).

Nach dem «Tod Georgs» sind die mythischen Bilder der androgynen Gottheit nicht mehr so zahlreich und so auffällig vertreten. Aber das Problem ist damit keineswegs erledigt. Im Gegenteil, aus der in Symbole verhüllenden Darstellungsweise im « Tod Georgs» gelangen wir in den Bereich werkhafter Gestaltung. Das ursprünglich innen und sinnbildlich Angeschaute wird in die Gestalten hineinverwoben. So können wir bei allen zentralen Figuren zugleich männliche und weibliche Züge aus dem Geflecht der Seele herausspinnen. Darum sind Jaakob und David «erwählt vom Herrn und doch Kind der Erde». Darum sind sie den « Himmlischen wie den Irdischen verbündet ». Darum stehen sie zugleich fest auf dem Grund der Erde und dringen doch darüber hinaus vor in den Bereich des Geistes. Darum sind sie der Kreatur verschwistert und sehnen sich doch empor nach dem ewig seienden Gott.

In der Erscheinung, im Bereich der äußern Realität sind die beiden Prinzipien getrennt. Die Welt zerfällt in zwei Hälften: Mann und Frau. Aus diesem Grunde wird auch die Verbindung von Mann und Frau zum vereinigenden Symbol des Ausgleichs der Weltkräfte . . .

Das *Menschliche Paar,* und im mythologischen Urbild das *Göttliche Paar,* wird verbunden durch die Liebe, den Eros. Liebe als Erfüllung und Ergänzung, als überwindende Kraft, als Brücke zwischen den Menschen, als Austausch der Seelen und Leiber, ist das allgemeinste Sinnbild der Menschwerdung in jenem umfassenden Sinne, nämlich der Angleichung an den kosmischen Menschen, den Adam Kadmon. Durch Liebe werden die Menschen in der Dichtung stets « verwandelt », d. h. zu einem höheren, umfasseneren Selbst geführt.

Hermann Hesse etwa spricht an einer Stelle im « Demian » von ihr:

> « Liebe war nicht mehr tierisch dunkler Trieb, sie war auch nicht mehr fromm vergeistigte Anbeterschaft. Sie war beides, beides und noch viel mehr; sie war Engelsbild und Satan, Mann und Weib...»
>
> (134.)

Er will « Mann und Weib » sein, als ein Ganzes teilhaben « an der allstündlich erstehenden Schöpfung » (Plümacher, S. 48). Mann und

Weib werden auch bei Beer-Hofmann an einer entscheidenden Stelle des « Jungen David » in Beziehung gebracht zur Schöpfung. David und Maacha schreiten Hand in Hand — « Geschwister am ersten Schöpfungstag ».

Es erstaunt uns nicht, daß die Idee von der Gottgleichheit des menschlichen Paares schon in der klassischen Wiener Oper mit unüberhörbarer Deutlichkeit ausgesprochen wird. Wir denken an die bei all ihrer spielerischen Grazie, bei all der scheinbar kindlichen Einfachheit an Sinngehalt so unergründlich tiefen Verse im Duett des ersten Aktes der « Zauberflöte »: « Bei Männern, welche Liebe fühlen ... »:

> « Mann und Weib, und Weib und Mann
> Reichen an die Gottheit an. »

Aber auch im « Fidelio », oder später in Hofmannsthals «Rosenkavalier», wird durch eine Verkleidung die Hauptfigur ins irrational Zwiegeschlechtliche hinübergespielt. Leonore insbesondere erscheint uns wie die androgyne Gottheit. Auch die Sphinx in « Oedipus und die Sphinx » erhebt sich vor uns als Sinnbild der zweigeschlechtigen Gottheit. Das Androgyne-Problem wird ferner in den Semiramis-Fragmenten abgewandelt. Und besonders wichtig ist eine Stelle im « Turm », wo es von Sigismund heißt:

> « Dieser ist weder Mann und Weib, sondern über beiden. »
>
> (Anm. 91.)

Mann und Weib reichen an die Gottheit an — und sprengen den Turm, den Kerker des lebendig Eingemauerten. Weib und Mann, Erde und Geist, Leib und Seele — sich vereinigend und ineinander aufgehend, das löst aus « Finsternis und Haft », führt Gefangene ins Licht der Freiheit, erweckt das Steinerne zu neuem Leben. So wird auch der Kaiser in der « Frau ohne Schatten » aus seiner steinernen Gefangenschaft befreit. Oder so ist zu verstehen, was Jokaste zu Oedipus spricht:

> « ... O mein König,
> o du : Wir sind mehr als die Götter, wir,
> Priester und Opfer sind wir, unsre Hände
> heiligen alles, wir sind ganz allein
> die Welt ! »
>
> (II b, 227.)

Schlußwort

Das dichterische Lebenswerk Richard Beer-Hofmanns bewegt sich gleich einer Ellipse um zwei Brennpunkte, um die Frage nach der wahren Kultur und um die Apologie des Mythus.

Jede Dichtung Beer-Hofmanns ist bis zu einem bestimmten Grade Kulturkritik. Seine Auffassung von der Kultur ist orientiert am Bilde des vollkommenen, im oberen und im unteren Bereich zugleich beheimateten Menschen. In dem Maße, als eine Zeit von diesem Ideal sich entfernt, tritt auch ihre Kultur, der Ausdruck des harmonischen Ausgleichs von Geist und Leben, in die entsprechenden Stadien der Entartung. Die Entartung mit dem Scharfblick des Arztes zu diagnostizieren und die heilenden Kräfte der Regeneration zu wecken, das ist eines der Hauptanliegen dieses Dichters. Er selbst aber steht auf sicherem Boden. Er weiß sich seiner Hauptgestalt, David, im tiefsten verwandt. Verwandt als später Abkömmling des Gottesmannes Abraham, des Gesegneten. Davids Weltbild ist daher des Dichters Weltbild. Wie jenes ruht es auf festen, unverrückbaren Grundbegriffen — und auch auf dem Wissen von der ewigen Feindschaft zwischen Oben und Unten.

Der Dichter bleibt aber nicht stehen bei der Kulturkritik, sondern beschreitet den Weg konstruktiver Erneuerung. Die entscheidende Tat beruht darin, daß er einen Mythus zu neuem Leben erweckt. Im Mythus sind die schicksalshaften Erfahrungen der im Dämmerlicht vor- oder urgeschichtlicher Zeit lebenden Völker niedergelegt. Das sind aber meistens nicht einfach einmalige, historisch-zufällige Begebenheiten. Vielmehr handelt es sich um Berichte von typischen Vorgängen und Abläufen in der Geschichte des Menschen, um Grundfiguren des allgemeinen Schicksals, — um Seinsformen, die der rationale Geist zwar gerne und mitunter etwas verächtlich in das Reich der Sage, der Legende und des Märchens verweist, die aber dennoch immer als Möglichkeiten bestehen und sich immer wieder neu bestätigen. Menschheitliche Urkonstellationen — Stufen der Entwicklungsgeschichte des Individuums oder

der Sozietät — weisen sich in zeit- und raumbedingten Schicksalen aus. In diesem Sinne nun ist daz ganze Werk Beer-Hofmanns eine ständige Rechtfertigung mythischer Archetypen. Nichts geschieht hier, was nicht im Mythus vorausgenommen und vorgebildet wäre; oder umgekehrt: Mythische Urverhältnisse und Seinsformen verwandeln sich fortwährend in Wirklichkeit und Gegenwart.

Die unausgesetzte Bemühung, alles Geschehen an mythischen Vorbildern zu messen und es damit zu rechtfertigen, ist typisch modern. Sie ist ein Symptom für den kulturellen Erneuerungswillen. Es ist der Versuch des seinen Ursprüngen fremd gewordenen Menschen, seiner Existenz einen überindividuellen und überzeitlichen Sinn abzugewinnen. Der Dichter versenkt sich in das Dunkel längst entschwundener Zeiten, spürt den mythischen Zusammenhängen nach und hebt dadurch den Mythus in die Reichweite des Allgemeinbewußtseins empor. Er bringt ihn uns und befreit uns zugleich von ihm. Denn ohne diesen Akt der Befreiung bliebe er im unkontrollierbaren Bereich der Seele haften, würde dort uneingesehen wirken oder würde unaktiviert verwesen. Für beide Formen der mythenlosen Zeit bildet der Dichter Figuren und Symbole aus. « Uneingesehen wirksam » ist der Mythus, wo er in die gefügte Ordnung sinnzerstörend einbricht und das Individuum sich unterjocht. Der davon Betroffene begegnet uns entweder als Besessener und als Dämon wie Saul oder als tragische Gestalt wie Désirée, wie Charolais und Rochfort. Die Tragik beruht darauf, daß diese Gestalten, wie stets die großen Einsamen und Einmaligen, als Opfer des allgemeinen, mithin mythischen, von ihnen nicht vorausgesehenen und nicht in Rechnung gestellten Schicksales fallen. « Unaktiviert verwesend » nennen wir mythische Kräfte dort, wo der Mensch in das Flach-Alltägliche abgleitet, seine höhere Bestimmung und seine Würde als Bürger des oberen Reiches vergißt, wo er — « ein Lamm der schreckenlosen Fernen » — « im fertigen Geheg hindämmert und sich behagt » (George/Gundolf, vgl. S. 216). Hinter allen diesen Zeichen und Symbolen verbirgt sich eine geistesgeschichtliche Wandlung sehr weiten Ausmaßes: die Abwendung von der Geschichte und die Hinwendung zum normativen Denken. Zweck der historischen Betrachtung ist nun, so aufgefaßt, nicht mehr das Einmalige, im Strom der Zeiten Vorüberschwimmende, sondern das Immerwährende, Gesetzhafte aus der chaotischen Vielfalt der Geschehnisse herauszuarbeiten. Denn die Menschheitsgeschichte vollzieht sich nach vorgeprägten Formen und läuft in vorgezeichneten Bahnen.

In seinem Bestreben um eine Apologie des Mythus findet sich der Dichter sekundiert von einem der größten seiner Zeitgenossen: *Thomas Mann.* Wir denken an dessen Romantetralogie «Joseph und seine Brüder ». Mit einem Worte soll wenigstens die grundsätzliche Verwandtschaft dieser Dichtung mit Beer-Hofmanns « Historie von König David » aufgedeckt werden. Beide Werke bilden in ihrer Art einen Kosmos, in dem die gesammelte Erfahrung eines menschlichen Lebens aufgenommen ist. Beides sind erstaunliche, in ihrem Werte noch keineswegs genügend anerkannte Schöpfungen von immenser Spannungsweite des Horizontes, Dichtungen auch von stärkster denkerischer Kraft. Nicht nur, daß ihre Mythengründung aus der gleichen Quelle, dem Alten Testament, schöpft. Auch die Hauptgestalten sind einander tief verwandt. Jedesmal hat das Vorspiel die Segenserwählung Jaakobs zum Gegenstand. Joseph und David aber, Söhne und Nachfahren Israels, beide sind Gesegnete, Begnadete in jener bestimmten und öfters umschriebenen Weise, Menschen im umfassenden Sinn des Wortes, Beheimatete im obern und im untern Reich (Anm. 92). Für Thomas Mann wird die Geschichte des ägyptischen Joseph nun auch zum Anlaß, in jeder Stufe dieser Entwicklung das Durchschlagen und Durchschimmern atavistischer Überreste einer schon damals — vor mehr als drei Jahrtausenden — « mythischen » Vorgeschichte nachzuweisen. Durch seine Gestaltungsweise täuscht der Dichter eine an Farbigkeit unvergleichliche biblische Gegenwart vor und verringert so den Abstand von mehreren tausend Jahren gleichsam auf Null. So kommt es, daß seine biblischen Gestalten den Bewußtseinsstand unseres Jahrhunderts näherungsweise besitzen, den man ihnen gemeinhin gewiß nicht zubilligt. Auch jene damalige Gegenwart war so bereits an « mythischen Vorbildern » orientiert, an sagenhaften Göttergeschichten, an Weltkatastrophen, deren geschichtliche Wirklichkeit vielleicht doch auch wieder nur die Wiederholung viel früherer Ereignisse darstellt. Der Mensch aber verkürzt sich kraft der Beschaffenheit seines Geistes den Weg nach rückwärts immerfort, eine träumerische Verwischung von Gegenwart und Vergangenheit hat statt; Ereignisse, die in der Zeit geschieden sind, gelangen zur Deckung. So etwa herrscht zwischen Edom und Jaakob nichts als das «zeitlos gegenwärtige Verhältnis» von Kain zu Abel. Wir sagten, die Menschheitsgeschichte bewege sich in vorgezeichneten Bahnen. Thomas Mann nennt das « mythischen Typus » (Rede über Lessing, 1929) oder « bindendes Muster der Tiefe » (« Joseph, der Ernährer », S. 177 f.). In der « Rede über Lessing » heißt es am Anfang: (Das Klassische) « ist das Vorgebildete, die anfängliche Gründung einer geistigen Lebensform durch das Lebendig-Individuelle; es ist erzväterlich geprägter Urtypus, in dem späteres Leben sich wiedererkennen, in dessen Fußstapfen es wandeln wird — ein Mythus also, denn der Typus ist mythisch, und das Wesen des Mythus ist Wiederkehr, Zeitlosigkeit, Immer-Gegenwart... » (Anm. 93.)

Für *Beer-Hofmann* ist die Frage mythischer Rechtfertigung Bühnenwirklichkeit geworden. So haben wir festgestellt, daß sich Vorspiel und Hauptteil in der « Historie von König David » zueinander verhalten wie Mythus und Gegenwart. « Jaakobs Traum » ist das symbolisch aufzufassende Urbild dessen, was David, der Repräsentant seines Volkes und zugleich der Repräsentant des Menschengeschlechtes, als wahrhaftiges Schicksal erlebt und erleidet.

Die Dominante des mythischen Archetypus liegt in der Urvorstellung mythischer Doppel- und Ungeschlechtigkeit. Der mythische Hermaphrodit kann allerdings nicht einfach in einem menschlichen Individuum zur Geltung gelangen. Die Priester der Astarte (« Tod Georgs ») erscheinen uns, individuell gesprochen, eher wie Zerrbilder des wirklichen Menschen. Der Hermaphrodit ist nur ein Symbol, von dem in unzähligen Variationen andere Symbole kettenweise ausstrahlen. Seine beziehungsreichste Spielart ist das menschliche Paar. Denn in der Gemeinschaft von Mann und Frau wird der Riß, der durch die Schöpfung geht, der auch des Menschen Brust durchzieht, immer wieder überbrückt. Sie beide fühlen sich « wie am ersten Schöpfungstag ». Sie sind ein Bild der Welt, des Universums. Sie sind schöpferisch. Sie sind zur Herrschaft berufen, und in ihrer innigen Gemeinschaft, wo eines im andern

wurzelt und eines im andern aufgeht, entweichen sie drohender
Finsternis und Haft, entweichen sie dem Abgleiten ins Dumpf-
Mütterliche und zugleich der Verirrung ins Unfruchtbar-Männliche.

Man kann das Symbol des Hermaphroditen auch nach seiner
rationalen Seite hin auflösen, freilich unter Reduktion des aufschließenden Sinngehaltes. So ließen sich etwa die einander ergänzenden Maximen aufstellen: Wirke als Glied einer Gemeinschaft!
und: Setze den ordnenden Geist über die chaotische Vielfalt des
äußern Lebens! Oder: Füge dich dem gemeinen Los! und: Durch-
dringe die dumpfe Zufälligkeit mit der Erkenntnis der Gesetz-
haftigkeit alles Seienden!

In diesem Sinne nun erhebt sich das Lebenswerk Beer-Hofmanns weit über den Bereich des bloß ästhetisch Relevanten und
greift in das Gebiet ethischer Wertungen hinein. Zwar nicht in so
deutlich sichtbarer Weise wie Hugo von Hofmansthal im « Jedermann » oder im « Salzburger Großen Welttheater ». Dennoch, wer
vor der Esoterik dieser Dichtungen nicht zurückschreckt, wer ihre
geheimen Zeichen zu deuten willens ist, wird zugeben, daß hier
ein sittliches Pathos von höchster Zeugniskraft vorherrscht. In
diesen Schächten schürft man lauteres Gold zutage.

Anmerkungen

Zum ersten Teil: Geistesgeschichtliche Situation

1. Die Bezeichnung « Leben—Geist » hat sich für das Phänomen der Zerfallenheit des materiellen mit dem geistigen Weltreich in der neuern Geistesgeschichte seit Nietzsche eingebürgert. An sich ist diese Begriffsantinomie ja uralt. Ähnliche Dualismen sind z. B. Leib und Seele, Erfahrung und Idee, Wille und Vorstellung, Materie und Kraft u. a. m. Vgl. den Aufsatz von C. G. Jung in « Seelenprobleme der Gegenwart », Zürich 1931, S. 369 f.
2. Typische Belege für die apolitische Denkform des dekadenten Menschen bietet das Buch von Stefan Zweig, « Die Welt von Gestern ». Zweig selbst bekennt sich vorbehaltlos zum Weltbürgertum oder « Kosmopolitismus », zur « Übernationalität ». S. bes. auf S. 29 und 41.
3. Eine an Farbigkeit unübertreffliche Schilderung dieser Zeit hat Stefan Zweig in seiner schon genannten Autobiographie gegeben : « Die Welt von Gestern », Erinnerungen eines Europäers, Stockholm 1942.
4. Hier zeigen sich bereits die ersten der zahlreichen auffälligen Parallelen zum Barock. Vgl. Jul. Rütsch, « Das dramatische Ich im deutschen Barocktheater », S. 25; zum Problem des Spiels s. insbesondere S. 156/157. Zum Verhältnis Hofmannsthals zum Barock vgl. K. J. Naef, S. 381. Man müßte hier auch etwa erinnern an die bekannte Stelle aus Shakespeares « Sturm » :

   > « ... Wir sind solcher Zeug
   > Wie der zu Träumen, und dies kleine Leben
   > Umfaßt ein Schlaf ... » (Leipzig, X., 358.)

   Die gleiche Vorstellung taucht auch mehrmals auf bei d'Annunzio (s. Anm. 6), so in folgenden zwei Stellen im « Triumph des Todes » : « Aber war es auch das Leben ? War es nicht vielleicht ein Traum ? „Der eine ist immer der Schatten des anderen", dachte er. „Wo Leben ist, ist Traum; wo Traum ist, ist Leben." » (357) — « Wir sind aus demselben Stoffe gemacht, aus dem unsre Träume gemacht sind. » (242) — In diesem Zusammenhang ist auch an Calderon, Grillparzer und Hofmannsthal (« Turm », « Welttheater ») zu denken.
5. Die weitgehenden Übereinstimmungen im Weltgefühl des jungen Hofmannsthal und des jungen Rilke sind gültig und bleibend nachgewiesen in der Rilke-Biographie von Robert Faesi (Zürich 1919). Der Einfluß der französischen Dichter des ausgehenden 19. Jahrhunderts auf Stefan George und die Mitarbeiter an den « Blättern für die Kunst » ist eingehend untersucht worden in der Dissertation « L'influence du symbo-

248

lisme français dans le renouveau poétique de l'Allemagne », von Enid
Lowry Duthie, Paris 1933. Dokumentarischen Wert für die Symptoma-
tologie der europäischen Seele im späten 19. Jahrhundert besitzt das
« Journal intime » von Henry-Frédéric Amiel (ausgewählt und ins
Deutsche übersetzt von Ernst Merian-Genast, Zürich 1944). Für weitere
Zusammenhänge vgl. Steinhausen, « Deutsche Geistes- und Kulturge-
schichte von 1870 bis zur Gegenwart ».

6. Gabriele d'Annunzio (1863—1938) steht in den Motiven und Intentionen
seiner früheren Werke den Wienern außerordentlich nahe. Der junge
Hofmannsthal widmete ihm eine Reihe von aufschlußreichen Aufsätzen.
Später entfremdeten sich die beiden Dichter (s. « Loris, die Prosa des
jungen Hofmannsthal », S. 85—130. Dazu auch Marie Herzfeld, « Gabriele
d'Annunzio, ein Dichter der Decadenz », Nord und Süd, April 1896).
Unter den Romanen d'Annunzios nimmt durch Weite des Horizontes
und Schwung der Schilderung eine besondere Stellung ein «Der Triumph
des Todes » (1894, deutsch von M. Gagliardi, Berlin, S. Fischer, 1912).
Siehe bes. die Seiten 234—236. Sehr bezeichnend ist auch etwa folgende
Stelle : « Aus den Wurzeln seines Wesens erhob sich ein unbezwinglicher
Abscheu bei dem Gedanken, ... einen Akt der Gewalt und der Willens-
stärke vollführen zu müssen ...» (108). D'Annunzio hat im « Triumph
des Todes » ein Meisterwerk in der Charakteristik der dumpfen Willenlosigkeit, die schon an Abulie grenzt, geleistet.

7. Vgl. Gundolf, « George », Berlin, Bondi, 1920, S. 63.

8. Es ist deshalb ein typischer Unsinn, wenn z. B. im « Deutschen Literatur-
lexikon » von Krüger die Bemerkung steht, daß Beer-Hofmann aus der
« sprachgewandten Schule Hofmannsthals » stamme, oder wenn Mumbauer in seiner « Geschichte der deutschen Literatur in neuester Zeit »
schreibt, Beer-Hofmann habe « seine virtuose Technik von Hofmannsthal
geerbt ». Genauer wird Beer-Hofmann etwa in den Literaturgeschichten
von Soergel (I. A. 1911) und Anselm Salzer (3. Bd., I. Aufl., 1912) charakterisiert. Bezeichnend aber ist hier die fast wörtliche Übereinstimmung
der Beurteilung (Soergel S. 480, Salzer S. 2199).

9. Der Begriff der Präexistenz bildet den Schlüssel zum Lebenswerk Hugo
von Hofmannsthals. Der Dichter hat dieser leitenden Idee selbst Ausdruck gegeben in dem berühmten Ad-me-ipsum-Manuskript. Vgl. dazu
K. J. Naef, S. 24—29.

Eine Präexistenz der Seelen, ihre Existenz vor der Einkörperung,
lehrt schon Platon. Von einer gewissen Bedeutung ist für uns die Tatsache, daß die Präexistenz in der « Kabbalah » begegnet. Manche An-
zeichen deuten darauf hin, daß Beer-Hofmann in dieser Richtung beeinflußt ist. In der neuern Geistesgeschichte hat dieser Begriff eine gewisse
Renaissance erlebt. So wurde er durch die Vererbungslehre unmittelbarer Gegenstand wissenschaftlicher Erörterung. Er begegnet unter
anderm aber auch bei den Anthroposophen und bei Paul Häberlin.

10. Das dekadente Phänomen der « acedia », des lähmenden Überdrusses,
wird glänzend geschildert in d'Annunzios « Triumph des Todes » : « Da
seine Fähigkeiten durch seine Leiden vollauf in Anspruch genommen
waren, so war ihm jede Art von Arbeit unmöglich. Durch die Erbschaft von
Demetrius' Vermögen hatte er seit langer Zeit die materielle Unabhän-

gigkeit erlangt und hatte den häufig so heilsamen Zwang der Notwendigkeit nicht kennengelernt. Wenn er sich durch eine peinliche Willensanstrengung endlich zur Arbeit zwang, so überkam ihn binnen kurzem nicht Langeweile, sondern ein physischer Ekel, eine so heftige Überreizung der Nerven, daß sie ihm den Aufenthalt im Studierzimmer selbst unerträglich machte und ihn aus dem Hause trieb, ... Zuweilen, nach irgendeiner ungewöhnlichen Steigerung seines Leidenschaftslebens, verfiel er in eine Art psychischer Lähmung, deren erstes Symptom eine völlige Nichtbeachtung aller Dinge war, eine Gleichgültigkeit, die schlimmer war als die gesteigertste Empfindsamkeit, die viele Tage, ganze Wochen andauerte...» (242/243).

11. Hugo von Hofmannsthal, «Der Brief des Lord Chandos», Ges.-Werke III b, S. 189 ff. Vgl. dazu K. J. Naef auf S. 70 ff.

12. Der Wille zur Sinngebung ist eine bei den dichterischen Gestalten Beer-Hofmanns fast immer wiederkehrende Eigenschaft. Jedes Mittel, mitunter auch das der Selbsttäuschung, ist ihnen recht, um der fatalen Beziehungslosigkeit und Sinnlosigkeit zu entweichen. Diese Haltung beherrscht offenbar auch die Persönlichkeit des Dichters. Aus diesem Grunde reihte ihn wohl Spoerri ein in die Kategorie des «normativen Menschen». S. Spoerri, «Präludium der Posie», S. 99 ff. Vgl. S. 238.

Zum zweiten Teil: Werke der Wiener Dekadenz

13. Das Motto «Sind wir ein Spiel von jedem Druck der Luft?», das der Novelle «Das Kind» vorangesetzt ist, entstammt Goethes «Faust» (Weimar 1887, 14. Bd., S. 134). Ihm entspricht etwa die Stelle in «Camelias»: «Reagierte am Ende gar seine Stimmung auf jeden Temperaturwechsel?» — Man könnte hier auch an Hofmannsthals «Hochzeit der Sobeide» denken:

> «Ein Mädchenleben ist viel mehr beherrscht
> Von einem Druck der Luft, als du begreifst,
> Dem Freisein das Natürliche erscheint...»   (II b, 23.)

Oder in Shakespeares «Maß für Maß»:

> «... Sprich: du bist ein Hauch,
> Abhängig jedem Wechsel in der Luft...»
>   (Leipzig, IX., 332.)

14. Diese Eigenschaft ist, wie Klages meint, ein typischer Charakterzug des jüdischen Menschen. S. im Vorwort zu Alfred Schulers «Nachlaß»: «Kein „Jude" ist jemals völlig „bei der Sache"; und kein Jude ist jemals völlig „bei sich". Ein Teil von ihm ist stets beim — Zuschauer.» (80.) Hier muß man unwillkürlich an die Stelle im «Jungen David» denken, die sich auf Achitophel bezieht: «Seine Art zu sprechen wechselt bewußt — nicht zu auffällig — je nach den Personen, an die er sich wendet.» (59.) Die Eigenschaft ist natürlich ebenso zeittypisch. Z. B.

250

steht im « Triumph des Todes » der verräterische Satz : « ... Nachdenklicher und kluger Geist, der sich ziemlich früh schon als Beobachter dem eigenen Leben gegenüber gestellt hatte ... » (235.) Man kann auch hier wieder barocke Anklänge heraushören. Die Formel « Schauspieler seiner selbst » läßt sich oft auf die dekadenten Protagonisten anwenden. S. Rütsch, 27 (vgl. Anm. 4).

15. Der Ausdruck « Arche geneseos » stammt von J. J. Bachofen. Die diesbezüglichen Phänomene werden behandelt in der « Gräber-Symbolik der Alten ». Wo im Text dieser Ausdruck verwendet wird, ist darunter immer die Vorstellung zu verstehen, daß aus dem Vergehen der Dinge das neue Leben wird, daß auf dem Boden des Todes neues Dasein aufsprießt. Der Ausdruck bedeutet etwa, sofern er überhaupt übersetzbar ist, « Schöpfungs-Beginn ». Das Phänomen der « Arche geneseos » wird im Zusammenhang mit den Mysterieneiern behandelt. Zum symbolischen Ei, vgl. Schlesinger, 395, und Cassirer, II. Bd., 123, sowie Text S. 35. Der Gedanke der Lebenserneuerung durch den Tod ist wie der von der Todesnähe, vom « Media vita in morte sumus », auch ein echtes Barockthema, ohne daß hier im gleichen Sinne vom « Ethos der Vergängnis » die Rede sein könnte. S. Strutz, 37, 42. Aus einer Reihe von Belegen greife ich wahllos zwei heraus, die Silesius' « Cherubinischem Wandersmann » (I, 29 und 30) entstammen :

« Der Tod, aus welchem nicht ein neues Leben blühet,
Der ist's, den meine Seel' aus allen Töden fliehet. »

und   « Ich glaube keinen Tod : sterb ich gleich alle Stunden,
So hab ich jedesmal ein besser Leben funden. »

(Zit. n. der Auswahl v. E. Brock, Zürich 1946.)

Im christlichen Glaubensbekenntnis entspricht der Auferstehungsgedanke, das « resurrexit » vielleicht der uralten mythischen Vorstellung von der « Arche geneseos ». Schon von den altkirchlichen Apologeten und in neuerer Zeit besonders von der vergleichenden Religions- und Mythengeschichte wurde auf die Verwandtschaft zwischen Tod und Auferstehung Christi und die mythischen Fruchtbarkeitsgottheiten der alten Völker, Osiris, Adonis, Attis u. a. hingewiesen. S. Gunkel und Zscharnack, « Religion in Geschichte und Gegenwart », I/Sp. 623 und M. Buchberger, « Lexikon für Theologie und Kirche », I/Sp. 788—90.

16. S. den Aufsatz von Herbert Cysarz in den Preuß. Jahrbüchern 214, S. 41. Der entsprechende Dualismus « Leben — Geist », der noch heute üblich ist (Wort, Philosophie, Dichtung geworden bei einem Nietzsche, Klages, Thomas Mann, Georg Kaiser usw.), wird in der Antinomie « Eros — Thanatos » — ein charakteristisches Merkmal wienerischer Empfindungsweise — auf eine irrationale, gefühlhafte Ebene hinübergespielt. « Eros — Thanatos » könnte man als Motto über den größten Teil der Wiener Dichtung vor und nach der Jahrhundertwende setzen. Richard Schaukal hat beispielsweise einer Novellensammlung diesen Titel gegeben. Bei Beer-Hofmann wird, in Anlehnung an östliche Mysterienweisheit, das unaufhebbare Gesetz, demzufolge der Tod in die ewigkeitssüchtige Liebe hineinspielt, in das sinnhafte Prinzip umgewandelt, daß

Leben nur auf dem Boden unaufhörlicher Vergängnis aufblühen kann. Das ist der Sinn der « Arche geneseos » bei Beer-Hofmann.

17. Über die Symbolik der Farben siehe u. a.: Steinfels, « Farbe und Dasein », Jena 1926 (grundlegend). Schlesinger, « Geschichte des Symbols », S. 299 und 372. Bähr, « Symbolik des Mosaischen Cultus », Heidelberg, I. Bd., 2. Aufl., 1874, S. 337 ff.; II. Bd., 1. Aufl., 1839, im Register. Creuzer, « Symbolik und Mythologie der alten Völker », IV. Bd., S. 130—132.
   Die Symbolik der Farben ist bei Beer-Hofmann ziemlich konsequent durchgeführt. Blau ist stets geistig-übersinnliches, Gelb materiell-stoffliches, Grün vereinigendes Element. Eine interessante Parallele bietet etwa Georg Kaiser (z. B. in den Schauspielen « Europa » und « Gas II »). Man muß auch an Stefan George, « Der siebente Ring », ferner an die äußerst interessanten Bemerkungen über die rote und die blaue Farbe in Ernst Jüngers «Abenteuerlichem Herzen» (Zürich, o. J., S. 82 und 202) denken.

18. S. Walzel, « Gehalt und Gestalt », Berlin 1923, S. 106. Über die Stellung Beer-Hofmanns zu Freud s. Anm. 21.

19. Siehe dazu die Bemerkung Hofmannthals über d'Annunzio : « Erleben des Lebens nicht als einer Kette von Handlungen, sondern von Zuständen. » (« Loris », 88.) Dazu auch die Stelle in d'Annunzios « Triumph des Todes » : « Georg Aurispas Dasein beschränkte sich auf ein bloßes Fluten von Empfindungen, von Gemütsbewegungen, von Gedanken, losgelöst von jeder substantiellen Grundlage ... Seine Persönlichkeit war nichts als eine zeitliche Assoziation von Erscheinungen um ein Zentrum herum „wie ein an einen Pfahl gebundener Hund". » (465.)

20. In den Briefen Hofmannsthals finden wir die erste Äußerung über den « Tod Georgs » in einem Brief vom 3.7.1894. Im Jahre 1898 erschien in der Zeitschrift « Pan » ein Fragment, nämlich S. 123—131. Ein Jahr später wurden in einigen Nummern der « Zeit » die Seiten 24—107 (ausgenommen die Partie über den Tempel von Hierapolis, S. 42—67) abgedruckt.

21. Die Stellung, die Beer-Hofmann Freud und der Wiener psychanalytischen Schule gegenüber eingenommen hat, ist nicht mit Sicherheit zu ermitteln. Jedes persönliche Zeugnis, das Licht in dieses Problem bringen könnte, fehlt zurzeit. Auch das Buch von Theodor Reik, dem bekannten Anhänger Freuds, « Das Werk Richard Beer-Hofmanns », in das ich kurz vor der Drucklegung meiner Arbeit dank dem Entgegenkommen von Herrn Dr. Kurt Hirschfeld, Zürich, Einsicht nehmen konnte, läßt gerade in dieser Hinsicht nicht den geringsten Aufschluß zu. Es kann aber keinem Zweifel unterliegen, daß der Dichter mit regem Interesse die Bestrebungen zur Seelenerforschung verfolgte. Die « Studien über Hysterie », das erste, 1895 veröffentlichte Werk Sigmund Freuds, boten an sich noch nichts entscheidend Neues, da hier eher der präzise Wissenschafter und der Arzt, noch nicht der überragende Universalgeist gesprochen hatte. Erst das große Buch über die « Traumdeutung » wurde in hohem Maße als bahnbrechend empfunden und entfesselte Stürme der Diskussion (vgl. das Buch von Stefan Zweig « Die Heilung durch den Geist », Leipzig 1931). Wenn man das Traumkapitel aus dem « Tod Georgs » wissenschaftlich zergliedert, fällt die Genauigkeit und Strenge der

Durchführung auf, und der Gedanke, daß sich der Dichter einer psychanalytischen Schulung unterzogen hat, drängt sich auf. Sind doch alle
die Traumelemente, die Freud aussonderte, in solcher beinahe wissenschaftlicher Reinheit ausgeführt, daß man an einen wirklichen, etwa
vom Dichter geträumten Traum kaum denken kann. Zwar erschien die
« Traumdeutung » erstmals im Jahre 1900, also im selben Zeitpunkt
wie der « Tod Georgs ». Ich kann mich des Eindrucks nicht erwehren,
daß hier eine Fühlungnahme zwischen Freud und Beer-Hofmann, vielleicht auch nur auf dem Umweg über Schnitzler, schon vorher statt-
gefunden haben muß. Den Schlüssel zu Pauls Traum besitzen wir somit
schon in der Grundformel jeder psychanalytischen Traumdeutung nach
Freud : « Der Traum ist die (verkleidete) Erfüllung eines (unterdrückten,
verdrängten) Wunsches. » (Freud, « Traumdeutung », Ges.-Werke II,
162.). « Der Tod Georgs » ist in seiner Gesamtheit nichts anderes als die
Darstellung einer « transzendenten Funktion », des Prozesses der Individuation. Der Introvertierte gelangt zur Kenntnis seiner Gegenfunktion,
der Extraversion, und verwirklicht sich dadurch in seiner menschlichen
Totalität. Für alle diese Zusammenhänge vgl. die Veröffentlichungen
von C. G. Jung, insbesondere « Über die Psychologie des Unbewußten »,
Zürich 1942.

22. Vom « prunkenden Sterben » spricht Stefan George in seinem Leopold
Andrian gewidmeten Gedicht « Den Brüdern » (« Lieder von Traum und
Tod », IV., Berlin 1908).

23. Man erinnere sich hier auch etwa an die Schilderung von Annas Wohnung in Gottfried Kellers « Grünen Heinrich » (III. Band, Ges.-Werke V,
Zürich, Rentsch, 1926, S. 238/239). Vgl. dazu 5. Teil, 3. Kapitel.

24. Auf die Bedeutung des Traumes als Warner, « der uns auf verborgene
sittliche Schäden unserer Seele aufmerksam macht », weist Freud auf
S. 77 seiner « Traumdeutung » hin.

25. Die Schilderung hält sich sehr genau an die Überlieferung. Das läßt sich
bis in Einzelheiten hinein nachweisen. Die Hauptquelle bildet die Schrift
Lukians « De Syria Dea » (Clemen, « Lukians Schrift über die Syrische
Göttin », Leipzig 1938). Vgl. folgende Darstellungen und Deutungen :
Creuzer, « Symbolik und Mythologie der alten Völker », II. Bd., S. 55 ff.
und 80 ff. Clemen, « Die Religionen der Erde », S. 41 ff. Eranos-Jahrbuch
1938, S. 121 ff. Riehm, « Handwörterbuch des biblischen Altertums »,
Leipzig 1893, I. Bd., S. 144 f. Guthe, « Kurzes Bibelwörterbuch », Leip-
zig 1903, S. 52. Die Bücher von Riehm und Guthe sind auch in Beer-
Hofmanns Literaturverzeichnis zum « Jungen David » aufgeführt.

26. S. Minckwitz, « Der Tempel », Leipzig o. J., S. 112, 113 und 117. Alles
weitere im fünften Teil unserer Abhandlung. Symbol des ungeborenen
Kindes ist der Fisch auch in Hofmannthals « Frau ohne Schatten ».

27. Über das Frühlingsfest, Riten und Symbolik, vgl. Bähr, « Symbolik des
Mosaischen Cultus », II., S. 237—245 und S. 556 f.

28. Auch die Taube war der Derketo von Askalon (gleichbedeutend mit
Astarte und Ischtar) heilig. Deshalb griechisch « περιστερά » für Taube.
(Boifacq, « Dict. étymol. de la langue grecque »; Aßmann, « Philologus »
66.) Noch im Christentum ist die Taube Sinnbild der Liebe und des
Friedens. (Vgl. Minckwitz, « Der Tempel », 117.)

29. S. Eranos-Jahrbuch 1938, S. 20 : « Muttergefühl, lebhafte Vorstellungsgabe, rege Empfindsamkeit, alles das läßt die Frau als treibenden Geist und als berufen zur Priesterin der Religion der Fruchtbarkeit erscheinen»

30. Der Edelstein im Haupte des Astarte-Bildes ist das Symbol des « Magischen Auges ». Siehe dazu im 5. Teil, 5. Kapitel, den Abschnitt über den Androgynismus.

31. Über das Motiv des Narziß in seiner Verbreitung im Barock siehe Rütsch, S. 106/107.

32. Freud behandelt das Problem des Traumgedächtnisses in seiner « Traumdeutung ». Er schreibt darüber u. a. : « Man muß ... zugestehen, daß man im Traum etwas gewußt und erinnert hatte, was der Erinnerungsfähigkeit im Wachen entzogen war. » (Ges.-Werke II, S. 13.)

33. Der erste Eindruck, den der Schluß des zweiten Kapitels dem unbefangenen Leser hinterläßt, ist tatsächlich der einer Ernüchterung und einer leisen Enttäuschung. Wir führen einen Zeugen an, der schon um 1900 darüber folgendes sagt : « Beer-Hofmann läßt den Traum als Leben und die Menschen als Schattenbilder vorüberziehen und verknüpft Traum und Wirklichkeit in eigentümlicher, reizvoller Weise. Freilich geht es dabei nicht ohne Raffinement, ohne Tric ab. Wohl jeder Leser wird sich zuerst abgestoßen fühlen, wenn er sieht, daß die ganze Ehe Pauls und das tragische Sterben seiner Gattin und manches andere nur Traumphantasien sind, man läßt sich nicht gern dupieren, am wenigsten aber sein Gefühl. » (A. Goldschmidt im « Literarischen Echo », 1900, S. 1370 f.)

34. Über das Motiv der Abreise bei Schnitzler s. Blume, S. 31. Oder in « Cristinas Heimreise » von Hofmannsthal heißt es : « Ihr seid, mein Gott, immer auf Reisen. » (4. Akt.)

35. Diese Einstellung dem Tod gegenüber ist zeittypisch, vgl. Blume und K. J. Naef. Dasselbe Motiv wie Beer-Hofmann (Gedanken eines Hinterlassenen über den Tod eines Angehörigen) behandelte z. B. auch Felix Salten in seiner ebenfalls 1900 erschienenen Novelle «Der Hinterbliebene» (Wiener Verlag), ein interessantes, stilistisch ganz anders geartetes Gegenstück zum « Tod Georgs » (vgl. den Aufsatz von Gold in der « Zeit », 1900). Derselbe Gedanke, daß der Tod eines Angehörigen den Gang des Lebens nicht hindert, — derselbe Ausdruck des Staunens, daß vor dem Mysterium des Todes das Leben trotzdem seinen alltäglichen Gang unbekümmert und in erhabener Selbstverständlichkeit weitergeht, taucht überraschend auf in einem Brief Hofmannsthals an Hermann Bahr (4.4. 1904) : « Seit meine Mutter mit ihrer Hand in meinen Händen gestorben ist, erscheint mir der Tod als minder fürchterlich, minder unermeßlich als vorher. Eher erscheint mir das so ganz unfaßbar, daß Wesen wie mein Vater und ich, die so verbunden waren mit diesem dritten Wesen, so grenzenlos verbunden — daß wir weiter leben, essen, schlafen, herumgehen, Bücher lesen wie ehe und immer, — das erscheint mir unheimlich und beängstigend, aber der Tod nicht, die Angst vor dem Tod, die immer wie ein Alp auf mir war, nicht vor dem eigenen, sondern vor dem meiner Eltern — die ist so merkwürdig weggezehrt worden wie ein Nebel. » Hierzu kann auch ein Zitat aus dem « Jungen David » angeführt werden : « Es steht Gestirn nicht still, wenn Menschen sterben. »

36. S. Riehm, « Handwörterbuch des biblischen Altertums », S. 124.

37. Über die Ärzte im Werk Schnitzlers siehe Blume, S. 74. Über den Arzt in Hofmannsthals « Turm » siehe K. J. Naef, S. 266. Über die Bedeutung der Freunde im Werke Hermann Hesses siehe W. Plümacher, « Versuch einer metaph. Grundlegung lit.-wiss. Grundbegriffe aus Kants Antinomienlehre mit einer Anwendung auf das Kunstwerk H. Hesses », Würzburg 1936, S. 53 und 57 : « Der Freund ist bei Hesse immer ein Helfer, einer, der in die Seele des andern sieht und so zu führen und zu lösen vermag. » (Demian = Dämon !)

38. Man könnte versucht sein, sich eine Art Abwanderung von Georgs Seele in diejenige Pauls hinüber vorzustellen. Solche Mystifikationen hätten diesem Dichter durchaus nicht fern gelegen. Gegen eine solche Auffassung sprechen allerdings zwei Umstände. Einmal: Georgs Tod erfolgt erst nach Pauls Erwachen aus seinem Traum : « Er hörte das tiefe Atmen Georgs, der im Nebenzimmer schlief. » (107.) Anderseits : Während bei den meisten orientalischen Völkern Spuren der Metempsychosenlehre vorliegen, fehlen sie bei den Juden (aber « Kabbalah » ! vgl. hierzu Text S. 74/75). Die Unklarheit, in der uns der Dichter über Georg beläßt, ist viel mehr ästhetisch bedingt. Georg, der Gesunde, interessiert ihn gar nicht. Erst sein überraschender Tod macht ihn bedeutsam. Die Idee der Arche geneseos wird auf einer rein seelischen Ebene durchgeführt. — Das Motiv des sich ergänzenden Freundespaares ist uralt. Es geht zurück gar bis in die babylonische Mythologie, der der Dichter eine Reihe seiner Symbole entnommen hat : Gilgamesch und Engidu. Gilgamesch verachtet die Götter, und zur Strafe dafür töten sie seinen Freund. « Zum erstenmal fühlt Gilgamesch Grauen vor dem Tode. » (Clemen, 45 und 46.) Vgl. auch die indische Legende, die Thomas Mann («Die vertauschten Köpfe») wiedererzählt hat (Eranos-Jahrbuch 1938, S. 177 f.). — Ein durchaus ähnliches Verhältnis besteht zwischen Orest und Pylades. Das Verhängnis des Orest, des wegen Muttermordes von den Furien Verfolgten, klingt in Beer-Hofmanns Werk mehrmals auf, so im « Grafen von Charolais » (der Graf) und im « Jungen David » (Saul).

39. Buddha und der erste Tote : Auf diese recht auffällige Beziehung hat Auernheimer hingewiesen in einem Aufsatz in der « Neuen Freien Presse », 12.7.1936. Vgl. Minckwitz, « Der Tempel », S. 549. Auch d'Annunzio bringt den Menschen der Zeit in Verbindung mit Buddha, z. B. im « Triumph des Todes » : « Er war der Mensch des Gautama . . . » (465).

40. Um das Rätsel des Todes kreisen auch die Werke Arthur Schnitzlers (Blume, S. 15), diejenigen Hofmannthals (insbes. die von Loris, K. J. Naef, S. 65), diejenigen des jungen Felix Salten (« Der Hinterbliebene »), oft diejenigen Stefan Zweigs und Richard Schaukals (« Eros Thanatos », « Von Tod zu Tod und andere kleine Geschichten »), diejenigen J. J. Davids («Am Wege sterben») usw. Über die Bedeutung des Todes bei Rilke s. R. Faesi, « Rainer Maria Rilke », S. 54 ff. (vgl. Anm. 5). Vgl. dazu den Aufsatz von Cysarz « Alt-Österreichs letzte Dichtung » und für die gesamte moderne deutsche Literatur die Arbeit von H. U. Balthasar, « Geschichte des eschatologischen Problems », Zürich 1930.

41. Über das Problem des Alterns bei Schnitzler s. Plaut, S. 24 f. und Blume, S. 28. — In der verhüllten Warnung vor dem Alter spielt der

Dichter unmißverständlich an auf das zu seiner Zeit besonders aktuelle Problem der Überalterung. Einige ergötzliche Episoden zum Problem der Überalterung erzählt Zweig in « Die Welt von Gestern », S. 52 f.

42. Dieser Gedanke beherrscht absolut das Werk. Diese Idee ist schon mit dem Beginn der Arbeit am « Tod Georgs » gegeben. Die Stelle in dem Hofmannsthal-Brief : « Ich denke oft daran, ob sie im „Götterliebling" arbeiten ... » (I., 106), bezieht sich offensichtlich auf die obenerwähnte Stelle auf Seite 168, wo die Frühsterbenden die « Lieblinge der Götter » genannt werden. Die zitierte Briefstelle stammt aus dem Jahre 1894. Es ist durchaus nicht ausgeschlossen, daß die Dichtung ursprünglich auch diesen Titel tragen sollte. Vermutlich steht das Wort dahinter, das Plutarch dem Menander zuschreibt : « Wen die Götter lieben, der sirbt jung ».

43. Sollte nicht der dekadente Mensch auf diesen uralten Gedanken verfallen, um seinem sinnlosen Leben doch noch eine Art Sinn zu geben ? Konnte er nicht mit dieser Uridee vor das Forum seines Gewissens treten und die Stimme seines Innern, die nach Gemeinschaft sich sehnte und nach dem Ungeborenen, beschwichtigen ? Man müßte hier auch an die Hofmannsthal-Stelle denken : « Das Leben trägt ein ehernes Gesetz in sich, und jedes Ding hat seinen Preis : auf der Liebe stehen die Schmerzen der Liebe, auf dem Glück des Erreichens die unendlichen Müdigkeiten des Weges, auf der erhöhten Einsicht die geschwächte Kraft des Empfindens, auf der glühenden Empfindung die entsetzliche Verödung.» (I a, 174.) — Auch Stefan Zweig spricht davon, « daß das Leben nichts umsonst gibt und allem, was man vom Schicksal empfängt, geheim ein Preis eingezeichnet ist. » (« Maria Antoinette », Leipzig 1932, S. 145.) — Indessen vereinigten sich wohl zwei Komponenten zu dieser damals besonders beharrlich auftauchenden Idee, die nihilistische der Zeit, aber auch eine fatalistische des orientalisch-jüdischen Geistes. — Merkwürdig berührt dann ferner, daß diese Auffassung von der immanenten Erfüllung des Schicksals auch in Werfels letztem Werk, « Stern der Ungeborenen » (Stockholm 1946), zum Ausdruck kommt, und zwar auf besonders raffinierte Weise, nämlich im 23. Kapitel. Dort ist nämlich vom « unveränderlichen Maß des Übels » in der Welt die Rede, und dort findet sich auch jener geniale Einfall von den Kataboliten, die sich nicht zum Embryo rückentwickeln können : « Durch die niedrigen oder einseitigen Formen, die der rückentwickelte Körper anzunehmen gezwungen ist, wenn die psychischen Gebrechen der Persönlichkeit den glatten Ablauf stören, wird die Seele von diesen Gebrechen noch während ihrer Lebenszeit entlastet. » (581.) Der gegen den Animator sich auflehnende Dichter wird übrigens deutlich als « Nihilist » bezeichnet (575).

44. Der Dichter läßt erst am Schluß der Erzählung durchblicken, daß die Hauptgestalt Jude ist. Daraus erwächst zwar der Erzählung eine neue wesentliche Perspektive. Wenn wir trotzdem Paul vor allem als Repräsentanten der Wiener Dekadenz betrachteten, so darum, weil eine enge geistige Verwandtschaft zwischen dem jüdischen und dem ausgeprägt wienerischen Menschen von damals besteht, so daß sich hier ein bis zum Verwechseln ähnlicher Mischtypus herausbildete. In der Tat kann man sich als Nichtjude einer gewissen Enttäuschung nicht erwehren, daß der

scheinbar so weit gesteckte Horizont dieser Erzählung plötzlich derart
— eben rassisch — verengt werden soll. Das ist nur eine formal-künst-
lerische Feststellung. Der Eindruck ist, ästhetisch betrachtet, ähnlich
wie am Ende des Traumkapitels. Goldschmidt schreibt im « Litterarischen Echo » : « Es ist sehr schade, daß die Geschichte so ausläuft. »

45. Tatsächlich ist die Überladenheit der Dichtung mit Symbolen derart weit
getrieben, daß eine latente Gefahr der Übersättigung vorhanden ist. In
späteren Werken weicht der Dichter dieser Gefahr aus, ohne daß die
durchgehende Bezogenheit des einzelnen Symbols auf seine Welt ver-
lorenginge.

46. S. Thon Luise, « Sprache des deutschen Impressionismus », S. 30 ff.
(Leitmotiv), S. 21 (Epithète rare). Alle Resultate von Luise Thons For-
schungen gelten mutatis mutandis auch für Beer-Hofmanns « Novellen »
und den « Tod Georgs ». Interessante Ausführungen über das Leitmotiv
finden sich auch in Walzels « Gehalt und Gestalt » unter dem Kapitel
« Dichtkunst und Musik », S. 358—363.

47. S. Gold Alfred, « Ästhetik des Sterbens », « Zeit », 1900. Vgl. auch Goldschmidt im « Litterarischen Echo » : « In diesem sehr komplizierten,
künstlichen Typus steckt viel „literarische" Seele. Die Wandlung, die
schließlich in dem von des Gedankens Blässe angekränkelten Helden
vorgeht, hat auch etwas stark Theoretisches. »

48. Massinger und Fields Trauerspiel « The Fatal Dowry » (Die verhängnisvolle Mitgift), 1632, wurde 1836 von Baudissin ins Deutsche übersetzt.
Eine Neuausgabe findet sich in « Die Zeitgenossen Shakespeares »,
II. Bd., Tragödien (Berlin, L. Schneider, 1941; 1942). — Das Verhältnis
der Neuschöpfung Beer-Hofmanns zu Stoff und Vorlage ist untersucht
in den Diss. von Beck und Rader. Vgl. auch Eckhardt und F. H. Schwarz.
— 1905 wurde der « Graf von Charolais » mit dem Volks-Schiller-Preis
ausgezeichnet. — Zur gleichen Zeit, da Beer-Hofmann am « Grafen von
Charolais » arbeitete, verfaßte Hofmannsthal sein « Gerettetes Venedig »,
das seinerseits ebenfalls auf ein altenglisches Vorbild, das Drama «Venice
lost» des Thomas Otway zurückgeht.

49. Man könnte sich hier erinnert fühlen an Aussprüche wie : « Wann das
Glück einen stürzen will, so hebt es ihn zuvor in alle Höhe ... » — Oder:
« Ich wußte aber nicht, wie ich's hernach im Auskehren befand, daß das
tückische Glück der Sirenen Art an sich hat, die demjenigen am übelsten
wollen, denen sie sich am geneigtesten erzeigen, und einen der Ursache
halber desto höher hebt, damit es ihn hernach desto tiefer stürze. »
(Grimmelshausen, «Der abenteuerliche Simplizissimus», Insel, S. 317 und
306.) Der jähe Wechsel von Glück und Unglück, die Eitelkeit alles Irdischen, « vanitas », ist integrierender Bestandteil des barocken Weltge-
fühls. Vgl. Fritz Strich, « Der Barock », in « Deutsche Literaturgeschichte
in Grundzügen », Bern 1946, S. 155/156. Zu Gryphius besonders vgl. H.
Cysarz, « Deutsche Barockdichtung », Leipzig 1924, S. 173/174. Über die
Bedeutung des österreichischen Barocks siehe ebenda VII. Kap., 208—231;
vgl. Anm. 4.

50. S. den Abschnitt « Das Wesen der Wiener Dekadenz », S. 19. Der Zug
zum Weiblich-Empfindsamen eignet schon dem Helden der Vorlage. Romont fordert seinen Freund auf, nicht zu weinen : « Wir sind ja Männer,
Liebster, — Laß uns nicht tun wie Fraun ! »

257

51. Hier muß man etwa aufmerksam machen auf Rilkes « Erzählungen und Skizzen aus der Frühzeit » (Leipzig 1928), z. B. die Gruppe «Die Letzten», oder auf jenes Gedicht « Der Letzte » aus dem « Buch der Bilder » (Leipzig 1919, S. 41), wo es heißt :

> « Ich habe kein Vaterhaus,
> und habe auch keines verloren ... »

Vgl. Faesi, « Rainer Maria Rilke », S. 8 ff. Vgl. auch das Zitat von d'Annunzio, in der folgenden Anm.

52. S. den bedeutenden Aufsatz von Lou Andreas-Salomé in der Zeitschrift « Die Zukunft », 1905. — Das Unverbundene des dekadent-jüdischen Wesens tritt sehr schön auch im « Triumph des Todes » hervor : « Fremd war er der Menge, wie einem Volk von Oceaniden; fremd war er auch seinem Lande, der mütterlichen Erde, dem Vaterland, wie er auch seiner Familie, seiner Heimat fremd war. Für immer mußte er verzichten auf das müßige Suchen nach einem festen Punkt, nach einer dauernden Stütze, nach einem sicheren Halt. » (400.)

53. In der Eigenschaft, daß Rochfort seine Tochter nicht «an das Leben fortgeben will», daß er sie vor dem Abgleiten ins Geschlechtliche zu schützen versucht, gleicht ihm der Jude Salomonsohn in der Novelle « Untergang eines Herzens » von Stefan Zweig (« Verwirrung der Gefühle », Leipzig 1928). Rochfort zeigt auch Ähnlichkeiten mit dem stellvertretenden Herzog Angelo in Shakespeares « Maß für Maß ».

54. Die Einteilung der Frauen in solche, « die man bezahlt », und andere, « die man auslacht », ist ein für die Wiener Dekadenz typisches Motiv. Es taucht schon im « Anatol » auf in der Unterscheidung zwischen « Mondaine » und « süßem Mädel ». Dem entspricht in « Camelias » « Stolze Fürstin » und « Vorstadtmädel ». « Die Frauen werden eingeteilt in „Frauen, die man heiratet" und „Geliebte". » (E. Staiger, « Meisterwerke deutscher Sprache », Zürich 1943, S. 189.) Diese Doppelheit zieht sich in unzähligen Abwandlungen durch die gesamte Wiener Literatur der Zeit, durch die Werke Schnitzlers, Schaukals, Zweigs, bis noch zu Hofmannsthals « Andreas », dort in unerhörter Plastik herausgetrieben in der Doppelgestalt Maria-Mariquita.

55. Man könnte sich hier erinnert fühlen an die Vision Egmonts in der Nacht vor seiner Hinrichtung. Auch Egmont scheitert gewissermaßen an den verhängnisvollen Auswirkungen der Präexistenz. In seinem ganzen Charakter gleicht er eher Philipp. Mit der Andeutung solcher Zusammenhänge verfolgen wir ein ganz bestimmtes Ziel : Der Nachweis auffälliger Beziehungen Beer-Hofmanns zu Goethe ergibt sich aus solchen Motiven mühelos. Vgl. den Abschnitt «An der Schwelle des Goethe-Jahres », S. 191.

56. In der Figur des roten Itzig (aus Isaac) wird bisweilen eine Nachbildung des Shakespeareschen Shylock gesehen. S. die Aufsätze von Heiß und Eckhardt.

57. Interessant an dieser Novelle ist das Detail, daß die Lieblingsrolle des Schauspielers Pozniànsky die des Mephistopheles ist, und daß der Sohn vom Vater durchaus mephistophelische Gesichtszüge erbte. Vgl. « Der Tod Georgs », S. 68.

58. Maeterlincks « Pelléas et Mélisande » (Brüssel 1892) kann als typisch symbolistisches Kunstwerk angesprochen werden. Mélisandes Bezüge zur Erde sind symbolisiert in ihrem reichen Haar und im Teich des Schloßparkes. Hier muß natürlich überall auch an Richard Wagners « Tristan und Isolde » gedacht werden.

59. Zitate nach der Historisch-kritischen Gesamtausgabe von August Sauer und Reinhold Backman, I. Abt., Bd. 13, Wien 1930. Auf zahlreiche, wenn auch nicht auf alle Beziehungen zu den andern Werken macht der Herausgeber aufmerksam in den aufschlußreichen Anmerkungen S. 296/297.

60. Felix Saltens Novelle « Der Mann und die Frau » ist veröffentlicht in dem Band « Neue deutsche Erzähler », Berlin, Franke. — Die Episode von Jakob Wassermann findet sich in den Gesammelten Werken, « Christian Wahnschaffe », I. Bd., Berlin 1928, S. 388/389. — Hofmannsthals « Idylle. Nach einem antiken Vasenbild : Zentaur mit verwundeter Frau am Rand eines Flusses », s. I a, 37. « Die Frau im Fenster » (1897), s. I a, 223 ff. Dieses kleine Drama erinnert in mancher Hinsicht an eine Novelle von Richard Schaukal, « Das Stelldichein » (« Eros Thanatos », Wien 1906). — Die Szene im Fenster bei Hofmannsthal erinnert an die Erzählung Eva Sorels in « Christian Wahnschaffe », Bd. I, S. 30; diejenige bei Schaukal an Oginskys Flucht im « Kloster bei Sendomir ».

61. D'Annunzio, « Francesca da Rimini » (1902; Neudruck; Rom 1936). Eine meisterhafte Übersetzung ins Deutsche stammt von Vollmoeller (Berlin, S. Fischer, 1903). Die Fabel ist Dantes « Divina Comedia », Inferno, 5. Gesang, entnommen.

Zum dritten Teil : « Historie von König David »

62. Dagegen hinterließ Beer-Hofmann viel Vorbereitungsmaterial. Diese Angaben verdanke ich der Tochter des Dichters, Frau Mirjam Lens-Beer-Hofmann, New York.

63. Über das Problem der vernichtenden Astarte siehe Eranos-Jahrbuch 1938 auf S. 45, 122, 412.

64. Daß der Begriff der Generation hier nicht in dem engen Sinne, den wir damit verbinden, verstanden werden sollte, ist u. a. auch die Auffassung von Thomas Mann, was er im Vorwort zu « Die Geschichten Jaakobs » (Berlin 1933) in geistvoller Schilderung glaubhaft zu machen versteht. Immerhin folgen sich Abraham, Isaak und Jaakob nach den Geschlechterlisten im Neuen Testament direkt (Math. 1, 1 ff. und Luk. 3, 23—38).

65. Eine im Symbolwert ganz ähnliche Entwicklung innerhalb der Generationenfolge wird in Richard Wagners « Parsifal » gestaltet : Titurel ist der reine Held der Vorzeit, Amfortas repräsentiert den Menschen der Gegenwart (von Wagner aus gesehen). Er ist Exponent der Korruption. Parsifal ist der mit der Kreatur fühlende ideale Held, der eine neue Zukunft heraufführt. Auch er muß buchstäblich « den Weg unten gehen », bevor er zur Königskrone gelangen kann. Gestalten wie Kundry oder besonders Feirefiß (bei Wagner allerdings nicht auftretend) lassen sich mühelos in diese Zusammenhänge einordnen. Übereinstimmungen zwischen Beer-Hofmann und Wagner sind zahlreicher, als man vermuten möchte.

Ein Zug zum Gesamtkunstwerk ist ja bei Beer-Hofmann unverkennbar vorhanden. Offenbar spielt auch hier barockes Kunstgefühl eine Rolle.

66. S. Nork F., « Etymologisch-symbolisch-mythologisches Realwörterbuch » (2 Bde., Stuttgart 1843—45). Der wissenschaftliche Wert der Veröffentlichungen Norks ist bestritten (vgl. Allgem. deutsche Biographie, Leipzig 1887, 24. Bd., S. 16). Im vorliegenden Wörterbuch sind aber die teilweise schlagenden mythologischen Deutungen und Nachweise auffällig. Diesen sachlich überzeugenden Auslegungen symbolisch-mythologischer Formen ist allerdings der größere Wert zuzuschreiben als den zahlreichen etymologischen Ableitungen, die den Stempel des Dilettantischen an sich tragen. — Zur Bedeutung des Konflikts zwischen Jaakob und Edom vgl. etwa folgende Stellen : « Esau ist das böse Prinzip U-sow in der phönikischen Mythologie ... U-sows Bruder war Hypsuranius, d. i. der Himmelhohe, ... also Israel-Kronos, welcher, wenn man die biblische Bedeutung seines Namens berücksichtigt, Deus supremus ... heißt. Usow unterscheidet sich auch nur vokalisch von Esau. » — Esau hat sein Erstgeburtsrecht für ein Linsengericht hergegeben. Die Linse als Hülsenfrucht ist « ein Symbol der Körperlichkeit und der Materie. Wie Mars ist auch Esau der wilde Jäger, der die Todespfeile versendet ... Der Kampf der sich befeindenden Gegensätze in der Natur tritt aber am heftigsten um jenen Zeitpunkt hervor, wo Licht und Finsternis einander die Zeitherrschaft abtreten sollen, also am Tages- oder Jahresanfang. Darum heißt Penuel, d. i. Wende des (Zeit-)Gotts, jener Ort, wo Jaakob mit dem Dämon, in welchem die Rabbinen Esau erkannten, gerungen ... und ihn überwunden. Ein Gott war es gewesen, dies geht aus dem Geständnis des Besiegten hervor, aber das Nachtprinzip mußte es gewesen sein, denn er verrät sich in den Worten : „Laß mich ziehen, denn die Morgenröte bricht heran !" » (Beer-Hofmann hat also jenen Kampf auf die Höhe Beth-El verlegt. Auffällig bleibt, daß er das Motiv ungenutzt ließ, nach dem Jaakob von jenem Kampf eine Verrenkung der Hüfte, des für die Zeugungskraft symbolischen Körperteils, davontrug. Vgl. dazu den Aufsatz von Diebold in der «Frankfurter Zeitung» 1921.) «Daß Esau mit Mars identisch sei, beweisen die Namensbedeutungen seiner Frauen und Kinder ... Die Namen der Frauen bezeichnen Esau als den sinnlichen Genüssen Huldigenden, welcher sein Erstgeburtsrecht für eine Linsenschüssel hingibt. » (I, 477/478.)

67. Die — vor allem anlagemäßigen — Zusammenhänge zwischen Hofmannsthals « Großem Welttheater » und Beer-Hofmanns « Historie » werden offenbar, wenn man die Ausführungen von K. J. Naef, S. 206/207, durchgeht. Das « Vorspiel im Himmel » und der « Widersacher » sind dabei nur äußerliche und zuerst in die Augen springende Momente. Bei Beer-Hofmann entsprechen hier « Jaakobs Traum » und Samael. Während aber Hofmannsthal von christlichem Mittelalter und Barock ausgeht, bleibt Beer-Hofmann bei den Voraussetzungen, die ihm schon das Alte Testament gibt. Sie treffen sich freilich im gnostisch-neuplatonischen Rückhalt, der beiden eignet.

68. Beer-Hofmann gibt die von ihm zu Quellenstudien benutzte Literatur selbst im Anhang zum « Jungen David », S. 278, an. Unter den dort aufgezählten Büchern war uns nur ein Teil zugänglich. Außer den Bibel-

wörterbüchern von Guthe und Riehm hat wohl am meisten Bedeutung Delitzsch, « Das Land ohne Heimkehr » (Stuttgart 1911).

69. Ein in mancher Einzelheit verblüffend ähnliches Schicksal erlebt der Held des von Hofmannsthal hochgeschätzten Romans « Alexander in Babylon » von Jakob Wassermann (1904). Wassermann, der seit 1898 in Wien lebte, steht in vielen seiner früheren und mittleren Werke der Wiener Dekadenz nahe. Das wird etwa in diesem Roman ganz besonders deutlich im Verhältnis zwischen Alexander und seinem Freund Hephästion. Bei dessen Tod heißt es etwa von Alexander : « Da fühlte er, noch nicht mit ganzer Sicherheit, noch trüb und weit fühlte er, was es mit dem Tod sei ... » (91.) Vgl. Anm. 38. — Alexanders Verhältnis zu seinem Stiefbruder Arrhidäos ließe in ähnlicher Weise Rückschlüsse zu. Auffällig ist die stilistische Verwandtschaft des Romanes mit gewissen Partien des « Tod Georgs ».

70. Es ist der Brief vom 25. April 1922 an Ilse Blumenthal-Weiß. (Rilke, « Briefe aus Muzot », Leipzig 1935, S. 131.)

71. In der Weigerung, Altbekanntes, aus der Legende von König David Geläufiges in « vieler Bilder buntem Reigen » vorzuführen, liegt versteckt ein Bekenntnis zur Priorität der Dichtung, des Wortkunstwerkes, gegenüber dem Film. Von filmischen Elementen kann man bei Beer-Hofmann sprechen im Prolog « Ruth » zum « Jungen David » und im « Vorspiel zu König David ». Das Problem erhält einen gewissermaßen persönlichen Aspekt durch die Tatsache, daß Gabriel Beer-Hofmann, ein Sohn des Dichters, beim Film tätig ist. Diesen Hinweis verdanke ich Herrn Felix Salten. Vgl. die Ausführungen über die Beziehungen zum Expressionismus S. 165.

72. In bezug auf Rilke vgl. Faesi, S. 66/67.

Zum vierten Teil : Verse und Reden

73. Zuerst in der Zeitschrift « Pan », dann in einem Sonderabdruck verbreitet; 9. Aufl. bei Bermann-Fischer, 1938. Entstanden 1897 oder 1898. Beer-Hofmann gibt beide Jahreszahlen an (in der 9. Aufl. steht : « Geschrieben 1898 »; in den « Versen » ist es auf 1897 datiert).

74. Zu « Animula Vagula Blandula » vgl. den interessanten und aufschlußreichen Aufsatz von Werner Y. Müller in der « Neuen Zürcher Zeitung », 7. und 16. September 1941.

75. Die Zusammenstellung mit « Neuromantik », mit Artistik oder Ästhetizismus usw. ist völlig verfehlt. Es gilt hier wortwörtlich, was K. J. Naef über die « Fehldeutungen von Hofmannsthals Gestalt » auf S. 9 f. ausführt. Nur bei einem einzigen Fall kann man event. von Artistik sprechen, nämlich beim « Grafen von Charolais », vgl. S. 113.

Zum fünften Teil : Grundzüge eines symbolischen Weltbildes

76. Vgl. Max Schlesinger, « Geschichte des Symbols », und R. Eisler, « Wörterbuch der philosophischen Begriffe », IV., Berlin 1930, S. 194 f. Wir können in diesem Zusammenhang keine kritisch-philosophische Be-

gründung des Symbolbegriffes geben, sondern nur einige Punkte aus seiner Entwicklungsgeschichte markieren.

77. Höchst interessante Ausführungen über dieses Problem finden sich in F. Weinhandls Buch « Über das aufschließende Symbol ».

78. Auffällige gedankliche Übereinstimmungen zwischen Beer-Hofmann und J. J. Bachofen trafen wir schon bei der Frage der Arche geneseos (vgl. S. 34/35 und Anm. 15). Eine ebenfalls auffällige Berührung liegt in Beer-Hofmanns Leitbild von der Ahnung (vgl. S. 161 u. das Gedicht « Herakleitische Paraphrase », S. 180) und in der öfteren Erwähnung eben dieser Bewußtseinsqualität an hervorragender Stelle bei Bachofen, z. B. in unserem Zitat : « Zu arm ist die menschliche Sprache, um die Fülle der *Ahnungen,* welche der *Wechsel von Tod und Leben* wachruft, ... in Worte zu kleiden. » — Und später : « Das Symbol erweckt *Ahnung* ... Symbole erregen *Ahnungen* ... » — Vgl. Anm. 89.

79. Im Helicon-Aufsatz hat sich Beriger gegenüber der « Literarischen Wertung » korrigiert. Der Unterschied zwischen seinen und meinen Ausführungen beruht, so weit ich sehe, nicht auf einer andern Auffassung des Symbolbegriffes als vielmehr auf einer andern Abgrenzung dessen, was noch oder schon und was nicht mehr unter Dichtung zu verstehen sei (z. B. S. 44 und 49).

80. Vgl. über die Unaussprechbarkeit des Symbolgehaltes schon Creuzer, « Symbolik und Mythologie der alten Völker », S. 73 ff.

81. Das Problem der Symbolverwendung und -bevorzugung in der neuern Literatur ist allerdings viel zu wenig systematisch untersucht, als daß sich verbindliche Schlüsse ziehen ließen, inwieweit diese wirklich geistesgeschichtlich aufschlußreich ist. Immerhin wage ich zu behaupten, daß der Umschlag vom Astarte-Symbol zum Genesis-Symbol bei Beer-Hofmann nicht einer individuellen Entwicklung entspringt, sondern den Grund in einer allgemein geistesgeschichtlichen Wandlung hat und überhaupt die Ambivalenz, ja Unentschiedenheit, und dann eine von ferne sich ankündigende Klärung transparent macht.

82. Vgl. Aug. Wünsche, « Die Sagen vom Lebensbaum und Lebenswasser », Leipzig 1905. — « Haar » als Fruchtbarkeitssymbol ist in der antiken Mythologie stark verbreitet; s. Bachofen, « Gräbersymbolik », S. 326.

83. S. Georg Steinhausen, S. 331, 391. Das Problem des Historismus behandelt eine unzeitgemäße Betrachtung Nietzsches : « Vom Nutzen und Nachteil der Historie. »

84. S. Strutz a. d. S. 44, 45, 52. Weitere Belege ebenda.

85. Vgl. Emil Staiger, « Zeit als Einbildungskraft des Dichters », Zürich 1939, S. 160—164 und 187. Zitate aus Keller n. d. Ausgabe v. Fränkel. Band III der ersten Fassung des « Grünen Heinrichs » ist i. d. Gesamtausgabe Band 18.

86. Band III des «Grünen Heinrich» ist Band 5 der Gesamtausgabe. — Auch bei d'Annunzio taucht mehrmals die cerealische Mutter-Gottheit auf; Spuren davon etwa in folgenden Sätzen aus dem « Triumph des Todes »: « Es war ein Septembernachmittag; ... Duft ... eines wiedererstandenen Frühlings ... Man sah auf mit Efeu bekleideten Sockeln, in symmetrischer Ordnung, kolossale marmorne Köpfe von Stieren, Pferden, Einhörnern und Widdern: Sinnbildern der brutalen Kraft ... Gesichter von

heiteren Gottheiten, oder Masken mit leeren, runden Mündern, oben auf
marmornen Stämmen, die wie solche von Pflanzen gefasert waren; auf
weißen Sarkophagen im Relief ein Mänadentanz, ein Satyr, im Begriff,
einer Ziege eine Traube anzubieten, eine Schlange, aus einem Korbe
steigend, ein Kranz aus Früchten und Blumen ...» (S. 468/69.)

87. Das Motiv der Sündflut ist in der modernen deutschen Literatur häufig.
Vgl. H. U. Balthasar, «Geschichte des eschatologischen Problems in der
modernen deutschen Literatur», Diss., Zürich 1930, S. 204 ff. Viele Beispiele müßten noch genannt werden, auch solche, wo es sich ohne Erwähnung der «Sündflut» um Ertrinken handelt. Ich erwähne nur zwei
weniger beachtete: In Wassermanns «Christian Wahnschaffe» sagt der
Maler Weikhardt, nachdem er ein Bild vom allgemeinen Materialismus
gegeben hat: «Es ist eine Luft wie vor der Sintflut.» Und Grillparzer
läßt im «Bruderzwist» Kaiser Rudolf sprechen:

> «Ists doch als ginge wild verzehrend Feuer
> Aus dieser Rolle, das die Welt entzündet
> Und jede Zukunft, bis des Himmels Quellen
> Mit neuer Sündflut bändigen die Glut,
> Und Pöbelherrschaft heißt die Überschwemmung.»
> (ed. Sauer, I/6, S. 262.)

Im übrigen sei noch angemerkt, daß der «Dschungel» in Werfels «Stern
der Ungeborenen», das «säuische Getümmel» am Rande der astromentalen Kultur sich im Laufe der Zeit aus «Sümpfen» gebildet hat.

88. Dem Wasser eignet, je nach seinem Weltzusammenhang, verschiedene
Symbolqualität. Im Gegensatz zum Turmsymbol vertritt es die Natur
und ist weibliches Symbol. Im Gegensatz zu empfangender Erde ist es
zeugendes Element und also männlich, jedoch materiell. In dieser dialektischen Stellung verwendet es besonders Bachofen.

89. «Ahnung» von mir kursiv. Auch Werfel spricht hier wie mehrmals in
diesem Werke von der Ahnung, die als ein Leitbild Beer-Hofmanns zu
gelten hat. Es sei bemerkt, daß auch Hesse dieses Wort gebraucht im
ersten und im dritten Zitat auf S. 230: «Ahnungen einer versunkenen
Vorzeit ...» und die «echten Bilder der Seele ... lassen sich ahnen ...»
(vgl. Anm. 78).

90. Franz Grillparzer, den wir im Laufe unserer Darstellung oft beiziehen
mußten und noch viel öfter hätten beiziehen können, hat mehrmals Begriffe einander gegenübergestellt, die in diesem Zusammenhang äußerst
aufschlußreich sind. So spielt er in «Des Meeres und der Liebe Wellen»
(III. Aufzug) gegeneinander aus «Sammlung» und «Zerstreuung» (I/4,
133/134), und im «Bruderzwist in Habsburg» stellt er noch deutlicher
einander gegenüber Willkür, Verwirrung, Taumel, die reißenden Tiere,
verzehrendes Feuer und Pöbelherrschaft (= Überschwemmung!) einerseits und Ordnung, Staat, Fügung (Symbol: Sterne!) anderseits. Eine in
dieser Beziehung besonders wichtige Stelle ist ferner wesentlich durch das
Turmsymbol. Turm über dem Chaos wird hier ähnlich zum vereinigenden Symbol wie in der S. 221 zitierten Stelle aus «Hero und Leander».
Kaiser Rudolf spricht:

> «Wenn aber, ob nur Schüler, Meister nicht,
> ich gerne weile in den lichten Räumen;

Kennst du das Wörtlein : Ordnung, junger Mann ?
Dort oben wohnt die Ordnung, dort ihr Haus,
Hier unten eitle Willkür und Verwirrung.
Macht mich zum Wächter auf dem Turm bei Nacht,
Daß ich erwarte meine hellen Sterne,
Belausche das verständ'ge Augenwinken,
Mit dem sie stehn um ihres Meisters Thron. — »

(ed. A. Sauer, I/6, S. 186/187.)

91. Vgl. hierzu K. J. Naef, S. 138 f.
92. Vgl. die Einführung von Käte Hamburger, Stockholm 1945, bes. S. 128 ff. Es mag hier auch auf Josephs Hermaphroditismus-Lehre aufmerksam gemacht werden : « Joseph in Ägypten », S. 286 ff. (Joseph redet vor Potiphar).
93. Vgl. das Vorwort zum ersten der Josephs-Romane, « Die Geschichten Jaakobs », ferner die Veröffentlichung von Karl Kerenyi, « Romandichtung und Mythologie, ein Briefwechsel mit Thomas Mann », Zürich 1945, und den Aufsatz von Hermann Broch « Die mythische Erbschaft der Dichtung » in der Sonderausgabe der « Neuen Rundschau » zu Thomas Manns 70. Geburtstag, 6. Juni 1945, S. 68—76.

Bibliographie

1. Die Werke von Richard Beer-Hofmann

Dichtungen

« Novellen », Berlin, Freund und Jäckel, 1893.
« Der Tod Georgs », Berlin, S. Fischer, 1900.
« Der Graf von Charolais », ein Trauerspiel, Berlin, S. Fischer, 1904.
« Jaakobs Traum », ein Vorspiel, Berlin, S. Fischer, 1918.
« Der junge David », sieben Bilder, Berlin, S. Fischer, 1933.
« Vorspiel auf dem Theater zu König David », Wien, Johannespresse, 1936.
« Verse », Stockholm-New York, Bermann-Fischer, 1941.
« Herbstmorgen in Österreich » (aus dem « Fragment Paula »), New York, Johannespresse, 1944.

Aufsätze und Reden

« Der Graf von Charolais », in « Das lit. Deutsch-Österreich », 1905, Nr. 4.
« Gedenkrede auf Wolfgang Amade Mozart », Berlin, S. Fischer, 1906.
« Theater Habima », in « Das neue Rußland », 1926, 9./10., Heft 40.
« An der Schwelle des Goethe-Jahres », in « Neue Freie Presse », 2. Jan. 1932.
« Fest-Aufführung des Faust von Goethe, I. und II. Teil, Einrichtung für einen Abend von Richard Beer-Hofmann », off. Programm des Burgtheaters, 27. 2. 1932 (enthält auch die Goethe-Rede).
« Form-Chaos », in « Die neue Rundschau », Sonderausgabe zu Thomas Manns 70. Geburtstag, 6. Juni 1945.

Gedichte und Fragmente in Zeitschriften

« Schlaflied für Mirjam », in « Pan », 1898, IV. Jahrgang, 2. Heft.
« Der Tod Georgs », Fragment (S. 123 bis 131), in « Pan », IV. Jg., 2. Heft.
« Der Tod Georgs », Fragment (S. 24 bis 42 und 67 bis 107), in « Zeit », 1899, Nr. 266 bis 269.
« Der junge David », Fragment (ca. S. 21 bis 27), in « Eranos », Hugo von Hofmannsthal zum 1. Februar 1924, S. 61.
« Drei Prologe » (Prolog-Entwurf zu einer « Ariadne auf Naxos » und « Ariadne auf Kreta », 1898; Chorus für eine Berliner Aufführung von « Romeo und Julia », 1928; Prolog-Entwurf zu « Der junge David », 1916), in « Corona », 1930, I. Jahrgang, 4. Heft.
« Der einsame Weg », an Arthur Schnitzler, (Faksimile der Handschrift), in « Corona », 1932, II. Jahrgang, 4. Heft.
« Der junge David », zweites Bild, in « Corona », 1933, III. Jahrgang, 6. Heft.
« Erahnte Insel », « Der Beschwörer », in « Corona », 1937, VII. Jg., 6. Heft.
« Gedichte » (Der Künstler spricht, Aus einem Entwurf zu « Jaakobs Traum », Bildnis : Hugo Thimig als Kent in « König Lear », Strom vom Berge), in « Die Rappen », Jahrbuch des Verlages Bermann-Fischer, Wien 1937.

265

Unveröffentlicht:

« Pierrot hypnotiseur », Pantomime, 1892 (mitgeteilt in Brief Nr. 30 von Hofmannsthal an Felix Salten, Briefe I, S. 56 und 341).

II. Die Werke über Richard Beer-Hofmann

Selbständige Arbeiten

Rader Erich, « Richard Beer-Hofmanns „Graf von Charolais" und seine Vorläufer », Diss. Wien, 1911 (in der Universitätsbibliothek Wien, Ind.: H 1911 PN 3162).

Reik Theodor, « Richard Beer-Hofmann », Leipzig, Sphinx-Verlag, 1912 (bildet Heft 3 der « Beiträge zur Literaturgesch. »).

Reik Theodor, « Das Werk Richard Beer-Hofmanns », Wien, Löwit, 1919.

Werner Alfred, « Richard Beer-Hofmann. Sinn und Gestalt », Wien, Verlag Hch. Glanz, 1936.

Liptzin Solomon, « Richard Beer-Hofmann », New York, Bloch Publishing Company, 1936.

In literarischen Abhandlungen

Beck Christoph, « The Fatall Dowry. Einleitung zu einer Neuausgabe », Diss. Erlangen, 1906.

Schwarz F. H., « Nicholas Rowe, the fair penitent, a Contribution to literary analysis, with a side reference to Richard Beer-Hofmann, „Graf von Charolais" », Diss. Bern, Francke, 1907.

Bahr Hermann, « Glossen zum Wiener Theater (1903—06) », Berlin, S. Fischer, S. 277 bis 288.

Lukács Georg v., « Die Seele und die Formen », Berlin, 1911, S. 229 bis 264.

Baum O., in « Juden in der deutschen Literatur », Essays, hrsg. Krojanker, Berlin, Weltverlag, 1922. (S. 198 bis 206.)

Specht Richard, « Literatur der Gegenwart », in « Ewiges Österreich », hrsg. E. Rieger, 1928, S. 25 bis 74.

Spoerri Theophil, « Präludium zur Poesie », Berlin, Furche, 1929.

Strobl Karl Hans, « Deutsch-österreichische Literatur », in «Völkermagazin 4 », Sondernummer Österreich, 1930, S. 26.

Polgar Alfred, « Über Jaakobs Traum », in « Auswahlband aus neun Bänden erz. und krit. Schriften », Berlin, 1930, S. 293 bis 297.

Zeitschriftenaufsätze

Gold Alfred, « Ästhetik des Sterbens » (Richard Beer-Hofmanns « Tod Georgs » und Felix Salten, « Der Hinterbliebene »), in « Zeit », 1900, Nr. 282.

Stoeßl O., « Tod Georgs », in « Nation », Berlin, 1900, XVII./24.

Eloesser A., do., in « Neue deutsche Rundschau », 1900, S. 993.

Goldschmidt A., do., in « Das literarische Echo », 1900, S. 1370.

A. L. J., do., in « Die Wage », 1900, 38. Heft, S. 191.

Heiß, « Der Graf von Charolais », in « Allgemeine Zeitung des Judentums », 1905, Nr. 22.

Kerr Alfred, do., in « Die Kritik », 1905, Nr. 5, 6.

Kerr, do., in « Die neue Rundschau », 1905, Febr., S. 247 bis 252 (Derselbe Aufsatz in « Die Welt im Drama », II. Bd.: « Der Ewigkeitszug »).

Lou Andreas-Salomè, do., in « Die Zukunft », 1905, L., S. 286 bis 293.

Poppenberg F., do., in « Der Türmer », 1905, Februar, S. 646 bis 651.

Düsel F., do., in « Westermanns illustrierte deutsche Monatshefte », 1905, S. 930 bis 933.

Klemperer, do., in « Ost und West », 1906, S. 547 bis 552.

Brüstinger N., « Jaakobs Traum » in « Jüdische Rundschau », 1918, XXI., S. 159.

Specht Richard, do., in « Der Merker », 1919, X., S. 330.

Goldschmidt K. W., « Der Dichter Beer-Hofmann », in « Neue Jüdische Monatshefte », 1919, S. 174 bis 178.

Marilaun C., « Jaakobs Traum », in « Nationalzeitung », 1919, 6. Februar.

Hartmeyer H., do., in « Hamburger Nachrichten », 1919, 13. April.

Schmidt C., do., in « Vorwärts », 1919, 8. November.

Salten Felix, « Historie von König David », Uraufführung des Vorspiels am Wiener Burgtheater, in « Berliner Tageblatt », 1919, 7. April.

Schmitz F., « Jaakobs Traum », in « Donauland », 1919, III., 1/S. 398.

Sebrecht F., do., in « Zeitschrift für Bücherfreunde », Neue Folge, XI., 1. Beiblatt, S. 223.

Kerr Alfred, do., in « Berliner Tageblatt », 1919, 7. November.

Fechter, do., in « Deutsche Allgemeine Zeitung », 1919, 8. November.

— « Propaganda-Abend bei Reinhardt », in « Deutsche Zeitung », 1919, 8. November.

— « Berliner Theater », in « Frankfurter Zeitung », 1919, 12. November.

Thyssen, « Revolutionserinnerungen im Spiegel des Theaters » in « Germania », 1919, 9. November.

— « Uraufführung », in « Hamburger Fremdenblatt », 1919, 14. November.

Kappstein Th., « Der leidende Gottesknecht », « Königsb. Hart. Zeitung », 1919, 17. Dezember.

Wilde R., « Jaakobs Traum », in « Kieler Zeitung », 1919, 11. November.

Bondy J. A., do., in « Nationalzeitung », 1919, 8. November.

Handl W., « Deutsches Theater », in « Der Tag », Berlin, 1919, 9. November.

Hart J., « Jaakobs Traum », in « Der Tag », Berlin, 1919, 8. November.

Schlaikjer E., do., in « Tägliche Rundschau », Berlin, 1919, 8. November.

Jacobs M., do., in « Vossische Zeitung », 1919, 8. November.

Jacobsohn, do., in « Das Jahr der Bühne », 1920, S. 43 bis 48.

Hammer W. A., do., in « Wiener Mitteilungen auf dem Gebiete der Literatur », 1920, XXXI./Oktober.

Ratann O., do., in « Der Gral », 1920, XIV., S. 123.

Cohn W., do., in « Allgemeine Zeitung des Judentums », 1920, 84. Jahrgang, S. 36 (Nr. 3).

Cohn W., « Schlaflied für Mirjam », in « Allgemeine Zeitung des Judentums », 1920, 84. Jahrgang, S. 84 (Nr. 7).

Diebold B., « Jaakobs Traum und Betrug », in « Frankfurter Zeitung », 1921, 11. April.

Lessing Th., « Jaakobs Traum », in « Das deutsche Drama », 1921, IV., S. 16 bis 32.

Auernheimer R., « Richard Beer-Hofmann », in « Neue Freie Presse », 1922, 22. Oktober.

Engel F., « Graf von Charolais », in « Berliner Tageblatt », 1923, 16. Mai.

Davidsohn L., « R. Beer-Hofmann, jüdischer Schriftsteller », in « Jüdisch-liberale Zeitung », 1924, Nr. 28.

— « Geheimnis der Gnadenwahl », in « Heliand », 1925, XV., S. 68 bis 76.

Stroh H., in « C. V. Zeitung, Blätter für Deutschtum und Judentum », 1926, V., S. 386.

Schwarz F.H., « Deutsche Anleihen bei englischen Dramatikern mit Berücksichtigung von Beer-Hofmanns „Graf von Charolais" », in « Jahrbuch des Vereins schweizerischer Gymnasiallehrer », 1926, LIV., S. 133.

Reik Th., « Richard Beer-Hofmann zu seinem 60. Geburtstag », in « Menorah, jüd. Familienblatt », 1926, S. 424.

Kayser R., « Der 60jährige Beer-Hofmann », in « Neue Rundschau », 1926, S. 196.

Auernheimer R., « Der Dichter Beer-Hofmann », in « Neue Freie Presse ». 1926, 11. Juli.

Kayser R., « Beer-Hofmann, der 60jährige », in « Das vierzigste Jahr », Berlin, S. Fischer, 1927, S. 100.

P. G., « Der junge David », 1. Akt, in « Neue Freie Presse », 1928, 27. Okt.

Liptzin S., in « Monatshefte für deutschen Unterricht », 1930, Vol. 22, S. 103 bis 109 und S. 133 bis 140.

Eckhardt E., « Deutsche Bearbeitungen älterer englischer Dramen », in « Englische Studien », 1933, 68. Bd., S. 195 bis 208.

— « Der junge David », in « C. V. Zeitung, Blätter für Deutschtum und Judentum », 1933, XII., Nr. 50, 1. Beilage, S. 2.

Almoni, do., in « Der Morgen », 1934, IX., S. 524.

Beth Marianne, do., in « Zeitschrift für Religionspsychologie », 1934, VII., S. 107 bis 111.

Badt-Strauß, do., in « Jüdische Rundschau », 1934, 39. Bd., Nr. 6, S. 5.

Simon, do., in « Jüdische Rundschau », 1934, 39. Bd., Nr. 72/73, S. 3.

— do., in « Bayr. Israelit. Gemeindezeitung », 1934, S. 27.

— « Zur Erstaufführung von Jaakobs Traum », in « Jüdische Rundschau », 1935, 40. Bd., Nr. 12, S. 9.

Mayer P., « Zum 70. Geburtstag von Beer-Hofmann am 11. 7. 36 », in « C. V. Zeitung, Blätter für Deutschtum und Judentum », 1936, XV., Nr. 28, 2. Beilage, S. 1.

Pinthus K., « Der junge David », in « Bayr. Israelit. Gemeindezeitung », 1936, S. 329.

Weltmann L., in « Der Morgen », 1936, XII., S. 184 bis 186.

— in « Jüdische Rundschau », 1936, 41. Bd., Nr. 55, S. 1.

Auernheimer R., « Zum 70. Geburtstag », in « Neue Freie Presse », 1936, 12. Juli.

Hirsch, « Vorspiel zu König David », in « Jüdische Rundschau », 1936, 41. Bd., Nr. 55, S. 3.

Faesi Robert, « Richard Beer-Hofmanns neuestes Werk. Zum 70. Geburtstag des Dichters », in « Neue Zürcher Zeitung », 1936, 12. Juli.

Oberholzer Otto, « Richard Beer-Hofmann † », in « Neue Zürcher Zeitung », 1945, 2. Oktober.

Kahler Erich, « Richard Beer-Hofmann », in « Die neue Rundschau », 1946, Januar.

(Die Aufsätze sind chronologisch geordnet. In der Regel gruppieren sich die Aufsätze um die Erscheinungsjahre der wichtigsten Werke.)

III. Allgemeines

Zu den Dichtungen und Dichtern der Wiener Dekadenz

Schnitzler Arthur, « Gesammelte Werke in zwei Abteilungen », Berlin, S. Fischer.

Blume Bernhard, « Der Nihilismus im Weltbild Arthur Schnitzlers », Diss., Stuttgart 1936.

Plaut Richard, « Schnitzler als Erzähler », Diss., Basel 1936.

Hofmannsthal Hugo v., « Gesammelte Werke in drei Bänden », Berlin, S. Fischer, 1934.

Loris, die Prosa des jungen Hugo von Hofmannsthal, Berlin, S. Fischer, 1930.

Hofmannsthal, « Biefe 1890 bis 1901 », Berlin, S. Fischer, 1935 (Zit. I).
— « Briefe 1900 bis 1909 », Wien, Bermann-Fischer, 1937 (Zit. II).

Naef, Karl J., « Hugo von Hofmannsthals Wesen und Werk », Zürich und Leipzig, Niehans, 1938.

David J. J., « Gesammelte Werke in sechs Bänden », München, Piper, 1908.

d'Annunzio Gabriele, « Der Triumph des Todes », deutsch von M. Gagliardi, Berlin, S. Fischer, 1912.

Cysarz Herbert, « Alt-Österreichs letzte Dichtung (1890 bis 1914) », in « Preußische Jahrbücher », Bd. 214, S. 32 bis 51.

Thon Luise, « Die Sprache des deutschen Impressionismus », München, 1928.

Strutz A., « Andreas Gryphius, die Weltanschauung eines deutschen Barockdichters », Horgen-Zürich/Leipzig, Münsterpresse, 1931.

Rütsch Julius, « Das dramatische Ich im deutschen Barock-Theater », Horgen-Zürich/Leipzig, Münsterpresse, 1932.

Steinhausen Georg, « Deutsche Geistes- und Kulturgeschichte von 1870 bis zur Gegenwart », Halle a. S., Niemeyer, 1931.

Zur Symbolik und Mythologie

Cassirer Ernst, « Philosophie der symbolischen Formen », 3 Bde., Berlin, Bruno Cassirer, 1923—29.
Schlesinger Max, « Geschichte des Symbols », Berlin, 1912.
Volkelt J., « Der Symbol-Begriff in der neuesten Ästhetik », Jena, 1876.
Weinhandl F., « Über das aufschließende Symbol », Berlin, 1929.
Clemen Carl, « Die Religionen der Erde », München, Bruckmann, 1927.
— « Lukians Schrift über die Syrische Göttin », Leipzig 1938 (in « Der alte Orient », Bd. 37, Heft 3/4).
Creuzer Fr., « Symbolik und Mythologie der alten Völker », 2 Bde., Leipzig 1810—12.
Bachofen J. J., « Versuch über die Gräbersymbolik der Alten », Basel, 1859.
Schuler Alfred, « Fragmente und Vorträge aus dem Nachlaß », mit einer Einführung von Ludwig Klages, Leipzig, Barth, 1940.
Freud Sigmund, « Gesammelte Werke », Wien, Internat. psychanalyt. Verlag, 1924 ff.
Eranos-Jahrbuch 1938, « Vorträge über Gestalt und Kult der Großen Mutter », Zürich, Rhein-Verlag, 1939.

Beriger Leonhard, « Die literarische Wertung », Halle, Niemeyer, 1938.
— « Der Symbolbegriff als Grundlage einer Poetik », in « Helicon, revue internationale des problèmes généraux de la littérature », Tome V, Fasc. 1—3.
Jung C. G. und *Kerényi Karl,* « Einführung in das Wesen der Mythologie », Zürich, Rascher, 1941.
Kerényi Karl, « Romandichtung und Mythologie », ein Briefwechsel mit Thomas Mann, Zürich, Rhein-Verlag, 1945 (Albae Vigiliae, N. F., Heft II).

Symbolregister

(Die symbolischen Motive sind nach den dominierenden Symbolen in zwei Reihen geschieden und nach dem Grad ihres Bedeutungszusammenhanges gruppiert, und zwar ohne Rücksicht auf dialektische oder vereinigende Stellung. Auf diese Weise tritt der Beziehungsreichtum zwischen den einzelnen Werken noch deutlicher in Erscheinung. Für jedes Stichwort ließen sich weitere Belege aus den Werken anführen. An auffälligen Motiven fehlen u. a. die Gruppe « Stuhl, Thron », « Stock, Geländer usw. », « Phallus ».)

I. Chthonische Symbole.

Wasser 33, 47, 51, 52, 53, 56, 57, 59, 60, 72, 102, 175, 177, 178, 183, 188, 189, 204 f., 211 f., 215, 219 f., 221, Anm. 82 und 88.

Meer 48, 53, 95, 133, 181—183, 188, 204, 209, 220, 221, 230.

See, Teich 51, 53, 56, 57, 60, 65, 188, 204, 212, 213, Anm. 58.

Flut, Sumpf, Überschwemmung 35, 48, 56, 102, 128, 133, 180, 205, 213—215, 230, Anm. 87 und 90.

Fluß, Bach, Quelle, Brunnen 51, 59, 98, 128, 130, 146, 177, 181, 189, 204 f., 212, 220, 223, Anm. 87.

Regen 34, 45, 108, 204, 223.

Tau 41, 48, 51, 52, 128, 149, 204.

Wolken, Dämpfe 34—36, 41, 45, 47, 52, 53, 57, 108, 147, 204, 213.

Schnee 41, 49, 50, 146, 150, 177, 178, 204, 213.

Eis 49, 72, 97, 204, 212, 228.

Luft, Atem 40, 45, 46, 57, 150, 181, 208, 209, 216.

Duft 29, 48, 92, 98, 141, 145, 149, Anm. 86.

Wind 29, 34, 36, 41, 48, 57, 64, 72, 98, 128, 147, 149, 168, 175, 208.

Erde 34, 53, 55, 63, 66, 67, 95, 141, 144, 145, 149, 150, 215, 221, Anm. 88.

Kluft, Schlucht u. ä. 52, 53, 128, 129, 133, 134, 143, 157—159, 188, 213, 220.

Höhle, Hort 51, 146, 150, 188, 220.

Salz 181, 189, 204, 221.

Sand 59—63, 181, 183, 188, 215 f.

Mond 41, 45, 50, 52, 53, 95, 96, 108, 128, 146, 208, 212, 215.

Frühling 33, 41, 53, 57, 61, 72, 128, 150, 177, 208, Anm. 86.

Feld, Wiese, Friedhof, Moos 34—36, 48, 50, 52, 57, 59, 61, 62, 72, 128, 145, 146, 204, 212.

Garten, Park 50, 56, 64, 65, 91, 98, 212, 222.

Baum, Strauch, Wald 33, 37, 50, 57, 63, 64, 72, 98, 130, 177, 178, 204, 212, 213, Anm. 82.

Blume, Blüte, Knospe u. ä. 29, 33, 35, 47, 48, 50, 53, 55—57, 60—63, 71, 72, 98, 145, 147, 149, 174, 204, 210, 211, 222, Anm. 86.

Früchte, Trauben, Getreide, Wein, Öl 53, 55, 59, 61, 146, 177, 178, 212, 220, Anm. 86.

Heu, Laub 48, 50, 63, 64, 65, 210 f.

Tiere 31, 34—36, 52—54, 61, 63, 94, 108, 129, 142, 146, 147, 149, 184, 185, 217, 225, Anm. 28, 86 und 90.

Falter, Bienen, Fliegen 35, 36, 48—50, 59, 62, 72, 98, 145, 146, 149.

Fisch 53, 54, 57, 64, 65, 183, 189, 226 f., Anm. 26.

Blut 65, 74, 75, 88, 95, 130, 132, 133, 148, 175, 227, 236.

Ei 35, 36, 217, Anm. 15.